Internet

para Torpes

Edición 2005

Sp/ TK 5105.875 .I57 M36753
Martos Ana.
Apasionante Internet para
torpes

INFORMÁTICA PARA TORPES

RESPONSABLE EDITORIAL

Víctor Manuel Ruiz Calderón

Susana Krahe Pérez-Rubín

COORDINADORA DE LA COLECCIÓN

Irene Fraguas

REALIZACIÓN DE CUBIERTA

Gracia Fernández-Pacheco

Reservados todos los derechos. El contenido de esta obra está protegido por la Ley, que establece penas de prisión y/o multas, además de las correspondientes indemnizaciones por daños y perjuicios, para quienes reprodujeren, plagiaren, distribuyeren o comunicaren públicamente, en todo o en parte, una obra literaria, artística o científica, o su transformación, interpretación o ejecución artística fijada en cualquier tipo de soporte o comunicada a través de cualquier medio, sin la preceptiva autorización.

© Copyright de los dibujos humorísticos: A. FRAGUAS "FORGES", cedidos los derechos a ANAYA MULTIMEDIA, S.A. para la presente edición.

© EDICIONES ANAYA MULTIMEDIA (GRUPO ANAYA, S.A.), 2005
Juan Ignacio Luca de Tena, 15. 28027 Madrid
Depósito legal: M- 46.015-2004
ISBN: 84-415-1791-6
Printed in Spain
Imprime: Artes Gráficas Guemo, S.L.
Febrero, 32. Madrid 28022

R03209 97759

mclC

Este libro está dedicado al epítome glorioso de la fausta Anfitrite.

El Índice (y el pulgar) de contenidos

Índice de contenidos

Prólogo

Hay gente que ha oído hablar de Internet, pero que nunca la ha visto de cerca. Hay otra gente que la ha visto y hasta la ha catado, pero en casa de un amigo, en el trabajo o de la mano de algún entendido. Hay otra gente que tiene una idea vaga de Internet.

Pues bien, sabe que Internet es lo más fácil del mundo, que las técnicas de navegación en el aparentemente proceloso mar de la Red están chupadas, que no hay dificultad alguna en el manejo de los recursos y triquiñuelas que en ella se mueven.

Si alguien te ha dicho que Internet es compleja, ladina y hasta procaz, ni caso. Internet es amigable, sencilla y utilísima.

Frente a todo lo que te hayan podido decir, hayas podido entender o te haya podido parecer, yo tengo un argumento contundente. Y es que Cosme Romerales, el mismísimo Cosme Romerales, con sus manguitos anticuados, su visera *demodée*, sus chistes obsoletos, su pluma despuntada y sus expresiones prehistóricas, ha sido capaz no sólo de conectarse a Internet, sino de navegar por ella con más pericia que Ulises y Drake juntos.

Y, si Romerales lo ha conseguido, a ver por qué tú no.

Capítulo 1
Aquí *la Interné*, aquí Romerales

LEJOSLANDIA: SELLO CONMEMORATIVO DEL DISEÑO DEL PRIMER PIXEL FLÁCIDO CON PIERNECILLAS ADHERIDAS

Que Romerales aprendió a moverse por Internet es tan cierto como que te has de morir. Ahora, cómo llegó a aprender las cosas de Internet, a navegar con soltura sin chocar contra los demás internautas, a garrapatear sus datos personales en un formulario, a enviar un mensaje de correo electrónico y todas esas cosas que acompañan al trabajo con la Red, es cosa bastante misteriosa.

Todo empezó un día en que Peláez irrumpió pletórico en la oficina y tiró pasillo adelante hacia el despacho del jefe, silbando una melodía de ésas que se ponen de moda y que no hay manera de librarse de ellas por más que uno se esconda.

Los compañeros hicieron inmediatamente un corrillo para comentar. Uno dijo que sabía de buena tinta que a Peláez le había caído una herencia, otro, que si algo había oído de un Bonoloto, hubo quien aseguró que el director general se jubilaba y que Peláez ya se frotaba las manos por aquello del escalafón. Ni que decir tiene que Romerales no hizo el menor caso. A él tanto le daba que Peláez fuera más rico, más pobre o incluso que llegara a jefe. A él le seguía pareciendo un fantasma engreído que sólo valía para endilgar marrones y "embolaos." Y, como no cabía otra posibilidad, así seguiría siendo y así sería hasta la consumación de los tiempos.

Por si acaso, se santiguó tres veces, golpeó la mesa con los dedos índice y meñique de la mano izquierda extendidos y recitó al mismo tiempo:

- Lagarto, lagarto.

De cómo el ínclito Megatorpe acudió una vez más al quite

Cuando Romerales se enteró de que iban a instalar Internet en la oficina y de que tendría que aprender a manejarse con ella, estuvo dudando entre pedir la jubilación anticipada o simular un patarrenque, a ver si pasaba el nublado. Pero no le valió de nada. Tuvo que enfrentarse a la cruda realidad. Un buen día, cuando llegó a trabajar, encontró que algo había cambiado. Indudablemente, ella estaba allí.

Primero creyó que era una señora extranjera que decía cosas raras, pero, luego, cuando Peláez les hizo a todos una demostración y Mari Puri, aquella maravillosa criatura, dijo que ella no se perdía aprender a navegar, Romerales entendió que se las veía con un nuevo rival.

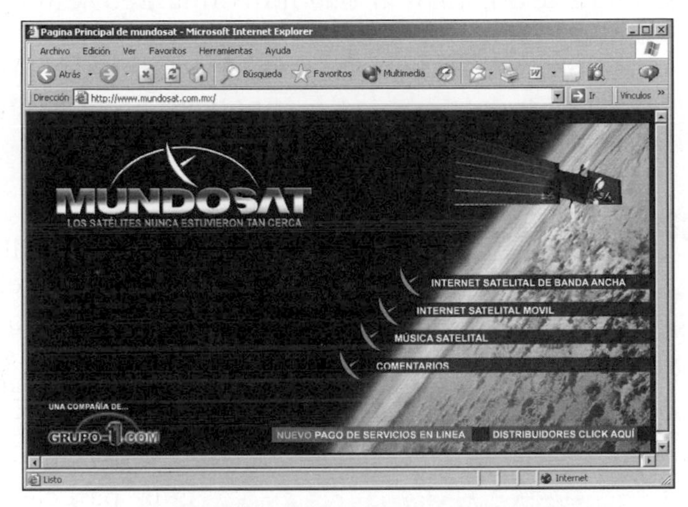

Figura 1.1. ¡Qué bonita es la Interné!

Cuando le obligaron a sentarse ante el ordenador, a quitarse la visera porque tropezaba con la pantalla, a sacarse los manguitos porque el teclado se le enredaba en un enganchón que tenía en el derecho, a asir el ratón y a entrar de cabeza en la Red, se mareó, sufrió un estado confusional agudo, tartamudeó, se rió como un bobo y luego se quedó como en una especie de marasmo, mirando sin ver y escuchando sin oír.

Entonces se produjo una vez más el milagro. La mutación tuvo de nuevo lugar y, donde antes había un pobre oficinista sorprendido y alelado, surgió un superhéroe, un césar, un salvador del mundo, un mesías, un maestro de las nuevas tecnologías, un sabio capaz de dominar la Interné, la extrané y la intrané, amén de todo lo que se le pusiera por delante. Megatorpe, el ínclito, el eximio, el ilustre, el egregio sabio de la informática volvía decidido aquella vez a conquistar el ciberespacio.

En España hay 12,94 millones de internautas, al menos eso es lo que dice el *Estudio General de Medios* publicado en abril-mayo de 2004. De ellos, más del 62 por ciento se conectan desde el hogar y más del 33 por ciento, desde el trabajo. El 58 por ciento son hombres y, el 42 por ciento, mujeres. El 31,5 por ciento tienen entre 25 y 34 años y, el 19,4 por ciento, entre 35 y 44. Lo que no sé es cómo lo saben.

Megatorpe se dispuso a responder a todas las preguntas, a explicar todos los conceptos y a desenredar todas las marañas del conocimiento. Como es natural, empezó por dar la cátedra a los boquiabiertos compañeros de la oficina, quienes, con la natural excepción del sabelotodo Peláez, se dispusieron a escucharle admirativamente. Al menos, al principio, porque cuando vieron que pasaban las horas y el locuaz caballero no se callaba, empezaron las indirectas, luego las puyas y después las escapadas vergonzantes por la puerta del fondo.

Entonces, ¿qué es Internet?

Internet es una red de redes, por eso la llaman la Red con mayúscula. Una red mundial formada por millones de ordenadores enlazados entre sí. Los ordenadores están conectados a otras redes más pequeñas o más restringidas, pero todas se enlazan para abarcar el mundo entero.

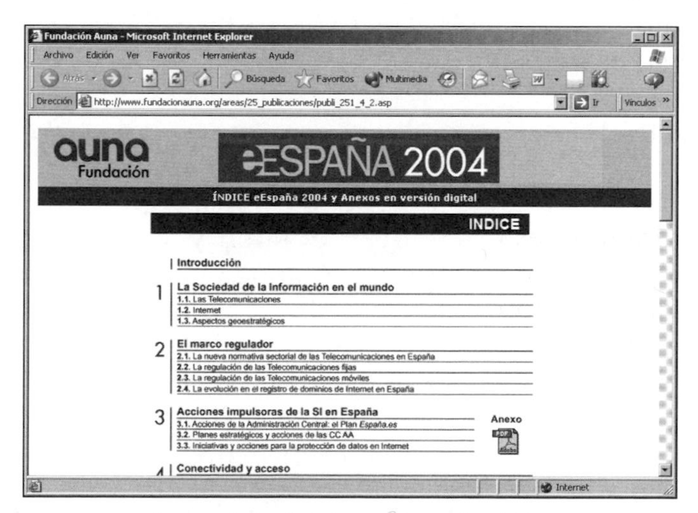

Figura 1.2. El informe España 2004.

Eso significa que las redes de ordenadores dejan de ser redes limitadas, locales o caseras, para pasar a formar parte de una red global. ¿No te han dicho nunca que formas parte del universo infinito? Pues eso, los ordenadores también tienen su sentimiento de pertenencia, claro que el que alguien te diga que formas parte de la inmensidad del cosmos es una perogrullada y saber que tu ordenador forma parte de una red mundial es algo así como un ciberhonor.

Pero Internet es mucho más que eso. Decir que Internet, a las alturas a las que estamos, es una red de redes, una maraña de ordenadores y aparatos interconectados entre sí por diferentes modos de conexión, no es decir toda la verdad. Eso no es más que la chatarra, lo que se toca. Hay también la lógica, lo que no se toca, que es el infinito conjunto de programas que hacen que todos esos aparatos funcionen y se comuniquen. Vamos a hablar de ellos largo y tendido en éste y en los siguientes capítulos. Pero ahora hay otra cosa que nos interesa decir, algo que está por encima de los cables, de los programas y de los artilugios de conexión. Internet es, ante todo, un fenómeno social, un mundo paralelo al mundo en el que vivimos, donde se refleja nuestro consciente y nuestro inconsciente.

- Oiga, esoterismos no, ¿eh? que yo me he confesado esta mañana.

¡Ejem! Pues, como decía, la Red propicia la expresión de muchas facetas escondidas, de muchos lados oscuros y de muchos contenidos subliminales. Precisamente, lo bueno y lo malo de Internet es que es un reino sin rey, donde cualquiera puede decir lo que le dé la gana, lo que no se atreve a decir en la vida real, porque tiene miedo, timidez, porque se reirían de él a mandíbula batiente o, simplemente, porque no tiene la posibilidad de decirlo.

Internet permite la expresión más espontánea de los aspectos más ocultos de la personalidad, ya sean positivos o negativos, es decir, hay gente que se comporta con mucha más urbanidad, amabilidad, simpatía y solidaridad en la Red de lo que lo hace en la vida real y, por el contrario, hay gente que en la vida real se comporta con toda seriedad y, luego, se desfoga en Internet. Claro que es el mismo tipo de gente que

Todas esas cifras de españoles conectados a Internet son pura filfa. Resulta que hacemos el número 17 en la Unión Europea, es decir, que andamos con retraso en la sociedad de la información, aunque tampoco creas que somos los últimos. Los últimos, por cierto, son Grecia, Polonia y Hungría. Pero nosotros somos la octava potencia industrial del mundo y deberíamos encabezar la lista de países internautas y no ir en el vagón de cola. Hacemos el número 17 de 25. Los datos aparecen en el informe *España 2004* presentado por la Fundación Auna, no te vayas a creer que me los he sacado de la manga.

cambia de carácter cuando se mete en el coche, cuando va al fútbol o cuando pierde al mus por culpa del compañero.

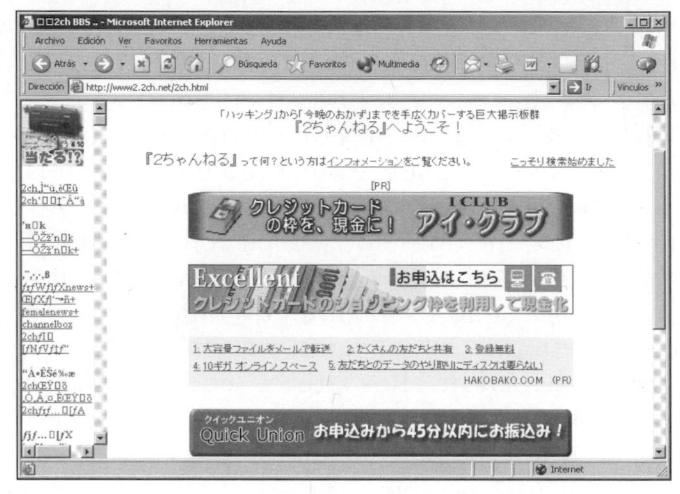

Figura 1.3. Fíjate si escriben palabrotas los japoneses.

Para que veas a lo que llegan algunos, los japoneses, que son los ciudadanos más educados del mundo, han creado una página Web para poder liberar agresividad, poner palabrotas, atacar lo inatacable, cuestionar lo incuestionable y, en resumen, dar salida a toda su necesidad de poner verde al más pintado. La página en cuestión se encuentra en la dirección http://www.2ch.net y la gente se pone ciega a escribir burradas y hasta a dar rienda suelta a xenofobias, racismos, autoritarismos y sadismos. Lo que haga falta.

Las ideas claras

Generalmente, la gente tiene un lío espantoso con algunos conceptos básicos de Internet. Por ejemplo, ¿sabes la diferencia entre una intranet y una extranet?

- ¿Cuánto gano si lo digo?

- Nada, aquí no se viene a ganar, aquí se viene a aprender.

Este... sigamos. Para no liarnos, es decir, para no liarte, es conveniente aclarar algunos conceptos básicos.

Las inforpistas

Las inforpistas son las autopistas de la información. Antes de que existiera Internet, los ordenadores ya se conectaban entre sí mediante cables telefónicos. Hace muchos años que los bancos intercambian información y datos por líneas telefónicas. Lo mismo sucede con muchas otras empresas, que llevan mucho tiempo compartiendo información a través de redes informáticas.

Internet ha conectado todas esas redes para crear esa Red de redes monumental que permite transmitir información a cualquier lugar del mundo.

Las intranets

Las intranets son redes de ordenadores privadas que conectan entre sí distintos departamentos o servicios de una empresa o de una comunidad. Mal comparado, si Internet es el conjunto de autopistas por las que discurre la información, una intranet sería un conjunto de carreteras privadas de una urbanización.

Las carreteras de la urbanización son parecidas a las autopistas, es decir, están construidas con los mismos elementos, pero la urbanización es privada y no se puede entrar a sus carreteras como Pedro por su casa, porque sale el tío de la garita y te pide el santo y seña.

Pues igual pasa con las intranets. Son redes propietarias que enlazan distintos lugares de la empresa, por ejemplo, Contabilidad, Almacén, Ventas, Compras, Servicio al cliente, etc. Se parecen a Internet porque están construidas con una tecnología similar y uno se mueve en ellas igual que en Internet, con un navegador. También se pueden enviar mensajes de correo electrónico entre un puesto de trabajo y otro, o acceder a una página Web con información o con imágenes. Lo mismo que en Internet, pero en pequeñito y sólo para los empleados de la empresa, aunque unos estén en Singapur y los otros en Coslada.

Las intranets y las extranets se diferencian de otras redes locales en que utilizan la misma tecnología que Internet. Hay que desplazarse en ellas con un navegador y funcionan más o menos como Internet, pero con un recorrido limitado. Normalmente, tienen pasarelas que dan acceso a Internet, para que el personal

de la empresa entre y salga (de la intranet) y para que los clientes y proveedores accedan a ella (a la extranet) a través de Internet. Algunas empresas ponen limitaciones a esas pasarelas para que el personal no se pase el día dándole a los juegos en línea o a otras distracciones de la Red.

Las extranets

Las extranets vienen a ser lo mismo que las intranets, sólo que para los de fuera de la empresa, es decir, para los clientes, los proveedores, los asociados, etc. Las extranets es lo que utilizan los bancos, las tiendas y las empresas para que nos podamos conectar desde nuestra casa y manipular la cuenta corriente, hacer un pedido o comprobar la factura de la luz.

La Web

Se llama la Web, la World Wide Web, la WWW, la 3W o, para los amigos, la Güeb.

La palabra *web* significa tela o tejido y se aplicó a la Web porque es un tejido o una telaraña de páginas enlazadas entre sí.

La Web no es lo mismo que Internet, sino algo así como su espíritu. Internet es algo más o menos físico. Era físico hasta que se inventaron las conexiones inalámbricas, ahora ya, ni se sabe. Es decir, Internet es el conjunto de ordenadores, redes, enlaces y artefactos unidos entre sí. La Web es una telaraña de datos digitales, electrónicos o lógicos, como prefieras llamarlos, que dan vida a todo ese conjunto de aparatos. La Web es como un programa gordo que hace que veas cosas en la pantalla de tu ordenador cuando te conectas a Internet.

¿A que tu ordenador tiene hardware y software? Pues eso. El hardware es como el cuerpo, lo físico, lo tangible, lo palpable. Eso sería Internet. El software es como el alma, lo inmaterial, lo intangible, lo impalpable.

- Ya, el ente incierto que es, empieza, termina y se desenvuelve en la entelequia.

- Y su tía Victorina, ¿cómo anda de la...?

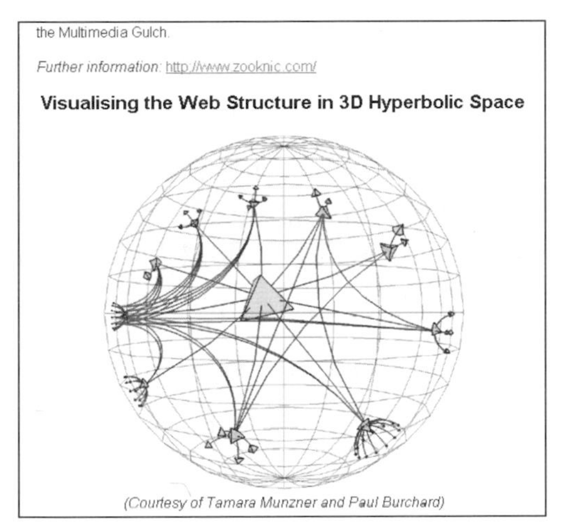

Figura 1.4. ¿Es o no es como una telaraña?

Internet tiene su historia

Internet parece un invento novedoso. Aquí nos venimos conectando desde 1995 ó 1996. Pero no es tan moderna. La verdad es que Internet tuvo su origen en la guerra fría, aquella que llevaron a cabo los americanos y los rusos de la antigua Unión Soviética, y que fue fría, afortunadamente, porque ambas potencias tuvieron pánico a ser la primera en atacar, que, si no, sabe Undivé adónde habría ido a parar el mundo.

La guerra fría enfrentó a las dos potencias mundiales más gordas durante unos cuantos años, en los que ambas se dedicaron a espiarse y a ponerse verdes mutuamente, pero sin llegar a mayores. Fueron los tiempos en que en las películas americanas el malo era ruso o tenía cara de oriental y en la literatura soviética, el americano era el prototipo del capitalismo exacerbado, al que le mostraban una maravillosa obra de arte y sólo reaccionaba preguntando ¿cuánto vale?

Pero la guerra fría tuvo su parte positiva que fue el desarrollo de la tecnología por parte de ambos oponentes. Como cada uno esperaba del otro un ataque nuclear o el envío de un ejército de robots malencarados e irreductibles por las armas, ambos invirtieron tiempo y dinero en desarrollar tecnologías ultrarrápidas, ultraseguras y ultraeficaces para defenderse, contraatacar y, sobre todo, hacer ver al mundo que eran los mejores y los más guapos.

Uno de los planes de prevención de posibles ataques soviéticos condujo a la creación de la Agencia de Proyectos de Investigación del Ministerio de Defensa de los Estados Unidos, abreviado, la DARPA. Para poderse comunicar de un lado a otro del vasto territorio estadounidense, la DARPA puso en marcha un plan de conexión entre ordenadores, que pudiera transmitir información de una manera segura y eficaz. La manera segura consistía en enviar y recibir información de una punta a otra del país por diferentes caminos. Así, si los soviéticos lanzaban un ataque desde un punto del espacio o de la tierra y destruían una vía de información, los americanos podrían continuar comunicándose por otra. Era importante que la red no estuviese controlada por ningún punto que pudiera ser objetivo de los ataques enemigos.

En los años sesenta, DARPA puso en marcha un programa de conexión entre ordenatas capaz de intercambiar información de forma segura, fácil y eficaz. El nombre de la red fue ARPANET.

En los setenta, ARPANET había crecido no solamente en cuanto al número de ordenadores que tenía conectados, sino en cuanto a actividades realizadas mediante protocolos que permitían ya el correo electrónico, el intercambio de noticias, conexión remota y demás.

A principios de los años 80 había cuarto y mitad de redes europeas, americanas y de todas clases y tipos. Entonces se empezaron a crear los dispositivos capaces de enlazar las unas con las otras para formar una red que interconectase millones de ordenadores con un protocolo común y, así como el Negus es Rey de Reyes por descender directamente de Salomón y de la reina de Saba, Internet ha llegado a ser Red de Redes por descender directamente de ARPANET y de NFSNET (red de una agencia estatal de los EEUU).

ARPANET creció y creció, pues cada vez le iban agregando más equipos y más tareas. En otros lugares del mundo, se iban también desarrollando redes informáticas para transmisión de datos entre entidades: bancos, ministerios, empresas, industrias, universidades... hasta que, en los años ochenta, los técnicos idearon una forma de enlazar unas redes con otras y se crearon dispositivos que las interconectasen en una grande, la más grande de todas, la reina de las redes, la Red con mayúscula.

Si te interesan estas historias, encontrarás datos y mapas en las direcciones siguientes: **http://som.csudh.edu/cis/lpress/history/arpamaps, http://www.cybergeography.org/atlashistorical.html** y **http://www.idl.net**

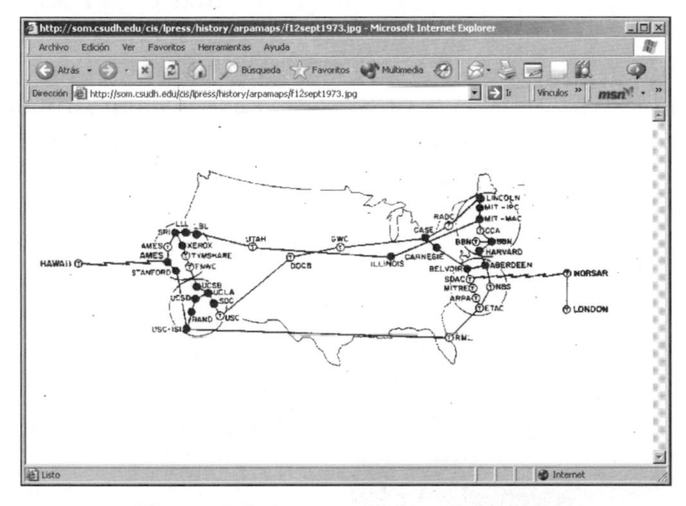

Figura 1.5. Internet en su prehistoria.

Pero ya hemos dicho que Internet no hubiera sido lo que es sin la Web. La World Wide Web es el nombre que dieron en el Laboratorio Europeo de Física de Partículas (CERN) de Suiza a un programa creado por Tim Berners-Lee a principios de los años noventa, capaz de enlazar documentos entre sí, mediante unas conexiones llamadas hipervínculos.

El objetivo del programa era intercambiar documentos entre instituciones científicas, pero luego, se aplicó su filosofía a

Internet, para poder enlazar los documentos de unos ordenadores con los de otros y formar una inmensa telaraña de documentos enlazados que abarca todo el mundo.

Y ahora todos podemos disfrutar de ella,

- Disfrutará usté que nosotros lo único que hacemos es aguantarle la vela.

Para recorrer los documentos enlazados de la telaraña, los científicos de los años noventa desarrollaron unos programas llamados navegadores, con los que saltar de vínculo en vínculo y pasar de una página a otra. La invención de los navegadores permitió la expansión de la Web que se extendió inmediatamente por todo el mundo. De otra forma, hubiera sido muy difícil que los sufridos usuarios pudiésemos manejarnos con tanta tecnología.

El primer navegador que saltó a la palestra se llamó Mosaic y apareció allá por 1993. Con él se podían visualizar documentos que contuvieran texto e imágenes. Tras él vinieron Internet Explorer, Netscape Navigator y otros.

Como estaba previsto que se incorporaran a Internet ordenadores de todo el mundo, fue también preciso arbitrar un idioma común en el que todos se pudieran entender.

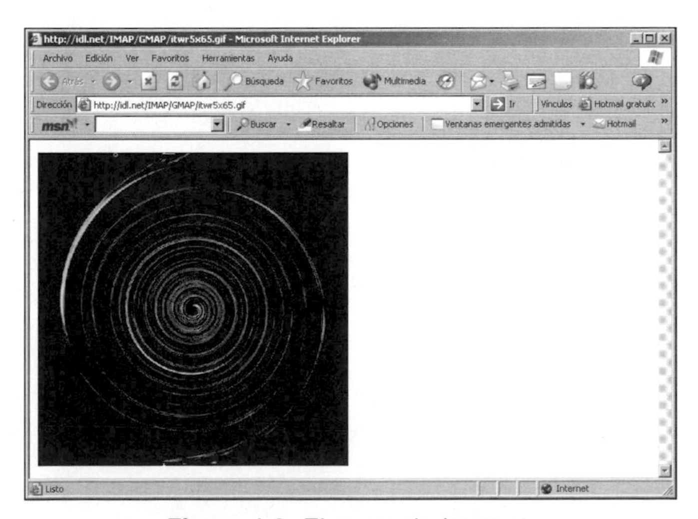

Figura 1.6. El mapa de Internet.

- ¡Anda! ¿Es que los ordenadores se hablan?

- ¡A ver! ¿Es que el suyo es mudo?

El idioma en el que se hablan los ordenadores se llama protocolo. Un protocolo es un conjunto de normas que hay que seguir para llevarse bien con el personal ¿no? Fíjate, si no, la vaina que se organizaría si cada uno se comportase como le viniese en gana. Pues bien, para que todos los ordenadores que se conectasen a la Red se pudieran entender, se arbitró un protocolo común, que se llama TCP/IP.

Lo que se habla en Internet

Lo que se habla en Internet es una nueva jerga medio humana medio cibernética. Algo así como una jerigonza verbigerante galimática y jergonofásica.

- Siempre usté tan enigmático y epigramático y ático y gramático y simbólico. Pues, aunque escuche flemático, sepa que a mí lo hiperbólico no me resulta simpático.

- Enróllese como quiera, que yo no paro hasta el final.

Una gran cantidad de la información almacenada en Internet está redactada en un extraño lenguaje que se parece al espánglis, pero que es una variedad. Es un lenguaje móvil, dinámico, que cambia con la edad del autor, con el momento en que se escribe el texto y con los tiempos. Por suerte para los anglófilos y por desgracia para los anglófobos, los términos ingleses se van pegando poco a poco al lenguaje castellano.

Por ejemplo, ¿no te sorprende oír por la televisión que se han vendido nosécuántas mil "copias" de un libro o de un disco? Uno lo escucha y luego se rasca la cabeza con total sorpresa:

"Juraría yo que vender copias está terminantemente prohibido por la ley. Precisamente, la policía anda detrás de los que fabrican y venden copias de discos, de películas, de prendas de vestir o de gafas."

Pues no se han vendido nosécuántas mil copias, sino nosécuántos mil EJEMPLARES, que no es lo mismo. Los ejemplares son legales, porque forman la "tirada." Pero hay por ahí mucho inculto que desconoce el idioma español y, en vez de ejemplares, traduce directamente del inglés *copies* y dice copias y se queda como un reloj.

Lo mismo sucede con las "canciones". Leemos a diario en los boletines electrónicos y menos electrónicos que se han descargado nosécuántas mil canciones y, a lo mejor, no son piezas cantadas, sino instrumentales. Entonces no se llaman canciones, sino PIEZAS musicales, melodías, obras musicales. Canciones son las que se cantan ¿no? y hay miles de piezas musicales que no se cantan, pero los incultos del castellano traducen directamente del inglés *songs*.

Y ya hace tiempo que venimos viendo y utilizando traducciones directas como chatear o imei.

Liberar por imei

- ¿Va a seguir mucho rato?
- El que considere necesario, ¿por qué?
- Para llamar a mi señora y que venga.
- ¿Cree que le resultará interesante mi exposición?
- No, pero como nos casamos para lo bueno y para lo malo...

Si tienes dudas respecto al lenguaje, no te preocupes. Para eso está la Real Academia de la Lengua, para aclararlas. Puedes encontrarla en Internet y consultar tus dudas en línea, en la dirección: http://www.rae.es

Además, la Comisión de Vocabulario Científico y Técnico de la Real Academia Española ha propuesto, para su inclusión en el Diccionario académico, voces relacionadas con Internet, tales como "Chat", "Colgar", "Descargar" o "Servidor". De todas formas, las nuevas voces propuestas por la comisión sólo son propuestas, ya que todos los términos que se incorporan al Diccionario, deben recibir antes el visto bueno de las Academias hispanoamericanas de la Lengua y tendrán que ser aprobados por el Pleno de la RAE. Pero esa proposición significa que la Academia no se duerme en los laureles y que quiere estar al día y mantener vivo el lenguaje.

Precisamente, lo más importante que tiene Internet es que es un mundo vivo, en el que se puede entrar, dejar el propio granito de arena y salir. Y ese granito de arena es algo vivo, actual, de hoy. Internet es un mundo dinámico y cambiante y por eso necesita incluir un lenguaje vivo y actual.

- Y una lengua viperina venenosa y letal.
- ¿Qué dice? ¿No ve que me descentra?

Sopa de letras

Uno de los líos más gordos que se organizan con el lenguaje de la Red es la sopa de letras de los formatos de archivos. Por ejemplo, cuando nos decidimos a descargar archivos musicales, vamos directos y orondos a la tienda virtual, creyendo que nos van a preguntar qué estilo musical nos gusta, cuál es nuestro intérprete preferido o cosas así. Pues no. Nos encontramos con la sopa de letras AAC, ATRAC, WMA y otras, con la advertencia de que cada una es compatible solamente con una marca o un tipo de reproductor.

La nueva terminología

Si vas a andar por la Red, es mejor que te acostumbres poco a poco a la nueva terminología. No hace falta que te la aprendas de memoria, pero sí que sepas dónde acudir a preguntar, a enterarte y a que te expliquen qué significa cada palabra rara que te encuentres.

La nueva terminología de la Red ocupa miles de páginas. Si quieres conocerla a fondo, hazte con algunos glosarios que te facilitarán todos los significados de las palabras que te suenen a chino cuando te aventures por la Red y, además, en correcto castellano y ordenadas alfabéticamente.

Por ejemplo, la Asociación de Técnicos de Informática publica un glosario que actualiza con frecuencia. Lo encontrarás en:

http://www.ati.es/novatica/glosario/glosario_internet.html

Podrás encontrar otros diccionarios de Internet en las direcciones siguientes:

http://www.arrakis.es/~aikido/interdic

http://www.glosarium.com

http://www.midicorreo.com/ayuda/diccionario.htm
http://www.pergaminovirtual.com.ar/glosario
http://centros.edu.xunta.es/iesxunqueira1/tecnoweb/lecciones/dicc.htm

Figura 1.7. La jerga de la Red.

Los jeroglíficos del chat

La jerga de mensajes cortos y chat se ha calificado de patada al lenguaje en diferentes ámbitos internacionales. Algunos dicen que es una aberración que empobrece aún más el lenguaje, mientras que otros lo defienden como medio divertido y juvenil de comunicación.

Mi opinión particular es que el lenguaje se ha empobrecido y acortado antes de que existieran los móviles ni los chats. En los años 70, surgió un movimiento juvenil contracultural que se llamó El Rollo, cuyo exponente era la revista *Ajoblanco* o *Papiajo*. La gente del Rollo, que eran los chavales adheridos a aquel movimiento ácrata, se expresaba con media docena de palabras. Para ellos, todo eran rollos, enrolles, paridas, movidas, pasadas o mogollones.

Anaya tiene un diccionario en Internet que te vendrá al pelo cuando necesites enterarte de lo que te está diciendo el servidor de turno. Además podrás consultar cualquier otra cosa que te venga a las mientes. Lo encontrarás en:
http://www.diccionarios.com
http://www.une.edu.ve/kids/diccionanaya.htm
http://www.alegsa.com.ar/Recursos/diccionarios.htm

En todo caso, hay algunos canales de chat en los que no se permite el uso de esta jerga, sino que hay que utilizar la etiqueta de la Red, la Netiqueta, que veremos en un próximo epígrafe. Lo sabrás cuando vayas a entrar y te digan que, de jergonofasia, nasti, que allí son todos ciuredanos (ciudadanos de la red) de tronío.

Como en esta era de la información, de la globalización y del chimpón no tenemos tiempo que perder y la ansiedad nos devora a todos, los interlocutores de chats, mensajerías, mensajes cortos en los teléfonos móviles y semovientes han ideado un nuevo lenguaje que desde fuera parece un jeroglífico.

Si alguien te envía un mensaje corto al móvil indicando:

+ trde. Kdms a Is 8?

No está vacilando en la cuerda floja, sino que te quiere informar:

1. De que llega tarde.
2. De que en vez de a la hora convenida, os encontraréis a las 8.

Figúrate la cantidad de tiempo que se ha ahorrado tu interlocutor al contraer de esa manera el mensaje. Y no te vayas a creer que lo utiliza por vaguería o porque es un roña inveterado que no gasta ni palabras, sino porque los mensajes cortos se llaman así (sus siglas inglesas son SMS, que significa *Short Message Service*, es decir, servicio de mensajes cortos) porque no se puede escribir en ellos más de 160 caracteres en un móvil o 120 en un portal de Internet. Así que hay que espabilar.

En los chats pasa otro tanto. Ya lo verás cuando lo expliquemos en el capítulo 7 y hagamos una prueba de chateo. Escribes tu frase y la introduces en el tablón para que la lean tus compadres pero, mientras, hay otros mil chateadores que escriben lo suyo a toda mecha. Si no te das prisa, te vas a perder un montón de información. No hay tiempo para enrollarse, hay que abreviar.

- Y ¿por qué no predica con el ejemplo?

Para leer algunos documentos de Internet, como el diccionario de Contatec, tienes que haber instalado en tu ordenador un programa que se llama Acrobat Reader. Se instala él solo, sin ayuda y puedes descargarlo de un montón de sitios. Normalmente, cuando vas a acceder a un documento que precisa de ese programa y que reconocerás porque lleva la terminación pdf, el mismo sitio Web que te ofrece el documento te permite descargar gratuita y fácilmente Acrobat Reader. Pero no te molestes en descargarlo porque lo encontrarás en el CD-ROM de acompañamiento.

La fuente de estas pautas: Ana Sánchez. El País: 18/3/01

Si quieres ponerte al día con la jerga del SMS/Chat y además saber un montón sobre móviles, conéctate a Movilandia. Está en http:// www.movilandia.com

Esteeee... Para que vayas practicando el lenguaje del chat, del SMS y de la mensajería de Internet, que también lo utiliza y veremos en el capítulo 7, aquí va una lista de pautas a tener en cuenta para crear mensajes adecuados a los tiempos que corremos:

- No pongas acentos.
- Pon signos de interrogación y admiración sólo al final, por ejemplo, qfrt! (qué fuerte).
- Olvídate de la h y la e al principio de cada palabra, por ejemplo, sprar (esperar).
- Suprime las vocales en las palabras más comunes. Por ejemplo: msj (mensaje), lgr (lugar).
- Aprovecha el sonido de las consonantes completo: por ejemplo, nrollat cn mgo (enróllate conmigo), ktd (que te den).
- Sustituye sistemáticamente la "ch" por "x" y la "ll" por la "y", por ejemplo, mxs (muchos), xfa (por favor).
- Abrevia frases de uso más frecuente: "kte?" (qué tal estas?), "tqm" (te quiero mucho)
- Siempre que puedas, utiliza números y signos matemáticos, ya sea por su significado o por su sonido: "x" (por) + o - (más o menos), 1 (uno/a), salu2 (saludos), a2 (adiós)
- Resume al mínimo el número de letras y partículas más usadas: "tb" (también), "xa" (para), "xo" (pero). El signo de multiplicar "x" se utiliza mucho, entre otras cosas, para sustituir los sonidos "por" "par" "per", por ejemplo, no t sxto (no te soporto).
- Valen todas las abreviaturas inglesas: "ok" (vale), "U" (you: tu)

- Utiliza emoticones. Los veremos en el epígrafe siguiente.

Las quisicosas de la Interné

Internet tiene cosas buenas y cosas malas, pero tiene, ante todo, cosas que se usan constantemente, que te vas a encontrar por todas partes y que conviene que conozcas. Vamos a ver algunas de ellas.

- ¡Ay! ¿Viene ya lo de ligar?
- Aquí no se viene a ligar, aquí se viene a...
- A aguantarle el rollo a usté.
- Pues eso.

Cadáveres

Aunque parezca imposible, la Red está llena de cadáveres tumefactos, malolientes y algunos en franca descomposición.

Los muertos de Internet son páginas anticuadas, obsoletas y periclitadas que nadie se ha molestado en actualizar ni en eliminar. No es que hagan daño a nadie, pero el olorcillo a veces se hace insoportable.

- Insoportable, ésa es la palabra.
- ¡A callar, hombre, a callar!

Uno va tan tranquilo por la Red en busca de algo que le interesa y, de repente, ¡zas! aparece un cadáver de información.

- ¿Muerde?
- No, no muerde.
- ¿Ataca?
- ¿No habrá visto usté demasiadas pelis de zombis?

La información cadavérica despista. Si uno no se da cuenta, se la traga y se intoxica. Supón que estás preparando un trabajo en el que quieres incluir datos estadísticos de cualquier cosa, por ejemplo, porcentaje de capullos por kilómetro cuadrado que hay en la oficina.

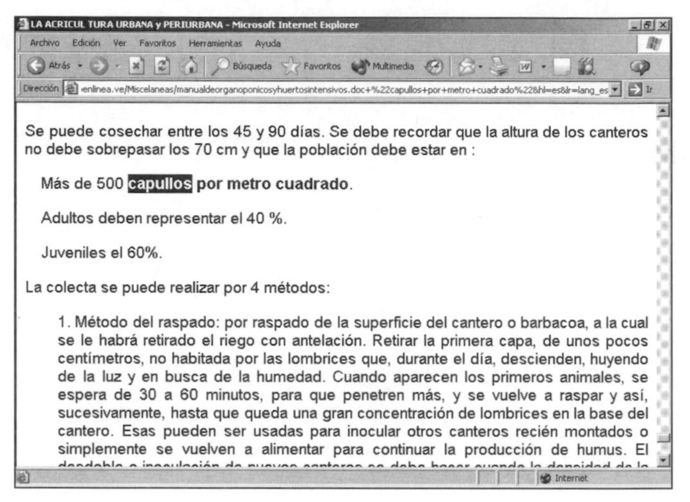

Se puede cosechar entre los 45 y 90 días. Se debe recordar que la altura de los canteros no debe sobrepasar los 70 cm y que la población debe estar en :

Más de 500 **capullos por metro cuadrado**.

Adultos deben representar el 40 %.

Juveniles el 60%.

La colecta se puede realizar por 4 métodos:

1. Método del raspado: por raspado de la superficie del cantero o barbacoa, a la cual se le habrá retirado el riego con antelación. Retirar la primera capa, de unos pocos centímetros, no habitada por las lombrices que, durante el día, descienden, huyendo de la luz y en busca de la humedad. Cuando aparecen los primeros animales, se espera de 30 a 60 minutos, para que penetren más, y se vuelve a raspar y así, sucesivamente, hasta que queda una gran concentración de lombrices en la base del cantero. Esas pueden ser usadas para inocular otros canteros recién montados o simplemente se vuelven a alimentar para continuar la producción de humus. El

Figura 1.8. Los capullos por metro cuadrado. Si es que en Internet hay de todo.

Te pones en marcha, localizas una página Web que te ofrece toda la información que necesitas, te lanzas sobre ella, la copias, la guardas, la imprimes, tomas nota de los datos, los pones en tu estudio, entregas el estudio y...

- Tira a puerta y ¡gooool!

- ¡Todos suspensos!

Resulta que tu información es de tiempos de Maricastaña. Si te fijas, en algún lugar de la página debería aparecer la fecha de actualización.

Página actualizada em 27-05-2000

Si no aparece por ningún sitio, mala señal.

Supón que estás buscando trabajo, piso o pareja. Y supón que encuentras en una página de Internet el trabajo, el piso o la pareja de tu vida. Y supón que te ilusionas, que te preparas espiritualmente, que pones velas al santo de tu devoción, que te sumerges en dulces sueños. En fin, que te lo crees. Y luego resulta que la oferta de trabajo era de 1998, que el piso se vendió o alquiló hace seis meses, que el hombre de tu vida o la mujer de tus sueños se han casado.

Eso es lo que pasa cuando no hay fecha de actualización o cuando la hay y no nos fijamos.

Chapuzas

Ya hemos dicho que Internet es un reino sin rey. Eso significa que cualquiera puede publicar lo que le de la gana y decir lo que le parezca. Internet es un mundo de información vivo, moderno y completo, pero eso no significa que la información que en ella se publica sea fiable. Hay mucho chapucero suelto por ahí que escribe cosas sin ton ni son, sin contrastar y sin rigor científico, y las publica. Luego va el pardillo buscador, encuentra esa información y la da por buena. Y se cae con todo el equipo porque la información recogida en Internet puede ser más falsa que un euro de madera.

Los médicos han acuñado el término cibercondria para denominar el daño que puede hacernos la información médica errónea de Internet.

Lo malo es que, a veces, esa información atañe a lo más valioso que tenemos, nuestra salud. Hay páginas y más páginas que ofrecen recetas, consejos, recomendaciones y consultas en línea y uno se juega la salud y la vida. Hay páginas que ofrecen remedios mágicos para prácticamente todo, igual que en la tele o en los periódicos, igual de falso, vamos.

Precisamente por ser lo más peligroso lo que atañe a la salud, los profesionales de la ídem han hecho diversas evaluaciones de las páginas y ofrecen los siguientes criterios de evaluación que debemos aplicar para saber si podernos fiar o no de una página Web y de la información que contiene. En cuanto a la credibilidad de una información, los criterios que debe cumplir son los siguientes:

- Autoría. Si es anónimo, no te fíes. Si no es anónimo, pero el autor no indica sus credenciales, tampoco te fíes. Si habla de algo, es mejor que sepa lo que dice, sobre todo si habla de temas importantes que requieren cualificación, como Medicina, Psicología, Economía, Física, etc.
- Contexto. Detrás de todo autor cualificado suele haber una red de apoyo. Si es un médico o un

químico que hablan de un producto farmacéutico, detrás habrá un laboratorio. Si es un científico que habla de un artefacto espacial, detrás habrá una universidad, una empresa o una organización.

Entérate de todos los criterios en la dirección siguiente: http://www.uam.es/departamentos/medicina/psiquiatria/investiga/SITESWEB.ppt

- Actualización. Ya hemos dicho lo de la fecha de actualización. Si el trabajo habla de Historia, puede que dé igual que se haya escrito hace la tira de años, pero si habla de algo tan actual como la nanotecnología, el espacio, los neurotransmisores o España en cifras, debe de haber una fecha de creación del documento y, si procede, de actualización.

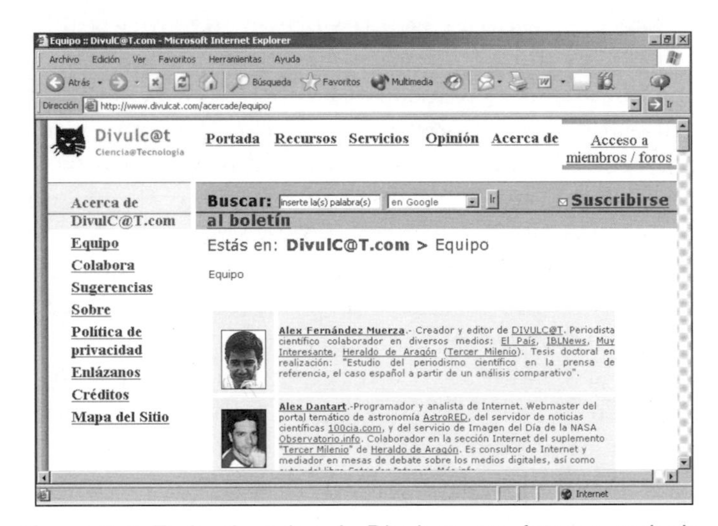

Figura 1.9. Todo el equipo de Divulcat, con fotos y curricula.

Según un informe de la Sociedad Española de Informática y Salud, para poder conceder credibilidad a una página de Internet dedicada a la salud, es imprescindible que cumpla, al menos, los siguientes criterios:

- Debe ser identificable, es decir, contener el nombre y dirección de quién está detrás y avisar de posibles intereses comerciales.

- Debe contener la identificación y la filiación de los autores de la información sobre salud y de las fuentes de donde procedan los datos allí publicados.
- El contenido debe estar al día, vigente. Debe figurar la fecha de actualización y ser reciente.
- Los autores de las publicaciones, médicos, enfermeros, psicólogos, etc., deben estar titulados para ejercer la profesión en el país donde se publica esa información.
- Debe mantener la confidencialidad y seguridad de los datos médicos

Las páginas serias tienen algún enlace donde mirar quién escribe, quién se responsabiliza de los contenidos y de qué van. Por ejemplo, en las páginas de Divulcat, que es una excelente revista gratis en línea de divulgación científica, hay un enlace llamado Acerca de, que puedes pulsar para enterarte de quiénes son, por qué hacen lo que hacen y, además, conocer de cerca al equipo de científicos y expertos que elaboran los contenidos. No te la pierdas. Está en http://www.divulcat.com

Arrobas

En Internet hay arrobas por un tubo. Arrobas grandes, pequeñas y medianas.

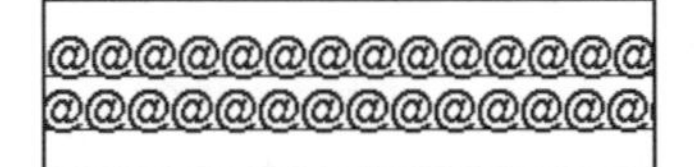

Encontramos arrobas hasta en el correo electrónico.

noticias@lists.noticiasdot.com

Pero, ¿qué significa la arroba misteriosa y túrgida?

- La mujer del arrobo, digo yo.

El correo electrónico es anterior a Internet, existe desde hace mucho tiempo, desde que los ordenadores aprendieron a comunicarse entre sí y a enviarse mensajes. Y la arroba surgió precisamente en uno de aquellos envíos.

En 1972, el ingeniero norteamericano (uno a cero USA-URSS) Ray Tomlimson tuvo que enviar un mensaje por correo electrónico. Escribir el nombre del destinatario y la dirección suponía armarle un lío al ordenador, que no discernía quién era el destinatario y cuál la dirección. Era cosa de separar el nombre de la dirección con algún carácter de los que contiene el teclado del ordenador, pero que no produjera confusión. Imagínate que hubieran puesto un 5 para separar el nombre de la dirección y que, casualmente, la dirección hubiera sido 5523Hotmail. Fíjate qué lío se hubieran organizado todos los ordenadores implicados en emitir y recibir el mensaje. ¿El 5 era la cifra que debía separar el nombre del destinatario de su dirección o formaba parte de la dirección que era 55523Hotmail? Supón que hubieran elegido la letra J para separar los campos y que el destinatario se llamase Tartaj. Su dirección electrónica quedaría así: tartajj5523Hotmail.

Más lío aún. ¿Cómo iba a saber el ordenador dónde terminaba el nombre, con los nombres tan raros que tienen algunos americanos?

El ingeniero discurrió lo suyo hasta encontrar un carácter del teclado que NUNCA se encontrará en un nombre de destinatario ni en una dirección de correo. Y así fue como puso la arroba para separarlos. Además, la arroba se llama *at* en inglés, que, al mismo tiempo, es una preposición de lugar equivalente a nuestra *en*.

Galletas

También encontrarás galletas a mansalva en la Interné cuando circules por ahí y mires la carpeta Cookies del Explorador de Windows. Pero son galletas de las que no se comen.

- En mi pueblo, llamamos galletas a las que se dan a los pétreos pelmazos.

- Pues en el mío, llamamos mamporros a lo que damos a los que interrumpen las lecciones magistrales.

- No, si, por mí...

Las *cookies* son archivos de texto que envían los ordenadores por los que transitamos con nuestro navegador. Esos pequeños archivos se alojan en la ruta Disco local (C:)> Documents and Settings>tu nombre>Cookies y sirven para que, cuando decidamos dar un segundo garbeo por las páginas visitadas, éstas nos reconozcan y nos señalen la ruta que seguimos la vez anterior. Por si queremos repetir o por si queremos saber lo que aún no visitamos.

Si quieres comprobarlo, puedes hacer dos cosas:

- Visita una página Web cualquiera y comprueba que todos los hipervínculos aparecen de color azul. Vuelve al cabo de un rato a la misma página y observa que los hipervínculos que pulsaste la vez anterior aparecen ahora en rojo.
- Ve a la carpeta **Cookies** y haz doble clic sobre una de ellas. Verás que no es más que un inofensivo archivo de texto (eso sí, un galimatías incomprensible) que aparece en la ventana del Bloc de notas o de WordPad.

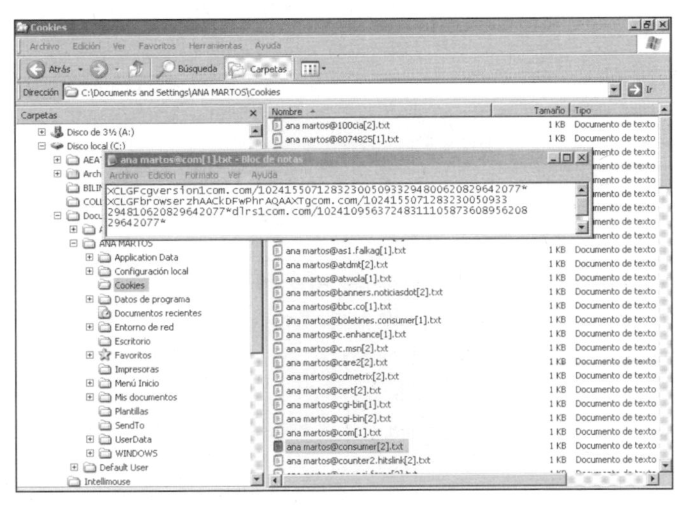

Figura 1.10. *Cookies* en el Explorador de Windows. Observa que una de ellas está abierta en el Bloc de notas. Observa también la ruta de acceso a la carpeta Cookies.

Existe un método para evitar que las páginas Web que visites te envíen *cookies* al disco duro. Consiste en configurar el navegador de manera que no las admita o que las admita sólo preguntándote cada vez que algún otro ordenador pretenda enviártelas. Lo veremos en el capítulo 5.
De todas formas, hay páginas web que no funcionan si no se permite el envío de *cookies*. También puedes borrarlas seleccionándolas en la carpeta Cookies.

Cadenas

Como ya hemos dicho ¿lo hemos dicho? ¿seguro? que Internet es un mundo paralelo al mundo real y que pasan cosas parecidas, aunque paralelas, a las que pasan en el mundo real, también circulan engañifas y leyendas que nos hacen picar.

¿Recuerdas las cadenas que hacíamos en el colegio en las que recibías una postal y tenías que enviar cinco postales a cinco amigos, quienes a su vez enviaban otras tantas y así eternamente para que al final recibieras medio kilo de postales? Luego no recibías ni una, claro está.

¿Recuerdas otras cadenas en las que había que enviar un duro y luego recibías miles de duros? ¿Y en las que había que distribuir una oración o un sortilegio y si rompías la cadena te caía encima la maldición faraónica más gorda de la Historia?

- Pues yo, de lo que me acuerdo, es de lo de la maldición.

- Y ¿usté seguía las cadenas o las rompía?

- Seguro que rompí alguna porque me acaba de caer la maldición.

- ¡Porca miseria! No vuelvo a hacerles caso.

Pues eso, que como Internet es un mundo paralelo a este mundo ¿lo hemos dicho? hay cadenas parecidas que nos obligan a distribuir miles de mensajes de correo electrónico para luego na de na.

Por ejemplo, muchas veces circula en el correo electrónico una historia que pone los pelos de punta. Un niño de 3 años que va a morir de hambre o de SIDA si no enviamos millones de firmas a su país para que su presidente se compadezca y se ocupe de él. Otras veces es una niña de 7 años que yace enferma en un hospital en un lugar perdido del mundo para la que se pide ayuda. La ayuda consiste en reenviar ese mensaje a todo el mundo conocido posible para que la información se multiplique y que todos envíen un mensaje a alguien que es quien puede solucionar el caso. O para que una multinacional pague al hospital que va a operar al enfermo un centavo de céntimo de ochavo moruno por cada mensaje que se envíe.

Y uno va y se hincha a multiplicar el mensaje enviándolo a todo quisque que aparezca en la lista de direcciones del programa de correo electrónico. Y luego se preocupa de enviar un mensaje al baranda de turno para que se compadezca del niño, de la niñita o del pobre a compadecer y ayudar.

Pasan los años y, de pronto, uno vuelve a recibir el mismo mensaje. Lo curioso es el que el niño sigue teniendo 3 años y la niñita 7. Y entonces uno empieza a sospechar que todo era una tomadura de pelo.

Claro que peor fue lo que le pasó a uno que se lo creyó todo e hizo todo lo que las falacias de Internet le pidieron. Hoy sabemos por la revista chilena *Actualidad Psicológica* que envió un montón de pasta a una niña que estuvo a punto de morir unas 7.000 veces en más de 4.000 hospitales distintos y que sigue teniendo 6 años a pesar de que el primer aviso apareció en 1997. El interfecto se queja también a esa revista de que nunca recibió el millón de dólares que le iba a pagar Microsoft por participar en un trabajo de rastreo de mensajes de correo electrónico. Además, el colmo de la mala suerte es que envió cerca de 1000 firmas contra la guerra de Irak y parece que ahora su nombre se encuentra en la lista de sospechosos de terrorismo.

Pero no te vayas a creer que las cadenas sólo tratan de mover nuestra compasión para hacernos trabajar gratis y concebir falsas esperanzas. Hay otras que nos avisan de que un virus tremebundo nos va a infectar de un momento a otro y de que debemos protegernos a cualquier costa. Y otras son métodos de ganar dinero en menos que canta un estegosaurio.

- ¿Los estegosaurios cantan?

- El mío sí, ¿pasa algo?

Son a veces bromas de mal gusto. Por ejemplo, hay engaños que advierten seriamente de que Hotmail ya no tiene espacio para los mensajes y los está borrando. O que American On Line regala un Ferrari al primero que le envíe un mensaje o cualquier otra historia.

No hace mucho tiempo, corrió un mensaje de advertencia entre los usuarios de una lista de distribución de Internet diciendo que tenían un virus mortal y que era imprescindible que borrasen el archivo nosécuántos.dll. Hubo gente que se lo creyó, que borró el archivo dichoso y resultó que es un archivo que Windows necesita imprescindiblemente para funcionar, por lo que, al borrarlo, se quedaron sin ordenador en cuestión de segundos.

Otras veces son formas de conseguir que varios miles de internautas se dirijan a un servidor y lo dejen bloqueado durante una temporada. Otras veces, el mensaje puede llevar un virus pegado y, cuando lo reenvíes a todas tus amistades, les reenvíes el virus, aunque generalmente los virus se reenvían a ellos mismos, sin necesidad de hacernos trabajar. Lo veremos en el capítulo 4.

Que ¿por qué hay quien se molesta en enviar estos mensajes? No es la primera vez que encontramos engaños y falacias en los anuncios de la prensa, sobre todo cuando son gratis. Y no olvides que enviar mensajes por correo electrónico en Internet es gratis, así que, si alguien tiene ganas de fastidiar, ¿por qué no habría de hacerlo?

- Y ¿si alguien tiene ganas de hacer callar a alguien y no sabe cómo?

Todas esas historias falaces que recorren la Red se llaman Engaños o, en inglés, *Hoaxes*.

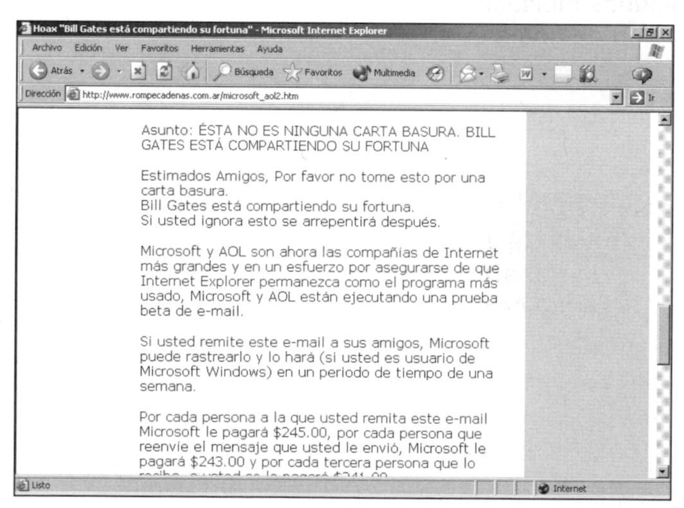

Figura 1.11. Mensaje con engaño. Dice que no es un correo basura, pero que Bill Gates está compartiendo su fortuna y que, si no haces caso, te arrepentirás después.

Además de historias falsas sobre virus falsos, estafas falsas y otras falacias, Internet está lleno de mitos y páginas de prensa amarilloverdosa, que cuentan cosas que nunca han sucedido. Son leyendas urbanas de cosas que le pasó a uno que conoce el cuñado del vecino de un conocido de un tío de alguien. Vamos, que no son de fiar.

Si quieres leer sobre ello, dirígete a:

http://personales.mundivia.es/astruc/doctxt35.htm

Encontrarás una lista de hoaxes en:

http://www.rompecadenas.com.ar/hoaxes.htm

En inglés, en:

http://www.urbanlegends.com

http://www.vmyths.com

Y un índice alfabético de hoaxes en inglés en:

http://hoaxbusters.ciac.org/HBHoaxIndex.html

Hay algunas indicaciones que pueden serte de utilidad frente a la invasión de hoaxes, engañifas y demás.

- Nunca borres un archivo porque te lo diga un mensaje.
- Un archivo que tiene la terminación dll o exe es un archivo ejecutable o una biblioteca del sistema, y a veces un archivo exe también puede ser un virus.
- Antes de hacer caso de una noticia de Internet, comprobarla con los medios de comunicación. En Internet hay numerosos periódicos y boletines en línea que dan noticias de verdad.
- En el campo **Para** del mensaje recibido aparecen ciento y la madre de destinatarios. Si en vez de un destinatario dice *Undisclosed recipient*, es lo mismo. Es un mensaje de gran difusión, enviado a toda la basca.

Para: Undisclosed-Recipient:;

Ciberhumor

Los chistes, las bromas y el pitorreo están a la orden del día en la Red. Hay días en que parece que nadie trabaja en el mundo porque de pronto te llega un mensaje de un amigo de Finlandia que contiene un chiste que a él le ha remitido alguien de Rusia, remitido a su vez por alguien de Israel, a su vez por alguien de Argentina y así sucesivamente. El chiste circula que da gusto y la verdad es que muchas veces merecen la pena.

Por ejemplo, un chiste que me ha llegado hace poco es el de una madre que responde, bastante airada, a lo que le ha preguntado su hijo de unos seis o siete años: "No, no te hemos bajado de Internet, ¡Naciste!"

Pero no sólo circulan chistes y bromas, sino historias divertidas, noticias desternillantes y cosas ingeniosas que se le ocurren a la gente y que, aprovechando la facilidad y gratuidad de la Red, se distribuyen a toda pastilla.

Claro que no todas las bromas son de buen gusto. Por ejemplo, un chaval tuvo la idea macabra de organizar su propia muerte a través de Internet. Se trata de un británico de 14 años que un día decidió salir a la Red a buscar aventuras. Antes, los aventureros se lanzaban al mundo, se echaban al monte, se embarcaban como grumetes para las Américas o se largaban con el hatillo al hombro. Ahora, se enchufan a Internet y ¡hala!

El chaval en cuestión se dejó llevar por la trama de una novela de James Bond, se enrolló con otro chaval en un chat y le hizo creer que era una espía guapísima que le ofrecía una noche loca de amor y sexo con la condición de que matase a un enemigo. Cuando el chaval picó y preguntó quién era el enemigo, nuestro macabro protagonista se describió a sí mismo. El otro le buscó, le encontró y le acuchilló en un callejón de Manchester después de susurrarle "te quiero, hermano." Todo ello, naturalmente, siguiendo las instrucciones de la "espía."

Afortunadamente, intervino la policía, le llevaron al hospital y luego a los tribunales. Cuando confesó su trama, recibió la primera condena de la historia por hacerse matar.

- ¡Matar! ¡Qué palabra!

Emoticones

Los emoticones son la cara emocional de la Red. Entre tanto frío mensaje electrónico parece como si nos fuéramos a olvidar de que somos humanos y nos fuéramos a convertir en robots escribientes.

Para poder expresar emociones y sentimientos a mansalva, existen unas expresiones gráficas que podemos incorporar a nuestros mensajes para que el interlocutor sepa que lo que le decimos es una broma, que estamos que trinamos por el asunto en cuestión, que nos hace mucha gracia, que le amamos tiernamente o que se vaya a hacer gárgaras con tachuelas. Los emoticones se ponen en cualquier mensaje de correo electrónico, en el programa de mensajería, en el chat y en muchos mensajes cortos.

Si quieres hacer una prueba, escribe en la ventana de Word lo siguiente:

:(
:)
:-(
:-)

Pues eso son los emoticones. Caras, caritas y caretos que expresan un sentimiento. Los más básicos son los siguientes:

:-) Sonriente
:-(Triste, deprimido o decepcionado
:-| Serio, indiferente
'-) Guiñar un ojo
;-) Guiñar un ojo con complicidad / Ligón

- Y ¿qué significa éste? |-O
- Bostezo.
- Y ¿éste? |-I
- Dormido como un tronco. ¿Por qué lo pregunta?
- No, por nada, por nada.

Pero no te vayas a creer que los emoticones te los tienes que dibujar uno a uno. Hay mazo de páginas Web de las que puedes descargar emoticones gratuitos y a cuál más (o menos) gracioso. Apúntate unas cuantas:

http://www.emoticones.com
http://www.lalinea.com/emoticon.htm
http://www.humano.ya.com/desireetb/msn6.htm
http://www.messengeradictos.com/?seccion=emofactory

La netiqueta

La netiqueta, otros le llaman Netiquette, seguramente los afrancesados, es el compendio de normas sociales que utilizan en Internet las personas bien educadas. Por ejemplo, si escribes un mensaje de correo electrónico o chat con letras mayúsculas, da la impresión de que estuvieras gritando:

- GRITANDO, SÍ, GRITANDO.
- Usté a callar.
- Écheme de clase si se atreve.
- Más quisiera.

Si quieres conocer la etiqueta de Internet, dirígete a:
http://personales.mundivia.es/astruc/doctxt22.htm
o bien a:
http://www.interhelp.org/netiquette.html

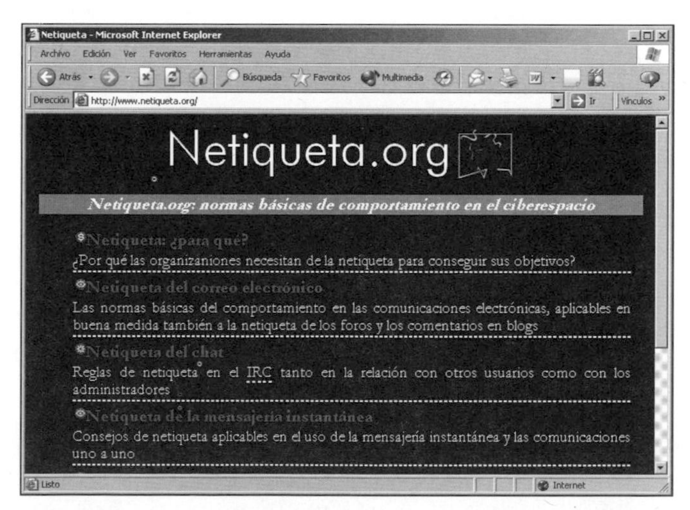

Figura 1.12. La netiqueta, para la urbanidad en Internet.

Capítulo 2
Lo que Romerales aprendió sobre Internet

NALGAISIA: SELLO CONMEMORATIVO DEL PRIMER RATÓN DE GLÚTEOS, CREADO EN FRANCIA, QUE NO SE LLEGÓ A COMERCIALIZAR DEBIDO A SU PECULIAR DISEÑO

Forges ©

Que Internet no es una señora extranjera que habla raro le quedó claro a Romerales la primera vez que se enfrentó con ella. Pero más tarde se empezó a enterar de cosas tan sorprendentes como que allí lo que hacía que todo funcionase era un montón de gente invisible, una especie de homúnculos que pululaban por todos los rincones de una mal comparada manta de silicio (¿o era silicona?) y que se ocupaban de traer y llevar. Y no solamente traían y llevaban chismes y cotilleos de un lado a otro de todo aquel maremagnum silíceo (¿de silicio o de silicona?) sino que, antes de transportarlos, los convertían en algo así como fluido magnético. Vamos, cosa de brujas.

De más está decir que, a la primera de cambio, el ínclito Megatorpe acudió puntual al lugar del conflicto y una vez más tuvo lugar la mutación. Al lado de su puntualidad y eficiencia, la metamorfosis del periodista gafotas Clark en Superman es una chiquillada. Lo sabemos. Y también sabemos que el superdotado Megatorpe se hizo otra vez cargo de la situación, que fue él y no el redicho de Peláez quien puso al día a la peña en los intríngulis del funcionamiento de Internet. Ni que decir tiene que, para variar, tuvo también que soportar las puyas y vayas de los desagradecidos oficinistas, que, en vez de atender boquiabiertos su discurso impregnado de sapiencia, empezaron a removerse en sus sillas, a rascarse y a bostezar, primero con disimulo y, después, al cabo de unas horas, abiertamente.

¿Es usté cliente o servidor?

Mande?

- ¿Qué si es usté cliente o servidor?
- Yo, un servidor.
- Así me gusta.

Así es la tecnología que hace que Internet funcione como funciona. A base, entre otros, de clientes y servidores. Los clientes piden, demandan, solicitan y dan la vara constantemente. Los servidores, obedientes y educados, sirven, conceden, ceden y dan.

Pero no vayamos a creer que los clientes son señores pelmazos y que los servidores son pringaos que se pasan el día a las órdenes de los otros, los clientes y los servidores son ordenadores y sus correspondientes programas.

La expresión cliente/servidor describe un sistema en el que un ordenador cliente solicita a un segundo ordenador llamado servidor que ejecute una tarea específica. Cada ordenador tiene instalado un programa, porque ya sabemos que los ordenadores no son más que chatarra inanimada. Eso significa que el ordenador cliente tiene que tener instalado un programa cliente y que el ordenador servidor tiene que tener instalado un programa servidor.

Entérate de todo lo relativo al cliente y al servidor en la dirección siguiente:
http://www.geocities.com/SiliconValley/8195/noscs.html

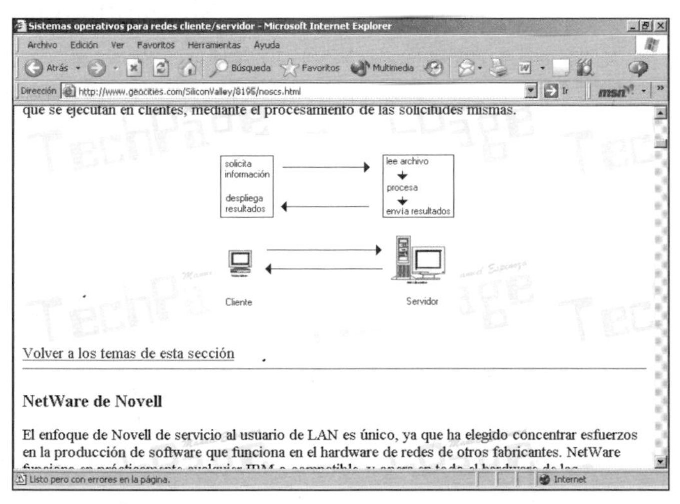

Figura 2.1. Cliente y servidor en marcha.

El programa cliente tiene dos tareas:

- Se comunica con el servidor, solicita un servicio y recibe los datos que el servidor le envía.
- Atiende al usuario y le presenta los datos de una forma que éste los entienda y pueda utilizarlos, ofreciéndole las herramientas adecuadas.

Por su parte, el programa servidor sólo tiene una tarea:

- Facilitar los datos que le pidan. No tiene que atender al usuario.

Un mismo servidor puede atender a varios clientes al mismo tiempo.

- Me pido ser cliente.
- Y ¿qué va a pedir?
- Un millón de dólares.
- Mejor de euros que son más.
- ¡Eso!

Para acceder al servidor de tu Banco en la Red, tendrás que obtener un nombre de usuario y una clave de acceso, que te facilitarán en tu sucursal. Una vez en la página del servidor, después de escribir tus claves, entrarás en la oficina de banca en línea, donde podrás hacer una transferencia, pedir un talonario, ordenar un pago o, como el caso que estamos viendo, pedir un préstamo.

Pide, que para eso tienes un programa cliente

El programa cliente más conocido entre los usuarios de Internet es el navegador, llámese Internet Explorer, Netscape Navigator o como se llame. Por ejemplo, si escribes en la barra de direcciones de tu navegador la dirección del servidor de tu Banco y previamente te has molestado en pedir en tu sucursal bancaria que te faciliten acceso a Internet, podrás pedirle un préstamo.

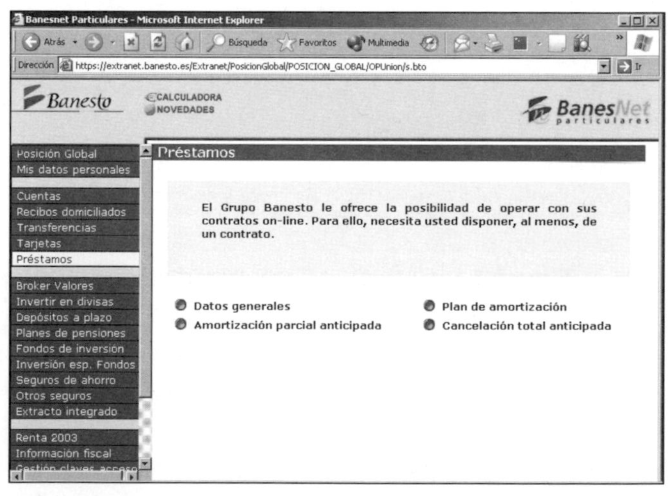

Figura 2.2. El servidor de Banesto tiene un enlace que se llama Préstamos. El cliente Internet Explorer está intentando sacarle la pasta.

Pues así es como funciona Internet. Llega un cliente, es decir, tu navegador, a un servidor y le pide datos. Por ejemplo, supón que quieres tener una foto de Claudia Schiffer. Tendrás que hacer lo siguiente:

¡Megarritual!

1. Pon en marcha tu navegador.
2. Escribe http://www.kmmod.com/cschiffer en la barra de direcciones.
3. Haz clic en **Ir** o pulsa **Intro**.
4. Tu programa cliente accede al servidor. ¡Qué emoción! Ahora tienes que pedirle algo, que para eso eres el cliente. Por ejemplo, haz clic sobre la imagen de la Schiffer.
5. Ahí tienes la galería de imágenes de doña Claudia. ¿Qué tal una foto de portadas de revistas? Pulsa Covers. Si prefieres fotos luciendo modelitos, tienes que pulsar Fashion. Para primeros planos, pulsa Close-up ¿o creías que es una pasta de dientes? Si quieres un poco de todo, pulsa Micellaneous. Si eres chico y, además, picaron y pulsas Nude, te llevarás un chasco. Si eres chica, también.
6. Entre las portadas, para mí que Vogue merece la pena. Haz clic en ella.
7. Ahí tienes la portada. Si dejas un momento el puntero del ratón sobre la imagen, observa que aparece una pequeña barra de herramientas en la parte superior izquierda y un botón grande y cuadrado en la esquina inferior derecha.

   Si aproximas el puntero al botón inferior derecho, el que tiene cuatro flechas, verás que aparece una etiqueta amarilla. Es la información de herramientas que indica Expandir a tamaño normal. Eso significa que, si haces clic, la foto se agranda. Vamos, dale.

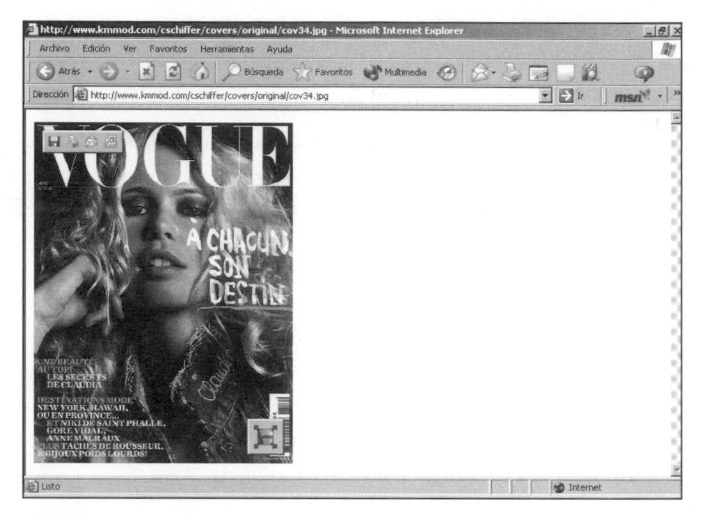

Figura 2.3. Tu cliente ha conseguido del servidor una foto de la Schiffer.

Si no te aclaras con Windows XP, no te pierdas el maravilloso libro de esta misma colección *Windows XP*. Lo ha escrito mi amigo Vicente que sabe mucho de esto. Yo le pregunto siempre que tengo dudas.

Si aproximas el puntero a la barra de herramientas de la esquina superior izquierda, verás la información de los cuatro botones que la componen:

- **Guardar esta imagen**. Eso es justo lo que tú querías, ¿no? guardarte una foto de la Schiffer.
- **Imprimir esta imagen**: Si tienes impresora en color o no la tienes pero has seleccionado fotos en blanco y negro, ése es tu botón.
- **Enviar esta imagen en un correo electrónico**. Envíasela a Peláez, que seguro que te dice que ya la tiene y, además, dedicada. Si hace clic en este botón, se desplegará tu programa de correo electrónico para que escribas la dirección del destinatario, es decir, la de Peláez. La foto quedará como archivo adjunto.
- **Abrir la carpeta Mis imágenes**. Es la carpeta de Windows XP, que te permite organizar las imágenes.

Pues ya lo has visto. El cliente, Internet Explorer en este caso, ha pedido y el servidor, cschiffer, se ha portado bien y ha servido lo solicitado.

Conviene saber que, cuando te conectas a un servidor y le pides algo, a veces te lo entrega a toda pastilla. Otras veces, te aburres esperando mientras contemplas el reloj de arena de Windows que indica "a esperar tocan," la barra de estado del navegador empieza a mostrar mensajes:

- Abriendo página. El servidor está localizado, pero debe tener mucho trabajo y tarda un poco en mostrar su cara bonita, es decir la página Web inicial, donde deberá aparecer el nombre, la dirección, el título y las imágenes de la página.
- Descargando imagen. El servidor tiene una imagen muy grande en su página inicial y tarda un poco en descargarse. Paciencia.
- Quedan *n* elementos. Te da cuenta del número de elementos que faltan por descargar. A veces, te da tiempo a ir a tomar café y todavía no se ha terminado de descargar el último elemento. Los elementos pueden ser imágenes, animaciones, sonidos, etc.
- Listo. Cuando la barra de estado del navegador diga exactamente eso, "listo," no creas que lo dice por ti, sino que sabrás que se ha descargado completamente la página del servidor al que quieres acceder. Quiere decir está listo para trabajar.

¿Sabes por qué se llaman clientes los ordenadores y programas que solicitan información? Porque, en la Roma antigua, los patricios tenían siempre una corte de pedigüeños que acudían cada día a solicitar dones, ayudas, justicia, enchufe y lo que necesitasen. Y se llamaban clientes. Los patricios romanos dedicaban buena parte de la mañana a atender a sus clientes.

De encaminador en encaminador y tiro porque me toca

Al principio, uno supone que la información viaja por Internet metida en una cápsula espacial o que se desliza por un hilo de la tela de araña. Eso es, al menos, lo que Romerales creía antes de acceder a la sabiduría supina tras su metamorfosis. Así es como el sapiente Megatorpe lo explicó a los pasmados oficinistas.

La información viaja empaquetada por Internet de dirección en dirección, de ordenador en ordenador, de red en red y de encaminador en encaminador. Los ordenadores que se comunican entre sí se identifican por medio de direcciones. Igual que nos identificamos en Correos con una dirección de remite e identificamos al destinatario con otra dirección de destino, todos los ordenadores que están conectados a Internet tienen una dirección exclusiva que se llama dirección IP. Así no hay manera de equivocarse. Esa dirección, formada por unos cuantos numeritos, es la que han utilizado tu ordenador y el de la Schiffer para identificarse entre sí.

Cuando tu programa cliente, Internet Explorer, ha accedido al servidor de Claudia, lo primero que ha hecho, antes de pedir la foto de la bella, ha sido identificarse. Es decir, ha dado al servidor su IP. Como las fotos de la modelo que has pedido son gratis, ya no han hecho falta más identificaciones y el servidor las ha servido a tu programa cliente. Si has sido picarón y has pulsado el enlace **Nude**, habrás visto que, después de dar muchas vueltas y revueltas, el servidor ha terminado por pedirte el santo y seña para servirte lo pedido. Las fotos de las modelos en traje de Eva se sirven sí, pero previo pago. Si te haces socio del lugar, pagas tu cuota y demás, tendrás una contraseña que te identifique ante el servidor para que te sirva artículos de pago. Igual que si vas a una tienda y pides un producto. Tendrás que identificarte con tu tarjeta de crédito y tu DNI o, lo que es lo mismo, "retratarte" y soltar los billetes.

> Un encaminador (llamado también *router* o enrutador) es en realidad un ordenador que tiene varias direcciones IP, una para cada red, y que permite el tráfico de paquetes de información entre las redes.

Dominios, dominantes y dominadores

Hemos dicho antes que los ordenadores se identifican en Internet por su dirección IP. Las direcciones IP se vienen regulando desde 1981, mucho antes de que existiera la Interné, y son, mal comparado, como el número de teléfono de los ordenadores. Sólo puede haber una dirección IP para un ordenador, igual que sólo puede haber un número de teléfono para un teléfono. No se pueden repetir, por eso sirven para identificar a sus propietarios.

La dirección IP

La dirección IP es un número expresado en un sistema que se llama notación decimal punteada. A diferencia del número de teléfono que corresponde al país en el que está instalado el aparato, el número de la dirección IP corresponde a una red mundial, es decir, no es un número exclusivo en el país, como el número de teléfono, sino exclusivo en el mundo entero. Para que veas.

> Para que los proveedores de Internet de los distintos países no se armen un lío al asignar direcciones IP a los ordenadores de sus clientes, hay un organismo internacional que se ocupa de controlarlo. Se llama ICANN y, al mismo tiempo que gestiona las direcciones IP, gestiona y concede los nombres de dominio, para que no haya dos dominios iguales ni dos direcciones iguales. Cada IP tiene asignado su dominio y ambos son exclusivos.

El nombre de dominio

Un dominio es el nombre de un ordenador que guarda información en Internet. Los dominios llevan el nombre de la empresa, persona, institución, etc., lo que permite recordarlos fácilmente. Ésa es también la causa de que haya listos que

Sistema de nombres de dominio se dice en inglés *Domain Name System*. Las siglas del nombre en inglés son precisamente DNS, los números que hay que conocer para poder configurar un acceso a Internet. Lo veremos en el capítulo 3.

den de alta un nombre de dominio que saben que después va a ser imprescindible para una empresa. Si hay un listo que se entera de que el Banco del Norte se va a fusionar con el Banco del Sur, puede registrar a su nombre el dominio banconorteysur.com para pisárselo a los de la empresa bancaria, quienes, si quieren quedárselo para ellos, tienen que soltarle algunos dineros.

Los nombres de dominio tienen sufijos que señalan el país a que corresponde el ordenador que lleva el dominio o bien la naturaleza de la empresa, persona o institución. En realidad, esos sufijos son también dominios amplios que abarcan países o actividades.

Por ejemplo, ***es*** el dominio que corresponde a España, ***mx*** a Méjico, ***fr*** a Francia. Las direcciones de Internet que llevan la partícula ***es*** indican que el dominio principal se encuentra en España. Por ejemplo,

http://www.anayamultimedia.es indica que el dominio principal, *anayamultimedia*, está en el dominio secundario *es*, que es España.

Otras partículas o subdominios indican la actividad a que se dedica la empresa, persona o institución de dominio principal. Por ejemplo, *com* es el dominio de las actividades comerciales; *mil* de las militares; *org* de las organizaciones sin ánimo de lucro; *edu* de las educativas; *biz* de las empresariales; *net* de las redes. Por ejemplo, http://www.kmmod.com/cschiffer/galleries.htm, indica que el dominio principal, *kmmod*, está en el dominio secundario *com*, que indica actividad comercial.

Los nombres de dominio de Internet se registran igual que se registran los nombres de las empresas, pero, primero hay que averiguar si el nombre está disponible, porque no se pueden registrar dos dominios iguales, como el Registro de la Propiedad Industrial no permitiría registrar dos empresas con el mismo nombre, ni el Registro de la Propiedad Intelectual permite registrar dos libros que se titulen igual.

Los nombres de dominio se registran en línea en diversos sitios de Internet. Por ejemplo:

http://www.nominalia.es
http://www.piensasolutions.com

Como dijimos antes, el organismo internacional que se ocupa de desarrollar el sistema mundial de dominios se llama ICANN y está en:

http://www.icann.org

El URL

URL son las siglas de la expresión inglesa *Uniform Resource Locator*, que en nuestro idioma se llama Localizador uniforme de recursos. Es un sistema para localizar recursos en Internet. Un método para identificar un archivo, un servicio o una información localizados dentro de una dirección de Internet. Las siglas por las que se conoce a estos métodos te sonarán un montón: URL. Algo así como la dirección de un documento, imagen, catálogo, etc., dentro de un sitio Web.

Las direcciones de Internet se componen de:

- El protocolo que se utiliza (http, ftp).
- La dirección del servidor (www.kmmod.com, www.anayamultimedia.es)
- La dirección local del documento dentro del servidor.

Por ejemplo, en la dirección:
http://www.kmmod.com/cschiffer/galleries.htm

- *http* es el protocolo.
- *www.kmmod.com* es la dirección del servidor. Incluye *kmmod* que es el nombre propio del sistema; *kmmod.com* es el nombre completo del sistema: el servidor Kmmod que tiene destino comercial. *www* significa que está en la Web.
- *cschiffer/galleries.htm* es la dirección local de la galería de fotografías de Claudia Schiffer, dentro del servidor Kmmod.

Así pues, el URL de la galería de fotos que estamos buscando es:

http://www.kmmod.com/cschiffer/galleries.htm

Los protocolos

El protocolo es algo así como el lenguaje en que se expresan los ordenadores. El lenguaje que utilizan para comunicarse entre sí. Cuando un ordenador le da el santo y seña a otro, es evidente que tiene que darlo en un lenguaje comprensible, porque, de lo contrario, el otro no entenderá.

Supón que tu programa cliente se acerca al servidor de fotos de Claudia Schiffer, pero que, en vez de utilizar el mismo protocolo que utilizan todos los de Internet, que es TCP/IP, utiliza un protocolo bantú.

- ¡Identifíquese!
- akatulamalasala
- ¿Qué?
- akatulamalasala
- La SWA por si acaso.

Pueden estar toda la vida discutiendo, pero de darle acceso, ni hablar. Así que te quedas sin las fotos.

Eso significa que, para que dos ordenadores se entiendan, deben de utilizar el mismo protocolo. El protocolo viene a ser algo así como un programa que se ejecuta en la comunicación, por lo que cada ordenador puede disponer de varios protocolos diferentes. Pero, cuando se dirija a otro que utilice tal protocolo, no le quedará más remedio que emplear el mismo para que no pase lo de antes. Veamos algunos de los que se emplean en Internet.

TCP/IP

Internet es un conjunto de tecnologías que permiten interconectar distintas redes entre sí. Cada una de esas redes puede tener enganchados ordenadores diferentes. Internet no tiene nada que ver con el sistema operativo ni con los programas que usen los unos o los otros. Se limita a interconectarlos a todos. Hay ordenadores que utilizan Windows como sistema operativo y que son PC, como seguramente el tuyo. Otros utilizan Unix, otros no son PC, sino Macintosh. Es decir, son plataformas totalmente diferentes. Pero, a la hora de comunicarse a través de Internet, ni nos enteramos de con quién nos estamos comunicando. Ni falta que nos hace, porque lo que importa, como dijimos hace un rato, es que ambos hablen el mismo lenguaje, es decir, que utilicen el mismo protocolo.

El protocolo que emplean todos los ordenadores conectados a Internet es TCP/IP.

- Es la tercera vez que lo dice.
- Y ¿qué?
- Que se repite más que las sardinas en lata.
- Y ¿qué?
- Que nos tiene hartos

En realidad, TCP/IP no es un protocolo, sino una familia de protocolos diseñada para permitir la interconexión entre redes diferentes.

El nombre TCP/IP (Protocolo de Control de Transmisión/ Protocolo de Internet) tiene su porqué. El protocolo TCP tiene la misión de dividir la información en paquetes del tamaño adecuado para que se pueda transmitir, de numerar los paquetes para que no se pierda ninguno y que se puedan unir después en el orden correcto. El protocolo IP determina las operaciones de encaminamiento de los paquetes de información. También se encarga de etiquetar los paquetes con la dirección IP de origen y destino.

Todo esto se lleva a cabo en el ordenador de origen, del que parte la información. De encaminador en encaminador, de línea en línea, van llegando los paquetes al ordenador de destino. Allí, el protocolo TCP se ocupa de reunir los paquetes en el orden conveniente y, luego, de extraer la información que contienen. Si falta un paquete o alguno viene mal, envía un mensaje al ordenador de origen reclamándolo:

- ¡Oiga!, ¿es el servidor de doña Claudia Schiffer? Pues bueno se ha puesto mi señorito, porque le ha llegado la foto sin un ojo.

HTTP

¿Te quieres enterar a fondo de todo el trasiego de conexiones y desconexiones protocolarias? Conéctate a http://cdec.unican.es/libro/HTTP.htm

HTTP son las siglas inglesas de *HyperText Transmission Protocol*, que significa Protocolo de transferencia de hipertexto. Tim Berners-Lee, el ingeniero que desarrolló la Web en el Laboratorio Europeo de Física de Partículas de Suiza, puso en marcha el protocolo HTTP para poder transferir los documentos vinculados entre sí de un ordenador a otro. Fue seleccionado para la Web porque es sencillo y rápido y permite todo eso que contamos anteriormente sobre clientes y servidores. El servidor escucha para atender las solicitudes del cliente Web. Una vez que se establece la comunicación, el protocolo TCP se ocupa de mantenerla.

HTTP se basa en operaciones de demanda y respuesta:

- Me conecte a las páginas de la Claudia Schiffer, que mi señorito se ha levantado hoy juguetón.

- A mandar.

HTTP permite transmitir cualquier tipo de documento, respetando su formato original. Así es posible enviar vídeo, música, imágenes, textos o lo que sea, sin que se pierda el formato entre tanto recorrido.

Las *cookies*

En el capítulo anterior hemos hablado de las *cookies* y hemos dicho que no se comen a nadie. Ahora vamos a ver para qué sirven.

Una de las características del protocolo HTTP es que no sabe con quién está tratando. Es decir, que no reconoce al usuario ni sabe si le ha enviado ya dos páginas o tres o si es la quincuagésima vez que le pide lo mismo. El hecho de que HTTP no guarde memoria de su comunicación con el usuario tiene sus ventajas y sus inconvenientes. Las ventajas es que por eso es tan sencillo, porque el servidor no necesita disponer de muchos recursos. La contrapartida es que es el cliente quien tiene que ocuparse de darle toda la información necesaria.

- ¡A ver! soy el mismo de antes, páseme otra vez a la galería de fotos de doña Claudia.

- Y, a mí ¿qué me cuenta? Yo estoy aquí para pedir identificación.

Así pues, el que tiene que almacenar la información de en qué quedó la comunicación anterior es el cliente. Eso se llama información de estado y, por ello, HTTP es un protocolo sin estado.

En estos casos, vienen muy bien aquellas misteriosas *cookies* de que hablamos en el capítulo 1. Si el cliente se deja, el servidor le envía un par de *cookies* con información de esa visita. Las *cookies* se alojan en el disco duro del visitante o, lo que es lo mismo, del cliente, es decir, el disco duro de tu PC. Así, la siguiente vez que visites al servidor, éste te reconocerá y te servirá sin dilación.

- ¡A ver! soy el mismo de antes, páseme

- A mandar. Ya le he reconocido. ¿Deseaba el señor?

Ése es el motivo por el que algunos servidores, como el de Amazon (entre otros), no funcionan si se deshabilita el acceso de *cookies* en el ordenador cliente (el tuyo).

Si alguna vez te encuentras un aviso que te dice que estás accediendo a un servidor como FTP anónimo, no te imagines que te ven llegar con antifaz y capa, sino que se trata de un servidor de Internet que da acceso a todo el mundo para que consiga cualquier archivo de los que tiene almacenados.

FTP, archivos que van y vienen

Otro de los protocolos que utilizarás en Internet es FTP. Significa Protocolo de transferencia de ficheros y se utiliza para enviar archivos y programas de un ordenador a otro. Una de las aplicaciones más prácticas y frecuentes del protocolo TFP es la obtención de programas alojados en servidores FTP de Internet.

Pero no te vayas a creer que utilizar el protocolo FTP consiste en escribir instrucciones extrañas ni en acceder a sistemas complicados. Nada de eso. Simplemente consiste en hacer clic en algún botón de esos que se llaman **Descargar** o **Download**, que nos traslada automáticamente a un servidor FTP desde el que podemos descargar el programa o archivo deseado.

Descargar

Cuando realices alguna descarga, podrás comprobar que el servidor de origen no se encuentra en una dirección de ésas que empiezan por *http://www*, sino en una que empieza por *ftp://*

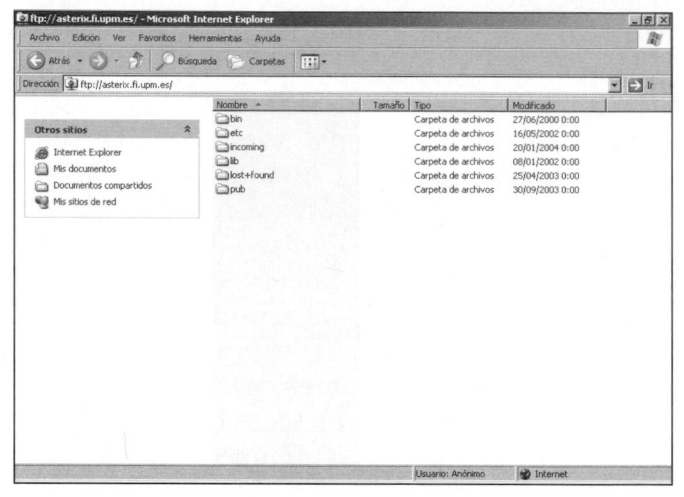

Figura 2.4. El protocolo no es http, sino ftp. Obsérvalo en la barra Dirección.

Los lenguajes

Los lenguajes informáticos son como los idiomas con los que nos entendemos unos con otros. Con los lenguajes informáticos podemos decirle al ordenador que haga esto o aquello.

- Y ¿obedece?

- Si no obedece es porque se ha expresado usté mal o porque ha escrito mal la instrucción.

- Si la escribo bien, ¿hace lo que yo le mande?

- Desde luego.

- A ver si es verdá.

Los ordenadores comprenden distintos lenguajes de programación, siempre y cuando tengan instalados los elementos de ese lenguaje. Hay muchos lenguajes, pero los que ahora nos importan son HTML, XML y Java, entre otras cosas, porque tropezarás con ellos de vez en cuando en tus viajes cibernéticos.

HTML

HTML (Lenguaje de marcado de hipertexto) es el lenguaje ideal para escribir páginas Web, porque permite incluir textos, imágenes, sonidos y, sobre todo, vínculos, vínculos para enlazar unas páginas con otras, que en eso hemos dicho que consiste la WWW.

Esos documentos que comprenden texto, imágenes, sonidos y otros elementos, se llaman documentos de hipertexto. Se enlazan entre sí por enlaces, vínculos, hiperenlaces o hipervínculos.

HTML contiene los elementos necesarios para poder redactar esos documentos y decirle al ordenador dónde tiene que aparecer un gráfico, dónde un marco, dónde un recuadro con una secuencia de vídeo, dónde un hipervínculo. Todo se indica a base de marcas, que son palabras comprendidas entre < y >.

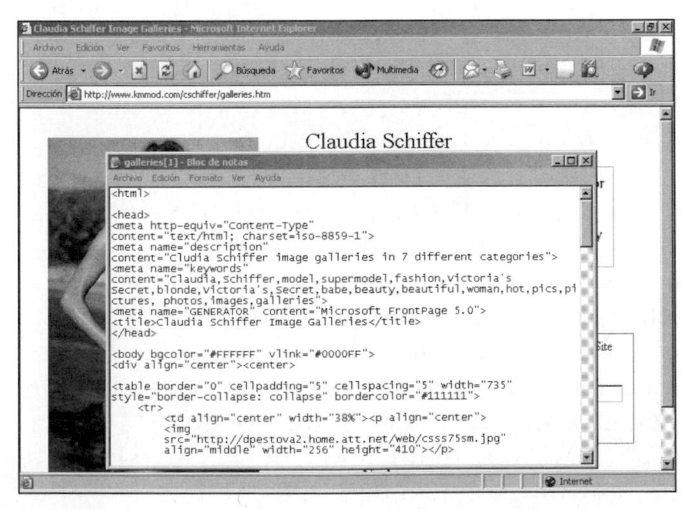

Figura 2.5. El código fuente de la página de Claudia escrito en HTML.

Para probar, haz lo siguiente:

1. Pon en marcha Internet Explorer.
2. Ve a la página que quieras. Ya puestos, vuelve a la de Claudia Schiffer, que es http://www.kmmod.com/cschiffer/galleries.htm
3. Haz clic en Ver>Código fuente.

XML

Si HTML es el lenguaje de las páginas Web, XML es el lenguaje de los servicios. Pero no de unos servicios cualquiera, sino de los servicios Web. Y los servicios Web son equipos y programas parecidos a los servidores, sólo que en vez de recibir peticiones de un cliente y servir páginas Web, como hemos visto en el caso de las fotos de Claudia Schiffer, los servicios Web (también se llaman *Web Services*, en versión anglófona) reciben solicitudes mediante mensajes escritos en XML, llevan a cabo una tarea y dan una respuesta también escrita en XML. Naturalmente que quien envía ese mensaje no es un señor vestido de gris, sino un programa alojado en un ordenador.

El lenguaje HTML permite insertar en las páginas Web tablas, bases de datos, imágenes y otros elementos, pero no nos deja hacer nada con ellos. Por ejemplo, una página escrita en HTML puede ofrecer productos a la venta y podemos observar el precio, la fotografía, etc. Y ya está. Sin embargo, con un documento escrito en XML, podemos además ordenar esa información por distintos criterios o hacer un pedido y comprar lo que nos guste de esa página.

XML es un lenguaje abierto que permite comunicarse entre distintas plataformas, porque es compatible para distintos entornos, como Macintosh o PC. Es muy fácil de aprender y se entiende bastante bien, es decir, no suena a chino. Además, funciona con cualquier protocolo, sea HTTP o no.

Además, XML no es un lenguaje hecho al que hay que ajustarse, sino un metalenguaje que permite a las empresas desarrollar sobre él sus propios lenguajes.

- Algo así como la torre de Babel.

- Más o menos, pero en plan cibernético.

- Digo que algo así como la torre de Babel es el lío que nos está armando a todos. A ver si acaba ya.

- De desagradecidos está el mundo lleno.

XML permite organizar la información de forma inteligente, crear las propias etiquetas (como las de HTML), manipular documentos y presentarlos de distinta manera. Por ejemplo, si es un catálogo de productos, al codificarlo en XML se puede presentar por artículos, por precios, por categorías, etc.

El lenguaje XML se utiliza sobre todo en el comercio electrónico.

Entérate a fondo en **http://html.programacion.net**

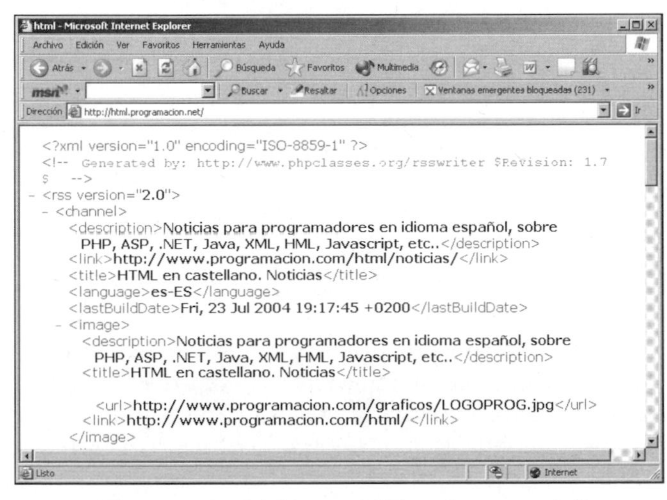

Figura 2.6. Código en XML. ¿A que mola?

Java

Java es un lenguaje de alto nivel. Eso no significa que sea rico ni que se trate con gente distinguida, sino que es fácil de comprender para nosotros los humanos. Los lenguajes de programación de bajo nivel son inhumanos, consisten en números y son francamente feos, porque están muy cerca del ordenador, de lo que se llama lenguaje máquina. Los de alto nivel son humanos y se pueden entender más o menos.

Java ha permitido integrar imagen y sonido en las páginas Web. De ahí su importancia. Gracias a él podemos hablar, oír música, ver vídeo y jugar a Tomb Raider conectados a una página Web. Claro que todo eso depende de que nuestro navegador "soporte Java". Este requisito te lo encontrarás de vez en cuando en alguna página Web. Pero no te preocupes. Los navegadores modernos, como Internet Explorer o Netscape Communicator, "soportan Java" a tope.

Las páginas Web están preparadas para enviar al visitante el programa necesario que le permita interpretar todos sus contenidos. Estos pequeños programas o aplicaciones están escritos en Java y se conocen como *applets*.

- ¡Salud!

Lo encontrarás todo en http://www.programacion.net/java

Java es, casi casi, una religión. Los usuarios de Java se agrupan en todo el mundo en asociaciones y comunidades virtuales para ayudarse mutuamente, compartir conocimiento y descubrimientos y para solidarizarse con los que, como el sufrido Romerales, jamás serán capaces de crear un programa ni en Java ni en ningún otro lenguaje.

Hay una organización sin ánimo de lucro que agrupa a los usuarios de Java de habla española, se llama javaHispano y, en julio de 2004, tenía más de 6000 usuarios registrados, con la previsión de aumentar unos 1000 cada dos meses y medio.

Si quieres formar parte de la peña javaHispano, se halla en http://www.javahispano.org

Páginas, sitios, anillos y arandelas

Diga lo que diga el fantasmón sabelotodo de Peláez, una página Web no es más que un documento de texto que puede contener imágenes y vínculos que enlacen con otros documentos situados en la misma página o en otra página de otro sitio Web. El contenido se visualiza utilizando un navegador, como Netscape Navigator o Internet Explorer.

Conviene no confundir los sitios Web con las páginas Web o con los dominios. Ya hemos visto lo que es un dominio. Ahora veremos lo que son los sitios y las páginas Web.

Vale, pero ¿qué es una página Web?

Antes de saber lo que es una página Web, conviene distinguir una página lógica de una página física.

- Una página física es una página de un libro, un documento físico. Como el libro que estás leyendo ahora. Las páginas físicas llevan una numeración secuencial. Si estás en la 15 y pasas la página, llegarás a la 16, a menos que le falte la hoja. El tamaño de la página física depende del tamaño del libro, claro, o del documento, como A3, A4, carta, etc.
- Una página lógica es una división que hace el ordenador de un documento. Su tamaño depende de la configuración que se haya indicado y corresponde a una cantidad de líneas por página. Por ejemplo, en Word, el tamaño del documento físico A4 corresponde a 44 líneas por página. Cuando termina la línea, el programa inserta automáticamente un salto de página.

A diferencia de las páginas físicas, las páginas lógicas no tienen que ir numeradas secuencialmente, porque el ordenador te permite saltar de la 15 a la 310 y de la 409 a la 75. Los documentos multimedia, como las enciclopedias en CD-ROM, permiten saltar de un sitio a otro sin tener que seguir un orden secuencial.

En resumen, una página Web es una página lógica que tiene texto, imágenes, vídeo, sonido y cualquier cosa que se le haya ocurrido al creador, pero, sobre todo, tiene hipervínculos que la enlazan con otras páginas Web.

Las imágenes

Los navegadores de Internet no son capaces de leer cualquier tipo de imagen y solamente pueden representar las que se atengan a ciertas normas. Por eso, en Internet se utilizan tres formatos de archivos de imágenes: GIF, JPEG y PNG. Estos tres formatos tienen la característica común de comprimir la imagen para que ocupe menos espacio y se descargue con mayor rapidez, ya que los archivos de imágenes suelen ser muy grandes. Por eso, las imágenes que puedas encontrar en Internet pueden ser muy bonitas, pero difícilmente tendrán la resolución suficiente para poderlas ampliar sin que se deterioren.

Ya hemos guardado e impreso una imagen anteriormente. Todas se tratan de igual forma y, como habrás visto, es muy fácil. El mismísimo Romerales hubiera sido capaz de quedarse con la foto, si en lugar de ser de la Schiffer hubiera sido de Mari Puri.

Algunas imágenes aparecen en miniatura, como habrás visto que sucede con las de Claudia Schiffer. Cuando haces clic en una de esas miniaturas, la fotografía se amplía y aparece la versión grande. Encontrarás este formato con frecuencia cuando visites museos, exposiciones o galerías de fotografías, ilustraciones o dibujos. Es una forma muy útil de insertar imágenes en las páginas Web, porque ocupan poco espacio y, cuando el visitante quieres verlas de tamaño natural, hace clic en la que le guste y pasa directamente a la ampliación.

Pero otras veces verás que el tamaño no se modifica y que la imagen sigue tal cual, por mucho que te empeñes o que le des con el ratón. Puede ser que el autor haya colocado esa imagen únicamente de ese tamaño o también que detrás de ella haya una ampliación que cueste dinero ver. Las imágenes que hay en Internet, igual que los textos, los vídeos, etc., suelen tener copyright, porque alguien las ha hecho y las ha puesto ahí, pero puede cobrar derechos de propiedad por su uso.

- Y usté no ha pensado que los oyentes cobren derechos de propiedad por el uso de sus oídos?

- Encima que les ilustro.

¿Qué es eso de los hipervínculos?

Los documentos de hipertexto son documentos electrónicos que van enlazados unos a otros mediante vínculos o hipervínculos. En el argot de Internet los verás mil veces llamar *links*, que es una palabra inglesa que se traduce por enlaces o vínculos.

Los vínculos contenidos en los documentos de hipertexto permiten saltar de un lugar a otro sin tener que pasar de página en página. En una enciclopedia multimedia, si estás leyendo un texto sobre Abderramán III, puedes hacer clic en una imagen e ir a parar a un texto que amplíe la información sobre el objeto de la imagen, es decir, sobre Abderramán III, o bien a una imagen ampliada o a más imágenes, o a otra información vinculada con nuestro amigo Abderramán.

El lugar exacto sobre el que haces clic para saltar a la información vinculada es lo que se llama un hipervínculo. Lo reconocerás porque, al aproximar el ratón, el puntero se convierte en una mano abierta que invita a hacer clic.

Veamos un ejemplo para que de forma sencilla y fácil aprendas a saltar de hipervínculo en hipervínculo y, además, ganes el Jubileo.

- A usté si que le vamos a jubilar como siga dando la brasa.
- ¡Calle! ¿No ve que pierdo el hilo?
- Ya quisiéramos.

1. Pon en marcha tu navegador.
2. Escribe en la barra de direcciones: http://cvc.cervantes.es.
3. Haz clic en el hipervínculo de la imagen Camino de Santiago. La reconocerás no sólo porque el

puntero se convertirá en una mano abierta, sino porque la información de herramientas te lo dirá claramente.

4. Elige una etapa o empieza por la primera, según las ganas que tengas de andar. Ya sabes que la Compostelana sólo se gana si se camina 100 kilómetros. Por ejemplo, haz clic en el hipervínculo 6, que corresponde a la Sexta Etapa del Camino, y haber donde nos lleva este camino.

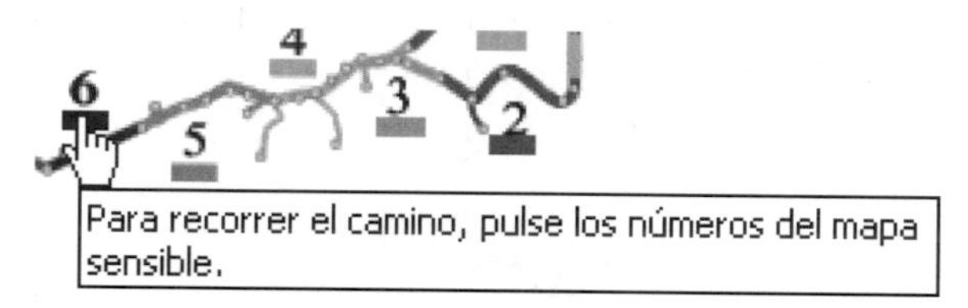

5. Si has hecho clic en la Sexta Etapa, puedes ver las maravillas del románico en Frómista. Sólo tienes que hacer clic en el hipervínculo de la imagen de esa ciudad.

6. Ahí la tienes. Puedes empezar a leer toda la información disponible y, si lo deseas, ampliar la imagen haciendo clic en el hipervínculo. Cuando tengas la imagen ampliada, puedes guardarla de la misma manera que hicimos con la foto de Claudia Schiffer.

TRUCO MÁGICO

Antes de hacer clic en un hipervínculo, puedes averiguar adónde te va a llevar, no sea que te lleve a algún lugar poco recomendable, por ejemplo, el despacho del director. Cuando aproximes el puntero del ratón a un hipervínculo, link o enlace, que ya sabemos que se llaman de varias maneras, observa en la barra de estado de tu navegador. El destino del hipervínculo aparecerá reflejado allí.

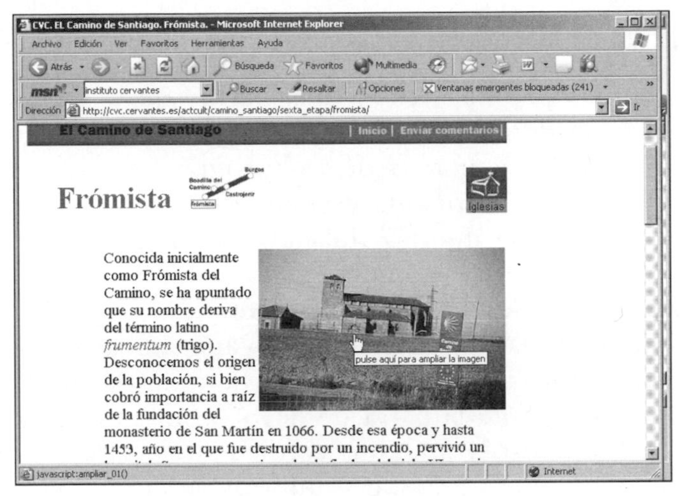

Figura 2.7. Frómista. No te la pierdas.

No solamente encontrarás hipervínculos en las imágenes, sino también en el texto. Los reconocerás porque el puntero también se convierte en mano al acercarlo a ellos y, además, el texto cambia de color. Por ejemplo, prueba a pulsar el hipervínculo Carrión de los Condes, dentro del texto que describe Frómista.

Carrión de los Condes,

A veces, los vínculos son engañosos y nos envían a sitios a los que no queremos ir. No es un truco falaz para hacernos caer en garlitos despiadados, sino simplemente que el programador se ha confundido y ha dirigido el hipervínculo a la página que no es.

Otras veces, el programador ha dirigido el vínculo correctamente, pero la página de destino a la que tenías que llegar al hacer clic, se ha largado con la música a otra parte, ha dejado de existir o simplemente no está ahí porque la han movido de sitio sus dueños. Es igual que cuando una empresa o una persona se traslada y no deja su nueva dirección. A ver qué hace el cartero con la correspondencia o el mensajero con el paquete.

Mala suerte. Peor es aguantar las bromas pesadas de Peláez, que van dirigidas con exactitud y siempre dan en el blanco.

Las barras de desplazamiento

En algunas páginas Web verás barras de desplazamiento verticales (a la derecha) y horizontales (en la parte inferior). Lo mismo que las ventanas de los programas que funcionan con Windows. Si una página es muy ancha y muy larga y no cabe completa en la interfaz del navegador, es necesario mover las barras de desplazamiento para acceder a las partes de la página que no se ven a simple vista.

Pero no en todas las páginas Web verás ambas barras. Algunas se ven completas sin barra alguna. En otras, las más, tendrás que utilizar solamente la barra de desplazamiento vertical.

La barra de desplazamiento vertical sirve para desplazarse hacia abajo y acceder a la parte inferior de la página. Algunas páginas son muy largas y hay que descender mucho para llegar a ver la última línea.

La barra de desplazamiento horizontal sirve para desplazarse hacia la derecha o hacia la izquierda de la página y acceder a la información que no cabe en la pantalla de tu monitor.

Los marcos

Algunas páginas Web están divididas en varios marcos o ventanas, cada uno de los cuales puede contener un documento diferente. Cada uno de los documentos que contiene el marco de una página Web es independiente de los demás.

En una página con marcos, por ejemplo, la de la Biblioteca Nacional, puedes utilizar las barras de desplazamiento para ir hacia abajo o hacia la derecha, pero no en toda la página, sino solamente en el marco central. El marco de la izquierda, donde están los enlaces no se desplaza si no mueves su propia barra de desplazamiento vertical.

Si quieres comprobarlo, haz lo siguiente:

1. Acércate a la Biblioteca Nacional en: http://www.bne.es.
2. Haz clic en Exposiciones virtuales.

3. Elige una exposición. La que aparece en la figura es la Exposición de cartografía española del siglo XVI al XIX. Puede que cuando leas este libro, haya otras exposiciones diferentes, porque la Biblioteca Nacional las cambia de vez en cuando, así que elige la que quieras.

¡Megarritual!

4. Dentro de la exposición, haz clic en el botón de desplazamiento de la derecha y arrástralo hacia abajo para ver el texto y las imágenes. Observa que el marco de la izquierda no se mueve y que continúa mostrando los mismos enlaces y el mismo texto.
5. Haz clic en alguna imagen para agrandarla y verás qué bonita.

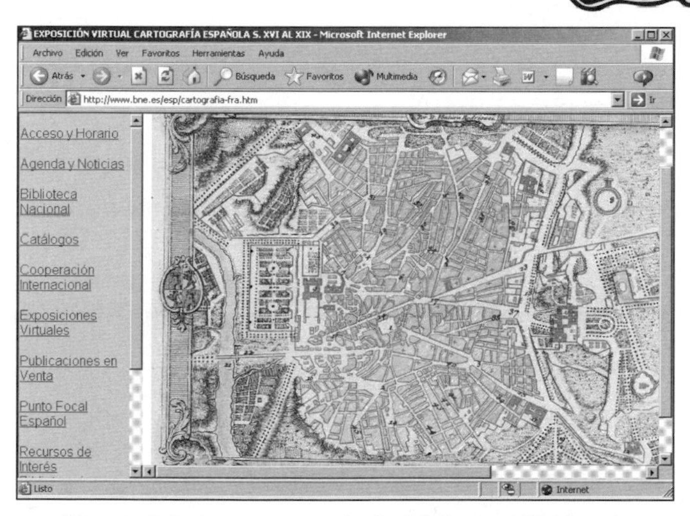

Figura 2.8. Los marcos de la Biblioteca Nacional.

Como verás, el marco de la derecha, que es el marco principal de la página, se desplaza con las barras de desplazamiento y cambia con los hipervínculos, porque has pulsado dos o tres y ha cambiado el contenido, pero el marco de la izquierda no ha variado. Sigue teniendo los mismos enlaces en el mismo sitio. No se mueve. Si quieres desplazarlo, tendrás que mover su barra de desplazamiento. Si quieres que cambie, prueba a hacer clic en la bandera inglesa del final, para que salga todo en inglés, pero, sobre todo, para que veas cómo cambia este marco.

A veces, la página Web tiene marcos pero no se ven, porque los bordes se solapan. Puedes comprobarlo en la página inicial de la Biblioteca Nacional, http://www.bne.es. Puedes mover la barra de desplazamiento y con ello mover los enlaces a los catálogos, a las exposiciones, etc., pero el resto de la página se queda impávido y no mueve ni una pestaña.

Cuando una página Web tiene marcos, aunque no se vean, hay que manejar el marco en que se encuentra la información que interesa y no la página entera. Para activar un marco y manejarse con él, no hay más que seleccionarlo. Para seleccionarlo, solamente hay que hacer clic en cualquier lugar dentro del marco, donde no haya un enlace, claro, porque si haces clic en el enlace irás a parar al destino de ese enlace.

Algunas páginas permiten modificar el tamaño de los marcos, para poder ampliarlos o reducir su tamaño, al gusto del consumidor. Cuando eso es posible, al acercar el puntero del ratón al borde de uno de esos marcos, se convierte en una flecha de dos puntas con la que puedes estirar hacia dentro o hacia fuera. Es el mismo método que se utiliza para modificar el tamaño de las ventanas en los programas que funcionan con Windows.

Applets, plug-ins y otros artilugios

Muchos sitios Web que visitamos tienen, además de textos, imágenes y melodías, objetos complicados que no podemos visualizar normalmente con nuestro navegador. Por ejemplo, si llegas a un sitio que ofrece fotografías estereoscópicas, es decir, en tres dimensiones, vídeo, sonido estreptosónico... digamos que encuentras archivos de sonido especiales o texto en formato especial, en cuyo caso, es probable que tu navegador no pueda ver y oír esa información. Entonces, la página en cuestión tiene preparado un programa llamado *applet* o *plug-in* que se lanza en picado hacia tu disco duro y se instala automáticamente en tu navegador, para permitirte disfrutar de las excelencias de esa página.

Eso te puede suceder bien porque no dispongas del programa en cuestión o bien porque la versión que tú tengas de ese programa esté anticuada y sea preciso actualizarlo para que veas y oigas en condiciones lo que esa página Web tiene que ofrecerte.

Pero estos programas no se instalan sin avisar, ni mucho menos sin tu permiso. A pesar de los espías y piratas que hay en Internet, hay también muchos servidores muy educados. Por eso, cuando la página Web te envía graciosamente su programa para que puedas visitarla a tus anchas, pide primero permiso para llegar hasta tu ordenador e instalarse. Y, al pedir permiso, se identifica y confirma su autenticidad mediante el visto bueno de una empresa que se dedica a eso, a confirmar la autenticidad de las firmas, de los logotipos y de las señas de identidad en Internet.

En tal caso, aparece un cuadro en la pantalla de tu ordenador que viene a decir:

"La empresa Fulanítez pide permiso para enviarle un programita que se instalará, Dios mediante, en un plis plas. Para que conste, esta empresa ha echado su firma el día de autos ante el notario digital don Zutánez, que certifica que la firma es guay. ¿Quiere usted que le instalemos el programa? Decídase, que se acaba el tiempo reglamentario".

Entonces puedes hacer clic en **Sí** o en **No** para instalar o no el programa. Antes de aceptarlo, asegúrate de que lo que se va a instalar procede de Microsoft, de la Administración o de algún lugar fiable.

Hay cuadros de diálogo que se ponen bordes cuando dices que no quieres instalar el programa que te ofrecen e insisten. ¿Está seguro de que no quiere instalar este programa? Mire que es buenísimo y que no le va a costar parné. Se lo juro por éstas. Pues tanta insistencia hace poco fiable al interfecto. ¿Verdad?

En tal caso, haz clic en el botón **Cerrar**, ése en forma de cruz que llevan todos los cuadros de diálogo en la esquina superior derecha, y en paz.

Los sitios Web

De paso que hemos aprendido a manejarnos con los hipervínculos y hemos ganado el Jubileo, hemos visto lo que es un sitio Web.

- ¿Seguro que hemos ganado el Jubileo?

- Usté, no sé. Yo, seguro.

- ¿Por qué usté sí y yo no se sabe?

- Lo primero, porque no se ha machacado los 100 kilómetros de hipervínculos y, segundo, porque hasta 2010 no hay año jubilar que valga.

Un sitio Web es un conjunto de páginas Web enlazadas entre sí y que pertenece al mismo propietario. En el caso que hemos visto antes, el sitio pertenece al Instituto Cervantes.

Los sitios Web se componen de una página inicial o principal, que enlaza con otras páginas secundarias que contienen información y a las que se accede haciendo clic en el vínculo correspondiente, tal y como hemos visto.

El sitio Web Centro Virtual Cervantes se compone de numerosas páginas Web que tratan de diferentes asuntos. Todas están relacionadas entre sí por medio de hipervínculos.

- La página inicial, página principal o página de primer nivel es la primera a la que se accede en la dirección a la que hemos puesto rumbo antes: http://cvc.cervantes.es.
- Al hacer clic en el hipervínculo Camino de Santiago, hemos accedido a una página de segundo nivel, la que contiene el mapa general del Camino de Santiago.
- Al hacer clic en el hipervínculo 6, hemos pasado a una página de tercer nivel, que es la de la Sexta Etapa.

No todos los sitios Web tienen varias páginas. Algunos son muy sencillos y no tienen más que una página principal y sanseacabó. Ni páginas secundarias, ni hipervínculos, ni nada más. Puedes encontrar un ejemplo en páginas que anuncian, por ejemplo, un hotel, y que muestran la fotografía, la dirección y el teléfono.

- Como hemos hecho clic en el hipervínculo **Frómista**, hemos ido a parar a otra página, esta vez de cuarto nivel.
- Si hubiéramos hecho clic en el hipervínculo **Carrión de los Condes**, hubiéramos llegado a una página de quinto nivel.
- Si, en vez de descender a Carrión de los Condes, hubiésemos pulsado el hipervínculo **Iglesia de San Martín**, hubiéramos ido a parar a otra página de quinto nivel. La página que describe la Iglesia de San Martín está al mismo nivel que la que describe Carrión de los Condes.

Iglesia de San Martín

- Y, si, en lugar de ir a visitar las iglesias y lugares próximos a Frómista, hubiéramos pasado de largo a la Séptima Etapa, habríamos ido a una página de tercer nivel.

\- Y nos hubiéramos quedado sin ver Frómista ni Carrión de los Condes.

\- Pero habríamos avanzado un montón de kilómetros.

\- Ya le dije que no se parase, que luego no daba tiempo.

\- Si no me paro, me crecen las ampollas de los pies.

\- ¡Cállense! ¡Que me vuelven loco!

Como habrás podido comprobar, hay páginas Web con muchos niveles y otras que se conforman con un par de ellos. Todo depende de las necesidades del sitio Web.

Cuando te encuentres con una página Web de un solo nivel y no encuentres vínculo alguno en el que hacer clic (hay quien le llama clicar, cliquear e incluso chascar), no te creas que te vas a quedar ahí para siempre jamás. Haz clic en el botón Atrás de tu navegador y volverás al lugar del que procedes. ¿Qué no procedes? ¿Qué has llegado allí directamente escribiendo la dirección en el navegador? Pues es fácil. Escribe otra dirección y ya está.

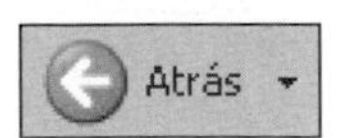

Las webcams

Las webcams son cámaras de vídeo que se utilizan en Internet para presentar actividades en tiempo real. Por ejemplo, muchos centros de formación online utilizan una de estas cámaras para que los alumnos puedan ver al profesor sin necesidad de estar presentes.

- Y eso ¿cuesta muy caro?

- No, son muy baratas. ¿Quiere comprar una? Le puedo orientar.

- Como ha dicho lo de que los alumnos no tienen que estar presentes...

- ¡Porca, porquíssima miseria! ¡He picado una vez más!

Las webcams se utilizan para muchas cosas, pero una de las aplicaciones que puedes encontrar en Internet es visitar en directo una playa, para ver si el oleaje es o no propicio para practicar el surf. Otra, que tampoco tiene desperdicio, es visitar un parque zoológico y ver a los bichos en directo.

Otra aplicación útil es ver la situación del tráfico en un punto determinado o el tiempo que hace en tu destino de vacaciones.

Y, después del recorrido virtual que hemos hecho por el Camino de Santiago, podemos acercarnos a la Plaza del Obradoiro gracias a una cámara que hay instalada para que veas el número que te va a tocar en la cola para recoger tu diploma de peregrino. Si te conectas, verás que la fotografía se modifica cada 180 segundos, que es el tiempo que tarda la webcam en transmitir la imagen siguiente.

Está en: http://www.crtvg.es/espanol/camweb/camweb.html

Apúntate unas cuantas direcciones de webcams en Internet:

http://www.camvista.com
http://www.planetawebcams.com
http://www.surfalicante.com
http://www.tematicos.com/webcams/index.html
http://www.zoobarcelona.com

Los *weblogs*

Se llaman *weblogs* o bitácoras digitales a los numerosos noticiarios que circulan por Internet. Numerosos y numerosísimos, porque dicen los que entienden y, sobre todo, los que saben contar, que se crea un nuevo *weblog* cada cuarenta segundos. A ver. Lo bueno que tiene Internet es que cualquiera puede publicar cualquier cosa y que todo el mundo tiene la oportunidad de expresarse.

Un *weblog* puede ser también una comunicación de algo privado que uno desea hacer público. Por ejemplo, el día que Romerales se enteró de que Peláez no era más que un fantasma, hubiera podido crear un *weblog* y publicarlo a todo lo ancho y lo largo de la Red.

> *Noticiasdot.com* publicó en julio de 2004 que, según el National Institute for Technology and Liberal Education existen 2.023.243 *weblogs*, de los cuales, 1.335.340 se encuentran activos.
>
> Más de un 50 por ciento de los *weblogs* existentes están redactados en lengua inglesa. Les siguen los escritos en francés, portugués, persa (farsi) y polaco.
>
> Según datos de 2003 de Pew Internet & American Life Project, más de 53 millones de americanos adultos han utilizado *weblogs* en Internet para publicar sus pensamientos, responder a otros, enviar fotos, compartir archivos y otras formas de creación de contenido en línea.
>
> También sabemos que, según los datos de la Primera Encuesta de *webloggers* hispanos que ha realizado el sitio Web Tintachina, los autores y lectores de *weblogs* en español son jóvenes, estudiantes, que llevan cinco años enredando en la Red. Los españoles tienen en su mayoría entre 20 y 26 años. De ellos, sólo el 23 por ciento son mujeres. Muchos de los *webloggers* españoles dedican sus bitácoras a la cámara digital, porque la creación de *weblogs* les permite publicar sus fotografías en línea, así como sus ideas personales y a veces personalísimas sobre determinadas cosas.

Existen *weblogs* personales, en los que uno puede contar sus experiencias o plantear debates sobre lo que le dé la gana. Hay otros profesionales que versan sobre tecnologías.

Encontrarás *weblogs* en:

http://blogs.ya.com

http://www.barrapunto.com

http://www.blogia.com

e-cosas

Te encontrarás frecuentemente con palabras que empiezan por e- y no sólo cuando deambules por la Red, sino en cualquier sitio. La partícula e- colocada delante de ciertos términos tiene un significado: electrónico. Todas las funciones, actividades y demás que se realizan a través de medios electrónicos o digitales o como quieras llamarle, llevan ahora la e y el guión delante.

Habrás visto mil veces *e-mail*, que es el correo electrónico. También habrás leído o escuchado algo sobre *e-commerce*, que es el comercio electrónico, es decir, la compra venta en línea. Si compras cosas pequeñas, como acceso a un juego el línea, podrás pagar con *e-cash*, que es el dinero electrónico que circula por la Red. Y, si estableces acuerdos comerciales en línea, estarás practicando *e-business*.

Los litigios entre empresas de comercio electrónico se resuelven, como es lógico, con arbitraje electrónico, lo que ya se llama *e-arbitration*, organismos que atienden y asesoran en Internet.

Existen centros de enseñanza, desde universidades hasta academias, que imparten sus cursos en el ciberespacio. Eso es el *e-learning*, es decir, aprendizaje electrónico.

También tropezarás con páginas de *e-health*, la consulta médica en línea. Cada vez hay más gente que se dedica a averiguar sus propios síntomas o los de los demás, consultando en línea en los numerosos consultorios que hay en funcionamiento. En estas cosas, sin embargo, hay que tener cuidado porque, además de profesionales que han abierto consultas en línea y que atienden al personal mediante correo electrónico, hay mucho charlatán que también promete curaciones milagrosas escudándose en la huidiza identificación de Internet.

- ¿Tiene para mucho?
- Un rato ¿por qué?
- Por bajar a la farmacia.
- ¿Insinúa acaso que le produzco dolor de cabeza?
- No, síndrome bipolar profundo.

Parece que lo que los españoles buscan en los *weblogs* es, sobre todo, información crítica, humor y diversión.

Capítulo 3
Y Romerales se conectó

GROENLANDiA: SELLO CONMEMORATiVO DEL PRiMER ADAPTADOR DE CONEXIÓN iNFORMÁTiCA BiRUJi 12 BAJO CERO

Forges ©

Romerales se conectó a Internet. Así como suena. Un día, la oficina se puso patas arriba con los preparativos y la organización del gran evento. Había que conectarse a Internet costase lo que costase.

Según Peláez, lo que iba a costar la conexión a Internet era el despido de todos aquellos pardillos incapaces de manejarse con las nuevas tecnologías. Ni que decir tiene, que el más pardillo entre los pardillos era el pobre Romerales.

Para el jefe, lo que iba costar la conexión a Internet era una sucesión de broncas y marrones que la alta dirección iba a suspender sobre su cabeza (bueno, sobre su calva) y que irían goteando de una en una como la famosa gota ésa de los chinos, que al cabo de los años perfora el cráneo del condenado.

Para el dire, el superbaranda, lo que iba a costar la conexión a Internet era hacer rodar unas cuantas cabezas si aquello no salía como tenía que salir y el Consejo de Administración le llegaba a echar a él la culpa.

Para los otros oficinistas, incluida Mari Puri, lo que iba a costar la conexión a Internet era un montón de días sin dar golpe, porque ya se sabe lo que sucede cuando se instala una novedad en una empresa. Al principio, mucha presentación con voz campanuda, mucho preámbulo y mucha glorificación del asunto. Después viene la terrible verdad y, con ella, el llorar y crujir de dientes para los técnicos y los pringaos de turno, porque todo empieza a fallar, nada funciona, siempre falta un cable o un conector, cuando uno finalmente anda, el otro se cae, no pasa lo que según el manual tiene que pasar y allí todo es mohína. Los de arriba se impacientan y envían a los de abajo a preguntar y los pobres técnicos, tirados por los suelos y rodeados de aparatos, sudan tinta pidiendo paciencia y diciendo que ya va, pero, muchas veces, no tienen ni repajolera idea de lo que está pasando.

Y es que eso de la tecnología tiene un sí es no es de mágico. Un día, todo funciona estupendamente, todo sale bien, rápido y preciso. Al día siguiente, con exactamente las mismas condiciones, no va ni "pa'trás". Lo que uno ha visto y revisto, ha comprobado y requetecomprobado, sigue como estaba, pero la cosa no va. Y uno no tiene la menor idea de qué demonios está pasando. Hasta que, harto de todo, le pega un sopapo al servidor, al cliente y a la prima segunda del cliente. Y entonces, todo se pone en marcha. O bien, uno se aburre, lo apaga todo y se va. Después se arrepiente de haberse ido, vuelve a intentarlo, lo pone todo de nuevo en marcha y todo funciona divinamente. ¿Por qué? ¡Misterios insondables de la tecnología!

Para Romerales, lo que iba a costar la conexión era inconmensurable. A él que no le hablasen de otra tecnología que no fuera su ordenador personal Parker y BIC.

El final de la historia la conocemos, porque siempre pasa lo mismo. ¿No se metamorfosea Clark Kent cuando el caso lo requiere y hasta las gafas desaparecen? Porque digo yo que Superman podía tener gafas también. Pues lo mismo le sucedió al triste y atribulado Cosme cuando la tensión alcanzó niveles insoportables. Desapareció la visera, desaparecieron los manguitos y la Parker se convirtió en un superordenata de última generación con conexión etérea. UMTS, Bluetooth y WIFI son zapatillas tecnológicas a su lado.

Conectarse no es nada del otro jueves

Conectarse a Internet no es ni tan peliagudo como lo veían los pobres oficinistas ni tan "chupao" como lo describió el fantasma de Peláez. Conectarse a Internet precisa, en primer lugar, disponer de unos cuantos aparejos:

- Un ordenador u otro aparato.
- Un módem o un descodificador.
- Una línea telefónica.
- Un contrato con un proveedor de servicios de Internet.
- Un programa para navegar y gestionar mensajes.

El aparato

El aparato utilizado para conectarse a Internet no tiene necesariamente que ser un ordenador. Actualmente existen tecnologías que permiten la conexión desde un teléfono móvil, un televisor, una consola de videojuegos, un reloj o un electrodoméstico.

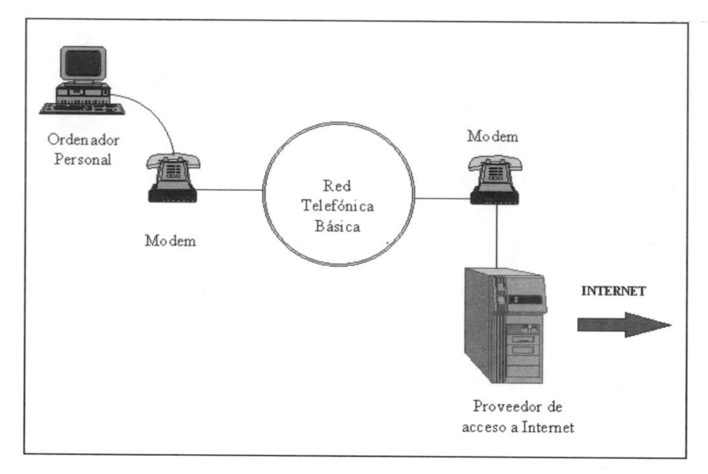

Figura 3.1. Una conexión telefónica vía módem.

El ordenador

Si te vas a conectar a Internet con un ordenador, asegúrate de que cuenta con los siguientes recursos:

- Un equipo multimedia, Macintosh o Pentium con 128 MB de RAM, CD-ROM, tarjeta de sonido, altavoces, monitor SVGA y tarjeta gráfica que permita al menos 600 x 800 píxeles de resolución. Puertos de comunicaciones COM y USB.
- Una impresora blanco y negro de chorro de tinta, si quieres imprimir páginas y archivos de Internet.
- Un módem interno o externo de 56,6 Kbps.

- Windows versión 95 en adelante, aunque también te puedes conectar con Windows 3.1.
- Un navegador como Internet Explorer o Netscape Navigator o el que prefieras.
- Un programa de correo electrónico como Outlook o Netscape Mail o el que más rabia te dé.

El equipo puede tener menos recursos que los anteriores, pero notarás la diferencia. Si, en lugar de 128 MB de memoria RAM tu equipo tiene 64, te vas a conectar igual, pero las páginas Web están llenas de imágenes gráficas, de archivos de sonido, de vídeo y de objetos que absorben muchos recursos del ordenador y, si tiene pocos, el proceso se hace tan lento que uno termina por aburrirse y renegar.

Sé de más de uno que ha tirado el ordenador por la ventana en un momento de ira, porque estaba a punto de pillar una foto en 3D de uno de sus ídolos, con luz y sonido, y el sistema se vino abajo por falta de memoria, de espacio en el disco duro o por la lentitud de la línea.

En cuanto al sonido, también te puedes conectar a Internet sin él, pero te perderás muchas cosas interesantes, agradables y divertidas de las que pululan por la Red. Por ejemplo, vídeos, música, entrevistas, noticias, etc.

La tarjeta gráfica y el monitor SuperVGA te permitirán ver correctamente las imágenes y los vídeos de Internet, que hay muchos y muy interesantes, no solamente musicales, sino también cosas muy serias, como cursos en línea, noticias importantes y demás. Las páginas Web se ven bien con una resolución de 600 x 800 píxeles. Si tu placa gráfica no es "súper" y no te permite esa resolución, no podrás ver muchas páginas y otras las verás a medias.

- Lástima, oiga.
- ¿Por qué? ¿Le interesa algo en especial?
- Sí, me interesaría verle a usted a medias.
- ¿A medias? ¿Por qué?
- No pregunte, no me dé ideasssss...

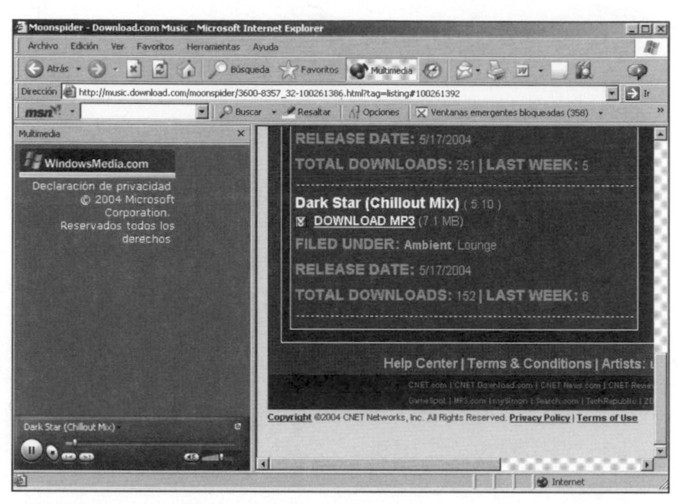

Figura 3.2. Un archivo musical. Si no tienes altavoces, esto es todo lo que verás.

¿Cómo que qué es eso de la resolución? La resolución es el número de puntos o píxeles por pulgada que constituyen una imagen o un dibujo. Cuanto mayor sea el número de puntos, mayor será la resolución. Cuando se habla de puntos por pulgada, se refieren a la resolución de la impresora. Cuando se habla de píxeles por pulgada, se refieren a la resolución de la pantalla.

Por cierto, la palabra píxel es el acrónimo de *Picture Element,* que significa elemento de imagen.

En cuanto a los puertos de comunicación, veamos la diferencia entre el puerto COM y el puerto USB:

- Los puertos COM, son puertos en serie que tienen 9 ó 25 pines y sirven para conectar el módem y el ratón. La transmisión de datos a través de un puerto COM es muy lenta porque se envía un dato por bit.
- USB es el acrónimo de *Universal Serie Bus*, Bus de serie universal. Es un puerto en serie especial de alta velocidad, porque transmite 12 millones de

bit por segundo y es prácticamente universal. Es probable que tu ordenador tenga dos puertos USB. A cada uno podrás conectar hasta 127 dispositivos (ratón, módem, impresora, escáner, teclado, etc.), si colocas un adaptador que lo amplíe, un "ladrón" como los que se ponen en los enchufes de la luz o del teléfono. Cuando el ordenador se pone en marcha, el sistema operativo (Windows o el que tengas) reconoce automáticamente todos los aparatos conectados a través del USB y muchas veces no te tienes ni que molestar en instalarlos, porque se instalan solos.

Y el módem ¿qué?

¡Anda! ¡Pues se me había olvidado explicar lo del módem!
- Pues vaya clase que está dando usté.
- Usté se calla.
- A mandar.

Emile Baudot fue un ingeniero francés del siglo XIX que inventó un aparato capaz de convertir las señales telegráficas en caracteres de máquina de escribir. La velocidad de transmisión de datos informáticos se mide en bits por segundo y esa medida se llama baudio en honor del señor Baudot. Abreviado, lo verás como bps.

Pero un bit no es más que un dígito binario, la mínima cantidad de información que puede manejar un ordenador. Para representar un carácter (una letra, un número o un signo), los ordenadores utilizan ocho bits, que es lo que se llama un byte o un octeto.

Los ordenadores actuales transmiten los bytes de mil en mil o incluso de millón en millón.

- Mil bytes es un Kilobyte y se representa por Kb.
- Un millón de bytes es un Megabyte y se representa por Mb.

Cuando te hablen de banda ancha, debes saber que te están hablando de conexión a alta velocidad. El ancho de banda de una línea es la velocidad de transmisión que admite. Las líneas ADSL, por ejemplo, se califican de banda ancha porque transmiten a toda máquina.

- Mil bytes por segundo son mil baudios y se representa por Kbps.
- Un millón de bytes son un millón de baudios y se representa por Mbps.

- Y ¿un bocabyte?

- Pues ocho bocabits y se representa por dos orejas de burro. A ver si cree que me va a volver a pillar.

El módem es un aparato que convierte los datos del ordenador, que son digitales, en información analógica que se puede transmitir por la línea telefónica. Cuando esa información llega al ordenador de destino, la recibe otro módem que hace el trabajo contrario. Toma los datos analógicos que le llegan por la línea telefónica y los convierte de nuevo en datos digitales que el ordenador pueda entender.

El módem se llama así como adaptación de la expresión inglesa modem, que significa *modulator-demodulator,* es decir, modulador y desmodulador. Los módems analógicos, como el que seguramente llevará dentro tu PC o uno externo que puedes haberle comprado, transmiten a una velocidad de 56,6 Kbps, es decir, miles de bits por segundo. Y no transmiten a mayor velocidad porque las líneas telefónicas no les dejan, que, si fuera por ellos, correrían bastante más.

Los instrumentos de cálculo, incluyendo a los ordenadores, se dividen en analógicos y digitales, según establezcan una analogía entre números y posiciones, como las agujas del reloj la establecen entre su posición y la del sol o los representen por magnitudes físicas, como la regla de cálculo, o bien operen e indiquen los datos con dígitos, como las máquinas de contabilidad y los ordenadores.

Pero también hay módems digitales:

- RDSI. Son las siglas de una tecnología llamada Red digital de Servicios Integrados. Esta tecnología permite tratar igualmente voz y datos, es decir, se puede transmitir información del ordenador y hablar por la misma línea. Existen numerosos servicios que se ofrecen a través de las líneas RDSI para voz, datos e imágenes. Las prestaciones de la tecnología RDSI están más bien orientadas a empresas, como son los enlaces de centralitas y centros de llamadas, eso que ahora se llama *call centers*, donde uno llama para preguntar y le contesta un operador que puede estar en La Mancha o en el Calagurristán.

- ADSL. Esta tecnología es la más interesante, porque transforma la línea telefónica, la que tienes en tu casa, en una línea de alta velocidad por la que puedes hablar y enviar datos con el ordenador al mismo tiempo. Por ejemplo, Peláez es muy capaz de estar hablando con su prima Clotilde, visitar páginas Web una tras otra y, además, enviarle al sufrido Romerales un archivo impresionante de un sospechoso color marrón de viernes a las cuatro.

El módem ADSL es, a la vez, un encaminador, y puede transmitir los datos hasta una velocidad de 4 Mbps, es decir, cuatro millones de bits por segundo. Por eso es posible enviar y recibir audio, vídeo, imágenes y seguir hablando por teléfono.

El ordenador envía los datos (los archivos que quieras transmitir, los mensajes que quieras enviar) a través de un módem ADSL. De ahí pasan a un cacharro que se llama *splitter*, que codifica la señal y la envía por el mismo cable hacia la central telefónica de destino. Esa señal puede contener datos de tu ordenador y tu voz emitida a través del receptor del teléfono. Cuando los datos llegan a la central de destino, se separan de nuevo para enviarlos cada uno por su sitio. Si el destinatario tiene ADSL, allá va todo junto. Si no tiene, la voz le llega a través del receptor del teléfono y los datos a través de su módem.

Windows reconoce automáticamente los dispositivos instalados, siempre y cuando cumplan las normas de una tecnología que se llama Plug & Play y que se traduce a gusto del consumidor. Unos dicen Instalar y listo y, otros, Enchufar y en marcha. Da igual. Lo que quiere decir es que son dispositivos que Windows reconoce e instala automáticamente. Así será seguramente tu módem a menos que lo hayas comprado en el mercadillo de tu pueblo o que te lo haya regalado alguien que no lo usara desde tiempos de Tutankhamon.

El truco para poder hablar por teléfono y enredar en Internet al mismo tiempo es que, en una conexión normal, la señal telefónica utiliza una frecuencia, mientras que, en una conexión ADSL, las señales codificadas viajan por la línea telefónica en frecuencias diferentes y al mismo tiempo.

Además, si tienes una conexión ADSL, no necesitas conectarte a Internet cada vez que quieras buscar algo o enviar correo electrónico. Desde el momento en el que pongas el ordenador en marcha, la conexión es automática. Si tienes el ordenador encendido todo el día, tendrás conexión a Internet todo el día. Es una tarifa plana 24 horas, que es como deben de ser las tarifas planas. Luego hablaremos de tarifas.

Los ordenadores modernos traen un módem interno ya instalado y funcionando. Si instalas un módem ADSL o de cable, el módem interno se quedará quieto y sin rechistar, por si alguna vez necesitas utilizarlo.

La conexión

Además de la línea telefónica tradicional a la que te puedes conectar con un módem y de las líneas de alta velocidad RDSI y ADSL que acabamos de ver, hay otras formas de conexión:

- Cable. Otra modalidad de conexión es el cable de fibra óptica que instalan operadoras como ONO, Auna, Menta o Supercable, aunque todavía tienen limitaciones geográficas. Se realiza con un dispositivo llamado cablemódem e incluye Internet, telefonía y televisión, entre otras cosas. Todavía no están cableadas todas las localidades españolas, así que no es accesible para todo el mundo. Sin ir más lejos, en el barrio de Peláez, el único vecino que tiene cable es él, al menos, eso dice.

Si quieres enterarte de la diferencia entre el cable y el ADSL, no te pierdas las comparativas que ofrece Telefónica en la página http://www.telefonicaonline.com.

- Satélite. Conexión vía satélite. Hay que disponer de un módem, una antena parabólica y una tarjeta receptora de satélite. Se utiliza en empresas, aunque también me consta que Peláez lo ha utilizado en alguna ocasión.

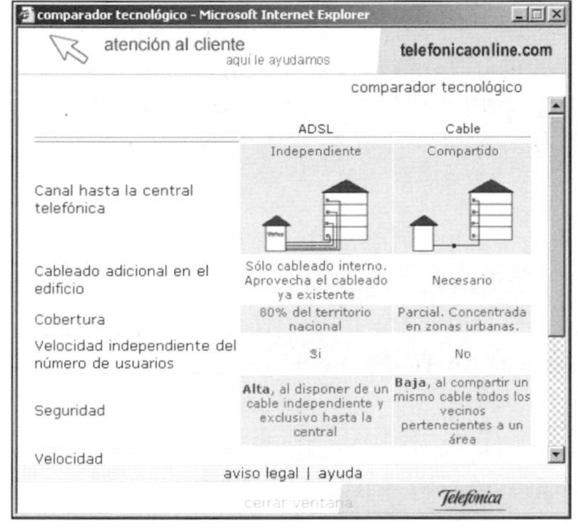

comparador tecnológico - Microsoft Internet Explorer

atención al cliente aquí le ayudamos — telefonicaonline.com

comparador tecnológico

	ADSL	Cable
	Independiente	Compartido
Canal hasta la central telefónica		
Cableado adicional en el edificio	Sólo cableado interno. Aprovecha el cableado ya existente	Necesario
Cobertura	80% del territorio nacional	Parcial. Concentrada en zonas urbanas.
Velocidad independiente del número de usuarios	Sí	No
Seguridad	**Alta**, al disponer de un cable independiente y exclusivo hasta la central	**Baja**, al compartir un mismo cable todos los vecinos pertenecientes a un área
Velocidad		

aviso legal | ayuda

cerrar ventana — Telefónica

Figura 3.3. ADSL frente a cable.

¿Eres gente WAP?

La tecnología WAP, sin cables, permite la conexión a Internet desde el teléfono móvil u otro aparato. El móvil es más fácil de manejar que el ordenador, totalmente transportable, no depende de líneas eléctricas ni telefónicas y se pone en marcha con gran rapidez. Como contrapartida, la pantalla y el teclado son muy pequeños (aunque hay teclados adaptables), pueden presentarse problemas de cobertura y, aunque ya existen muchas prestaciones, todavía no hay tantas como las disponibles para el ordenador.

WAP es un protocolo para aplicaciones inalámbricas, o sea, sin cables, sin hilos y sin cordones de luz ni de antena ni de nada. Lo inventaron varios fabricantes de telefonía móvil, como Ericsson, Nokia, Motorola y Unwired Planet que, en

Para que Windows detecte automáticamente el módem o cualquier otro aparato, prueba a desconectarlo y volver a conectarlo con el ordenador en funcionamiento. Una vez conectado, aparecerá el Asistente para la instalación de nuevo hardware. Ya sé que antes dije que conviene apagar el ordenador antes de enredar en él, pero esto es un truco a emplear en el caso remoto de que Windows no detecte un dispositivo.

1997, fundaron el foro WAP. Buscaban una norma común para evitar una guerra de marcas y tecnologías y se encontraron con un invento que ha revolucionado el mundo comercial, el de las telecomunicaciones y el de las dependencias personales.

La conexión inalámbrica se llama GPRS, que significa Servicio General de Radio por Paquetes. Es la conexión vía teléfono móvil. Tiene una velocidad de hasta 114 Kbps. Cuando busques tarifas o contratos de conexión a Internet, ésta será la modalidad que tendrás que buscar si te conectas desde el móvil.

El objeto de la tecnología WAP es el acceso masivo a Internet. Hay mucha más gente que utiliza móvil que la que utiliza ordenador, así que los fabricantes hicieron cuentas y llegaron a la conclusión de que, con el telefonito inalámbrico, la conexión a Internet sería casi casi universal. Por eso, rápidamente empezaron a crearse portales WAP, aplicaciones WAP y servicios WAP.

Empezaron con pantallas a dos colores, pero ya está aquí la tercera generación de móviles, UMTS, que aporta pantalla en color, sonido, vídeo, animación y todo lo que ofrece Internet, sólo que en pequeño.

- Eso de aplicaciones inalámbricas no lo debe saber Peláez.
- ¿Usté cree?
- Ya le digo. Menuda brasa nos daría si lo supiera.

En la tecnología WAP, el lenguaje WML reemplaza a HTML o XML. Las páginas WAP tienen su versión Web para que los que utilizamos ordenata podamos acceder a ellas. Eso quiere decir que tienen una versión escrita en WML para los móviles y otra escrita en HTML para los ordenadores.

UMTS

UMTS es la tercera generación de tecnología WAP. Se la esperaba para antes de 2003 y ha llegado con casi dos años de retraso. Mientras llegaba o no llegaba, los japoneses lanzaron una tecnología intermedia, *i-mode*. Es un servicio que permite conexión continua a Internet desde un teléfono móvil. NTTDoCoMo ha lanzado hace poco un móvil con monedero incorporado, con el que puedes comprar los billetes para el tren, las entradas para el cine o incluso realizar operaciones bursátiles.

Uno de los problemas más importantes de los teléfonos móviles a la hora de operarlos es el tamaño de las teclas. El bruto de Peláez, que tiene dos manos que son dos manojos de butifarras, no acierta fácilmente la tecla que quiere y muchas veces pone burradas en los mensajes, aunque hay quien asegura que las burradas forman parte de su personalidad y nada tienen que ver con el tamaño de las teclas. Por si acaso, Samsung, Motorola, Sony y otros fabricantes han lanzado ya teclados completos para los móviles, pero no tecladitos minúsculos que hay que pulsar con un palillo de dientes, sino teclados *qwerty* de toda la vida.

Ponte al día, entérate del WAP y el i-mode en http:// www.movilandia.com.

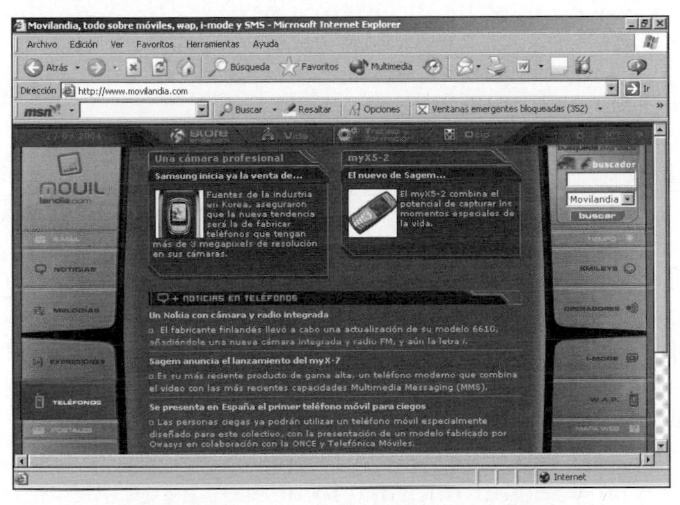

Figura 3.4. Movilandia. Echa un vistazo.

La tan esperada tercera generación, UMTS, ofrece prestaciones increíbles:

- Conexión permanente a Internet con banda ancha, similar a la línea ADSL de 256 MB.
- Videollamadas. Puedes hablar con Mari Puri y verle la cara al mismo tiempo. Si es Peláez quien llama, mejor apaga la pantalla.
- Descarga de vídeo.

- Televisión en el móvil. Los noruegos ya han empezado. También fueron los primeros en tener UMTS.
- Con el tiempo y una caña, conexión inalámbrica a todos los artilugios inteligentes de tu hogar, lo que te permitirá poner en marcha el horno desde la oficina, para encontrarte el cochinillo rustido cuando llegues o darle a la lavadora la orden de lavar todo lo que tenga dentro para poderlo colgar cuando llegues a casa. Podrás bajar o subir las persianas, encender o apagar la calefacción, poner en marcha el lavaplatos o el aire acondicionado... ¡la monda lironda!

A pesar de tanta espera, la verdad es que los usuarios pasan mazo de UMTS. Al menos, al principio, es carísimo y no tiene apenas prestaciones aunque suponemos que todo se andará. Lo que la gente parece esperar con más interés es la tecnología WIFI. Que ¿qué es? ¡Ah! Ni idea. Eso, pregúntaselo a Peláez que seguro que lo sabe.

WIFI

WIFI es la contracción de *Wireless Fidelity*, que se podría traducir por Fidelidad sin cables. Es una tecnología inalámbrica que ofrece las mismas prestaciones que UMTS (parece ser) sin esos precios tan tremebundos y desorbitados. La cobertura WIFI, que se instaló con gran éxito en el Forum de las Culturas de Barcelona, permitió a los visitantes conectarse a Internet de banda ancha sin cables con un portátil, una agenda electrónica o el artilugio que prefieran. Y no solamente se pudieron conectar a Internet, sino a las redes de sus empresas, para poder enviar y recibir información desde el recinto del Forum. Otra cosa interesante de la WIFI es que, si eres usuario de un recinto en el que esté instalada, a ti no te costará nada la conexión y podrás disfrutar de la tecnología de tercera generación, como UMTS, pero sin pagar. Me parece que por eso tiene tan poco éxito UMTS.

- Será para los roñas y buitrones como usté.

- Será.

Puedes enterarte a fondo en:

http://www.spansurf.com/spa/dossier_wifi.php

o en:

http://www.telefonica.es/wifi

Figura 3.5. La WIFI.

WebTV

La televisión es otro modo de conexión a Internet y consta de un módem, de una tarjeta o bien de un descodificador de la señal analógica en digital, un teclado de infrarrojos y un mando a distancia para interactuar con el televisor. La televisión que permite conectarse a Internet es la de siempre, pero con nueva tecnología. Hay varios tipos:

- Televisión interactiva. Permite interactuar con el televisor, como si fuera un ordenador.
- Televisión digital. Envía las imágenes y el sonido en forma de bits de datos, igual que un ordenador.
- Televisión por cable. Envía la televisión a través de un cable. La conexión a Internet se hace a través de un módem.
- Caja de ajuste o caja sobre el televisor. Las *set-top boxes* son cajitas situadas encima del televisor que disponen de una entrada/salida de rayos infrarrojos, un mando a distancia y un teclado inalámbrico.

Son descodificadores que transforman el televisor en ordenador con vídeo a la carta, telecompras, cientos de canales y lo que se te ocurra.

Hay un sistema que permite visualizar cualquier contenido multimedia del ordenador a través de la televisión, que se ve mucho mejor y más grande. Con un aparato llamado MediaMVP podrás ver en la tele gigante del comedor las imágenes, las fotos, los vídeos y todo lo que te bajes de Internet o simplemente tengas en un CD-ROM. Tiene mando a distancia y los más baratos no llegan ni a 100 euros. Lo encontrarás en: http:// www.hauppauge.com

La televisión digital funciona con una tarjeta de acceso que recibe el usuario en el momento de contratarla, con la que se puede controlar la programación. Puede ser:

- Terrestre.
- Por satélite.
- Por cable.
- Por microondas.

La televisión interactiva ahorra al usuario algo que, para algunos, es complicado, por más que Peláez insista en que es facilísimo: aprender a manejar el ordenador. Con un mando a distancia y un teclado de infrarrojos, podrás enviar correo electrónico mientras chateas, ves una peli y aprovechas para comprar los productos que te ofrezca la publicidad interactiva.

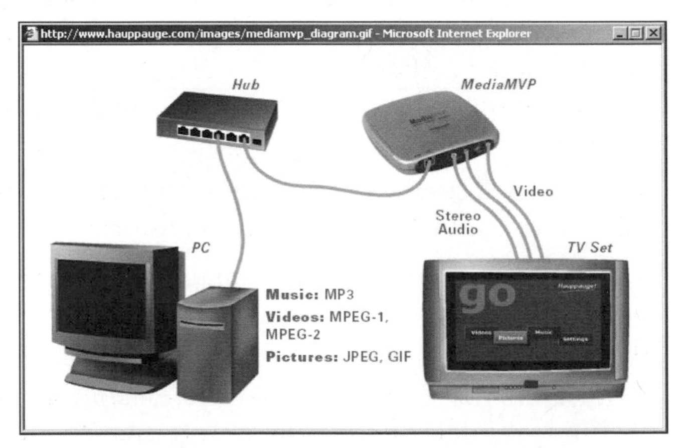

Figura 3.6. MPV, la gozada.

Consolas

Las consolas no solamente sirven para jugar, sino también para conectarse a Internet y ser espectador de la gran guerra de las consolas que se desarrolla en el ciberespacio entre Microsoft, Sony y Nintendo. Todos luchan por la mayor parte del pastel en este mercado tan jugoso de los juegos informáticos. La gran revolución de los videojuegos es precisamente la tecnología en línea, la posibilidad de jugar ilimitadamente, todos contra todos o algunos contra algunos, en el ciberespacio.

Además, ya no hace falta que muevas el mando para dirigir a los personajes de tus juegos, ahora puedes luchar cuerpo a cuerpo contra el malo (o contra la buena o el bueno si lo prefieres). Puedes incorporar un accesorio a los videojuegos de la Playstation 1 y 2 para meterte en persona dentro del juego.

Lo encontrarás en:

http://www.tecnoregalos.com

Si eres forofo de la TV, ahora te puedes comprar un televisor de muñeca que fabrican los japoneses. Tiene una pantalla de cristal líquido y admite todos los canales de televisión abierta. Además, se ajusta a la muñeca como si fuera un reloj gordo.

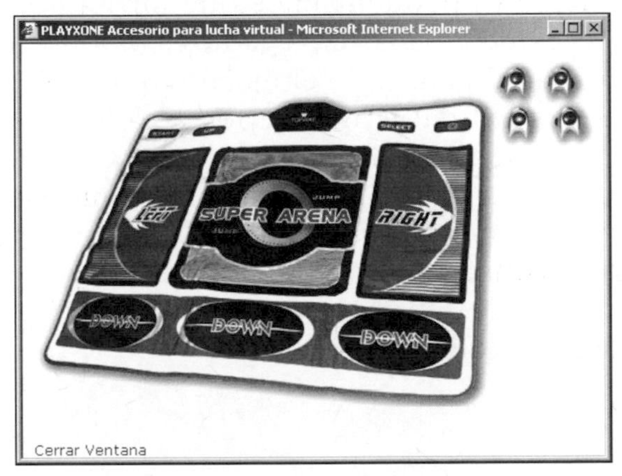

Figura 3.7. ¡Ya! ¡Orient!

Si te interesa el mundo de los juegos en línea o sin conexión, pero con la informática de por medio, conéctate a:

http://www.meristation.com

La tecnología de pulsera

Hace algunos años, Casio lanzó el primer reloj capaz de almacenar y leer archivos de sonido y de conectarse a Internet, el *Wrist Audio Player*. Actualmente existen relojes de otras marcas. En 2000, el Laboratorio de Investigación de IBM creó un reloj más pequeño que va más allá de la tecnología de pulsera, porque se lleva en el dedo pulgar. La pantalla del relojito da la hora y permite conectarse a Internet. Puedes verlo en:

http://www-5.ibm.com/es/press/notas/2000/septiembre/reloj.html

Agendas y ordenadores de bolsillo

Los asistentes personales y ordenadores de bolsillo y mano (*handheld* y *palmtop*) tienen también acceso a Internet, junto con prestaciones multimedia. Son verdaderos ordenadores de tamaño minúsculo. Uno muy conocido es la agenda APD, siglas de Asistente Personal Digital.

Son ordenadores pequeñísimos que llevan hojas de cálculo, procesadores de textos, navegadores y todo lo que haga falta, porque son la panacea del ejecutivo. Caben en el bolsillo, alojan todos los datos necesarios y, además, se conecta uno a Internet mientras viaja en el AVE, para no perder el tiempo en mirar por la ventanilla y otras tonterías.

Los encontrarás en:

http://www.zonabluetooth.com/pdas.htm

y en:

http://www.e-portatiles.com

Los ciber

Existen numerosos puntos de acceso a Internet en forma de oficinas de servicios, con varios ordenadores conectados que se alquilan por horas; en muchos lugares de afluencia de público (estaciones de RENFE o locutorios telefónicos, por ejemplo) pueden verse consolas con acceso a Internet con pago por monedas; también hay cafés que ofrecen ordenadores con conexión a Internet.

Los ciber son muy útiles cuando no se dispone de ordenador, porque puedes pagar por horas, por minutos o utilizar ofertas de bonos. Además, si te sobra tiempo después de hacer tus deberes informáticos, siempre podrás echar un ratito de juegos en línea que es lo que mola. ¿O no?

El IP

- ¿Mande?
- El IP, el Internet Provider.
- Espere que llamo a Peláez.
- Déjelo.

Ya tenemos el aparato, el módem, hemos elegido una forma de conexión. Sólo nos queda contratar servicios de Internet con un proveedor.

- ¿Dónde encuentro uno?

Hasta debajo de las piedras. Los proveedores de acceso a Internet están por todas partes. Los verás anunciarse en la televisión, en la prensa, en la radio y en la misma Internet. Los portales ofrecen conexión gratuita, correo electrónico gratuito, servicios y prestaciones para todos los gustos.

Darte de alta con un proveedor de acceso a Internet es tan fácil como rellenar un formulario con tus datos, ya sea en la misma Red, en papel o incluso por teléfono.

> Conviene no confundir el coste de acceso a Internet con el gasto telefónico en Internet. El acceso puede ser gratuito, es decir, no hay que pagar cuota alguna por conectarse a la Red. Pero el tiempo de conexión siempre tiene un coste, que es similar al de una llamada telefónica local. Por ello, es conveniente asesorarse no solamente de los accesos gratuitos, sino de las ofertas de bonos y tarifas planas y elegir la más adecuada a cada caso.

El mejor de los proveedores no es el más barato ni el más guapo, sino el que te ofrezca los servicios que necesitas. Si no tienes experiencia con los navegadores, con el correo electrónico, con la configuración del módem y con todos los cachivaches que se utilizan para conectarse y navegar en Internet, es importante que tu proveedor te ofrezca servicio rápido y seguro.

Muchos proveedores de acceso a Internet ofrecen ayuda en línea, cosa que de poco te va a servir si no consigues conectarte. Es decir, si llamas a un teléfono para solicitar ayuda porque la conexión con Internet te falla y el teléfono te anuncia amablemente que encontrarás toda la ayuda necesaria en la página Web tal y tal o enviando un mensaje por correo electrónico a tal buzón, lo tienes realmente crudo.

El proveedor de servicios de Internet es una empresa o persona que dispone de un servidor con acceso a Internet y que ofrece servicios de conexión, correo electrónico, espacio en el servidor para alojar páginas Web, etc. Algunos son de pago y otros gratuitos.

La diferencia entre un servidor gratuito y otro de pago está, entre otras cosas, en la velocidad de acceso, que en el caso de pago suele garantizarse, mientras que en el gratuito la conexión y la transmisión son más lentos debido a la mayor afluencia de tráfico. Otra diferencia estriba en las posibles limitaciones de capacidad del buzón de correo electrónico. También suele haber diferencia en el espacio ofrecido en el servidor para alojar páginas Web. Hablaremos del correo electrónico en el capítulo 7.

Lo mejor es un proveedor que te atienda por teléfono y te explique pacientemente todo lo que tienes que hacer cuando las cosas fallan y no hay manera de conectarse. Eso vale más que todas las ofertas espectaculares de megas para tu propia página Web, media docena de buzones de correo electrónico, etc. Por ejemplo, Telefónica atiende siempre por teléfono con la mayor amabilidad y paciencia del mundo. Por muy ceporro que seas, siempre te explican qué hacer y te solucionan los problemas.

- Y, ¿los que, como yo, ya nos las sabemos todas y tenemos experiencia con navegadores, correo y demás?

- Pues ya me contará qué diablos hace leyendo este libro.

Otra cosa importante que debes tener en cuenta a la hora de contratar servicios de Internet es la letra pequeña del contrato. En los servicios de banda ancha, como ADSL, las asociaciones y organismos de consumidores reciben numerosas quejas y denuncias por la dificultad para tramitar la baja del servicio, la falta de información o la sobrefacturación. Algunas compañías ofrecen contratos de ADSL aparentemente muy económicos, pero pueden resultar contratos blindados de los que no hay manera de darse de baja. Otros ofrecen gangas que incluyen el regalo del módem o los primeros meses con una tarifa muy baja, pero el contrato obliga al usuario a mantener el servicio mucho más tiempo, pagando una tarifa más elevada. Hay que estar al loro cantimploro antes de comprometerse, porque, a simple vista, parece muy fácil dejar de pagar y en paz, pero la compañía puede acusarte de impago y enviar tus datos a las listas de morosos y luego, cuando necesites un préstamo, una financiación o una hipoteca, nadie te lo concede.

Tarificación

Hay varias formas de tarificación para el acceso a Internet:

- Gratis. Los accesos gratuitos permiten conectarse a Internet sin pago, pero es necesario pagar el tiempo de conexión telefónica. La llamada a Internet se realiza desde el teléfono al que se ha conectado el módem a un teléfono local, por lo que el coste es similar al de una llamada metropolitana. Es como si llamases a tu vecino de arriba. Por eso, es importante que tu proveedor de acceso a Internet te facilite el número de teléfono al que tu módem debe llamar, para que el coste sea de llamada local. No olvides que las llamadas locales tienen un precio distinto según el horario, el día de la semana, y que hay un precio de establecimiento de llamada. Todo esto varía según tu operador de telefonía local.

Si quieres crear tu propia página Web, lo mejor es que adquieras el libro de esta misma colección *Creación de páginas Web*, escrito por mi amigo Vicente Trigo que no veas lo que entiende de eso.

Según Estudio sobre comercio electrónico B2C 2004, elaborado por la Asociación Española de Comercio Electrónico (AECE), los españoles gastamos 1.530 millones de euros en Internet durante 2003.

- Según consumo. Hay que pagar una cuota mensual. El servicio es mejor que el gratuito, pues el número de ordenadores conectados es inferior. Además, algunos servicios gratuitos tienen un número de teléfono de ayuda que empieza por 806, lo que obliga a pagar la ayuda con una tarifa elevada, mientras que los accesos de pago suelen tener teléfonos de ayuda que empiezan por 902, con lo que sólo se paga la mitad de la llamada. En algunos casos, además de la cuota mensual hay que pagar el tiempo de conexión. A cambio, dispondrás de un servicio más rápido y con mayor respuesta que el acceso gratuito. Esto tiene su lógica. El acceso gratuito está superpoblado de usuarios que se conectan y atascan las líneas. Lo mismo sucede con el teléfono de atención al usuario.
- Bonos. Se paga una cuota fija al proveedor y eso incluye el tiempo consumido en Internet. Suelen tener un coste a cambio de unas horas mensuales de conexión, por ejemplo, 20, 30, 60, 180 horas mensuales. El coste es fijo. Si se exceden las horas, se paga el exceso a coste de llamada metropolitana. Si no se consumen todas las horas del bono, se pierden.
- Tarifa plana. Hay que pagar una cuota mensual fija que permite conectarse todo el tiempo, aunque muchas veces hay limitación de horario, con lo cual, la tarifa no es plana, sino seudoplana.

Si te quieres enterar a fondo de los diferentes tipos de conexión, de tarificación y demás, date un garbeo por la Asociación de Usuarios de Internet:

1. Dirígete a http://www.aui.es.
2. Haz clic en el botón **Acceso**.

Acceso

3. Haz clic en el enlace **Productos**, en la barra de la izquierda.

Productos

4. Haz clic en el producto o tecnología que te interese, **Tarifa plana**, **Bonos**, **ADSL**, etc.

Elige bien

El mejor proveedor es el que mejor se adapta a tus necesidades, sean las que sean. Por eso, para elegir bien, lo más práctico es utilizar un programa que compare los servicios, los precios y la oferta de cada proveedor. Por ejemplo, hay servicios de Internet por cable que funcionan la mar de bien, pero que no se dan en tu casa porque el cable no llega hasta allí. Hay tarifas planas con y sin limitación de horario. Hay ofertas de ADSL, de bonos de conexión por horas, de horarios y de todo, pero lo mejor será lo que más adecuado resulte a tu perfil de usuario.

Lo más práctico es analizar las distintas ofertas con un programa comparador, como el que ofrece Teltarifas, una página Web independiente que realiza un análisis actualizado de las diferentes ofertas, servicios y precios, y que se puede adaptar al perfil de un usuario o bien a un tipo específico de necesidades de conexión. Haz lo siguiente:

1. Conéctate a **http://www.teltarifas.com**.
2. En la parte derecha de la página encontrarás los comparadores. El primero es el comparador de tarifas de telefonía. El segundo es el de servicios de Internet. ¡Ése es el tuyo!
3. Haz clic en la lista desplegable **Lugar** y selecciona tu ciudad.

4. Haz clic en la lista desplegable **Conexión** y selecciona la tuya. Para que no te líes, la conexión preseleccionada es **RTB (Línea telefónica)**, es la que utilizarás si te conectas vía módem tradicional. También puedes elegir **RDSI**, **ADSL (gama baja)** si eres particular o **GPRS** si te conectas vía móvil.
5. Haz clic en la lista desplegable **Coste** y elige el tipo de conexión. Por ejemplo, **Bono** o **Tarifa plana**.
6. Haz clic en **Consulta**.

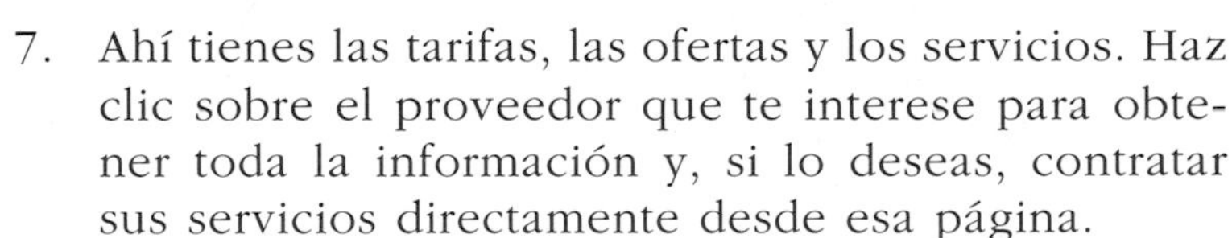

¡Megarritual!

7. Ahí tienes las tarifas, las ofertas y los servicios. Haz clic sobre el proveedor que te interese para obtener toda la información y, si lo deseas, contratar sus servicios directamente desde esa página.

La Asociación de Usuarios de Internet también ofrece asesoría al respecto. Hay que hacer lo siguiente:

1. Dirígete a **http://www.aui.es**.
2. Haz clic en el botón **Acceso**. Es el mismo de antes.
3. Haz clic en el enlace **Operadores**, en la barra de la izquierda.

Operadores

4. Si quieres ver el programa de comparación, haz clic en el enlace Comparativa.

Comparativa

5. Selecciona tus datos en las listas desplegables y haz clic en Consultar.

Internet es un mundo cambiante, mudable y versátil. Su objeto es precisamente ése, la modificación y actualización constante. Eso significa que, cuando te conectes a Internet y accedas a las páginas que explicamos en este libro, puede suceder que alguna no exista, que haya cambiado de dirección, de nombre o de estructura, que alguna información no aparezca o aparezca de otra manera. Pero ésa es la función de Internet. La información tiene que renovarse o morir convertida en cadáveres semovientes de páginas putrefactas, anticuadas, obsoletas y apelmazadas.

Los programas

Para navegar por Internet y utilizar el correo electrónico hacen falta programas como Internet Explorer, Netscape Communicator, Outlook, Eudora, etc.

- Y ¿No hay manera de huir con antelación?

Las conexiones se crean

Para conectarte a Internet, tienes que crear una conexión, pero, si tienes más de un acceso, deberás crear una conexión para cada acceso. Por ejemplo, si has contratado un acceso gratuito con Jazztel, un bono de 20 horas con Wanadoo y otro de 60 horas con Telefónica, tendrás que crear tres conexiones y utilizar la que te convenga en cada momento.

La forma más eficaz, sencilla y práctica de conectarse a Internet es utilizar el **Asistente para conexión nueva** de Windows.

- Ahora no puede venir. Le ha enviado Peláez a por tabaco.
- Pues que se presente en cuanto suba.

Mientras llega o no llega el Asistente, conviene que echemos un vistazo a los datos que hay que tener disponibles, porque es un señor muy tieso y exigente, que no echa a andar mientras no se le proporcione toda la información que solicita.

La información para el Asistente

Antes de poner al Asistente a currar, conviene que prepares los datos siguientes. Te los tendrá que facilitar tu proveedor de servicios de Internet, ya se trate de un acceso gratuito o de pago. Si has contratado a varios proveedores o bien, varios servicios de un mismo proveedor, tendrá que facilitarte los mismo datos para cada conexión.

Generalmente, los proveedores de acceso a Internet te entregan un CD-ROM que insertas en la unidad de CD-ROM de tu ordenador, se pone en marcha y se instala casi solo. Al terminar de ejecutarse el programa contenido en el CD-ROM, tendrás una conexión, creada, un icono instalado en el Escritorio y una cuenta de correo electrónico funcionando. Es decir, la sola ejecución del CD-ROM equivale a todos los procesos que vamos a ver a continuación. Pero los veremos por si acaso y, además, para que sepas lo que se cuece dentro de tu equipo cuando creas una conexión de acceso a Internet. Todo lo relativo a la cuenta de correo electrónico lo veremos en el capítulo 7.

Son los siguientes:

- DNS (Sistema de Nombres de Dominio). Son las direcciones del servidor para acceder a la Red. El proveedor te deberá facilitar una dirección primaria y otra secundaria.

- Número de teléfono. El proveedor te deberá facilitar asimismo un número de teléfono al que conectarte. Si se trata de Telefónica, te indicará el número del nodo que corresponde a tu domicilio.
- Nombre de usuario y contraseña. Deberás acordarlos con tu proveedor de servicios de Internet. Con ellos, el servidor reconocerá el derecho de tu programa cliente a conectarse.
- Dirección de correo electrónico. El proveedor deberá facilitarte también una dirección de correo electrónico compuesta por un nombre, la arroba, un nombre de dominio y un sufijo. Hablaremos del correo electrónico en el capítulo 7.
- Nombre de cuenta de correo electrónico. El nombre de la cuenta es distinto a la dirección de correo. Suele coincidir con el nombre de usuario.
- Nombre del servidor entrante (POP) y saliente (SMTP). El proveedor te ha de facilitar también los nombres de ambos servidores, necesarios para configurar la cuenta de correo. Ya hemos dicho que todo eso del correo electrónico lo vemos en el capítulo 7.

- Y, ¿si no me los da?
- Pues no le pague.
- Y, ¿si es gratis?
- Pues no se conecte. Eso le pasa por ávaro.

La conexión

Si tienes ADSL, no necesitarás crear conexiones. Al instalar el ADSL, tendrás que darle al Asistente los datos que hemos dicho anteriormente. Y no necesitarás crear conexiones porque el ordenador se conecta automáticamente tan pronto como se pone en marcha.

Primero hay que crearla

Para crear una conexión, haz lo siguiente:

1. Haz clic en Inicio>Todos los programas>Accesorios>Comunicaciones>Asistente para conexión nueva.

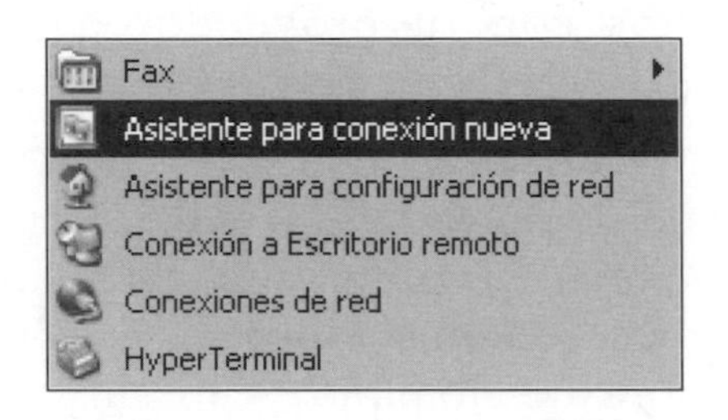

2. Haz clic en el botón **Siguiente**, para iniciar el procedimiento.
3. Haz clic en la opción Conectarse a Internet y luego en el botón **Siguiente**.
4. Haz clic en la opción Establecer mi conexión manualmente y luego en el botón **Siguiente**.
5. Haz clic en la opción Conectarse usando un módem de acceso telefónico y luego en el botón **Siguiente**.
6. En el cuadro de texto Nombre de ISP, escribir el nombre de la conexión. Si tienes más de un proveedor, puede resultarte útil dar a cada conexión el nombre del proveedor cuyos datos contiene, por ejemplo, Wanadoo. Si tienes varios bonos con el mismo proveedor, por ejemplo, uno de 20 horas y otro de 60, resulta útil dar a cada conexión el nombre correspondiente, por ejemplo, Bono20 y Bono60. Haz clic en el botón **Siguiente**.
7. En el siguiente cuadro puedes permitir o no que otra persona utilice la conexión. Para permitir el

acceso, tienes que activar el botón de opción El uso de cualquier persona.

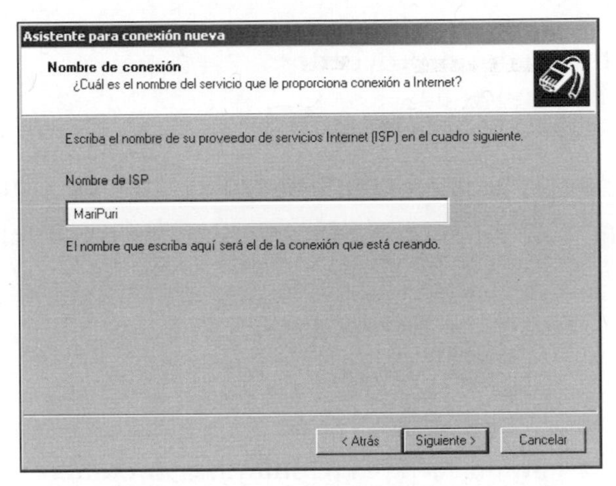

Figura 3.8. Su primera conexioooooooooón.

8. El siguiente cuadro contiene los cuadros de texto Nombre de usuario y Contraseña, donde debes escribir los datos que hayas convenido con tu proveedor. La contraseña no se ve al escribirla. Para confirmar que no ha habido error, tendrás que volverla a escribir en el cuadro Confirmar contraseña. A continuación, puedes configurar esa conexión como predeterminada y activar el servidor de seguridad, activando o desactivando las casillas de verificación correspondientes.
9. En el último cuadro, activa la casilla de verificación para que el Asistente cree un acceso directo en el Escritorio. Te resultará muy útil para conectarte a Internet sin tener que abrir el menú. Haz clic en el botón **Finalizar**.

- ¿Ya está?
- ¿Ya se ha cansado?
- De usté.

Después hay que configurarla

Después de crear la conexión específica para un acceso (Wanadoo, Bono30, etc.), hay que configurarla con los datos que te ha facilitado tu proveedor:

- Y ¿si no me los ha...?
- ¿Otra vez?

1. Vaya a Inicio> Configuración> Panel de control.
2. Haz clic en el icono Conexiones de red e Internet.

Conexiones de red e Internet

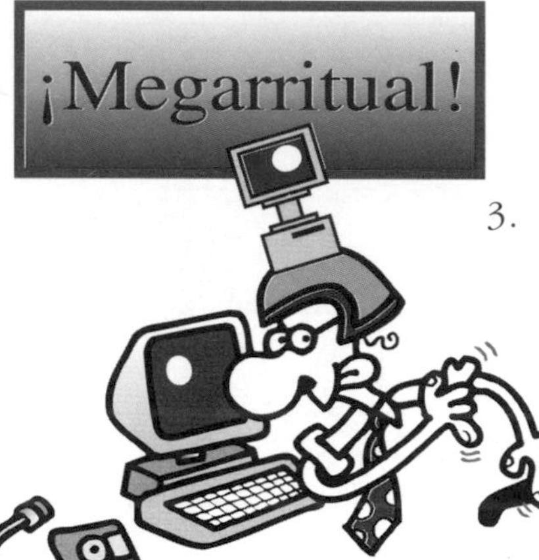

3. Haz clic en la tarea Configurar o cambiar su conexión a Internet.

Configurar o cambiar su conexión a Internet

4. En el cuadro de diálogo Propiedades de Internet haz clic en la ficha Conexiones.
5. En la lista Configuración de acceso telefónico y de redes privadas virtuales, selecciona el nombre de la conexión que has creado, Wanadoo, Bono30, etc. y haz clic en Configuración.
6. En la parte inferior del cuadro siguiente, escribe el nombre de usuario y la contraseña que hayas convenido con el proveedor.
7. Haz clic en el botón **Propiedades**.
8. Comprueba que la ficha General del cuadro de diálogo Propiedades indica "conectar usando un módem", con el número de teléfono que te ha dado tu proveedor para que te conectes. Verifica que la casilla de verificación Usar reglas de mar-

cado está desactivada. La casilla **Mostrar icono en el área de conexión al conectarse** debe estar activa, para que aparezca el icono en la barra de tareas de Windows cuando se establezca la conexión con Internet.

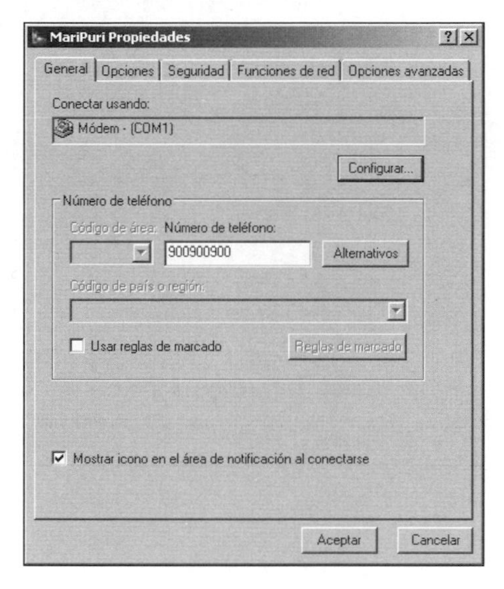

Figura 3.9. Así tiene que estar.

9. En la ficha **Funciones de red**, haz clic en el botón **Propiedades**.
10. Se abrirá el cuadro de diálogo **Propiedades de protocolo Internet TCP/IP**. En el primer grupo, debe estar activado el botón de opción **Obtener una dirección IP automáticamente**. En el segundo grupo, haz clic en el botón de opción **Usar las siguientes direcciones de servidor DNS**.
11. En **Servidor DNS preferido**, escribe los datos DNS que te ha facilitado tu proveedor.
12. En **Servidor DNS alternativo**, escribe los datos DNS que te ha facilitado tu proveedor.

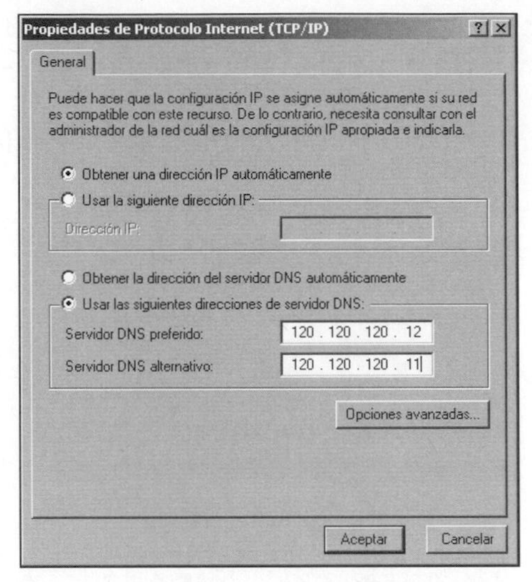

Figura 3.10. Así tiene que quedarte, sólo que con tus números. Estos son inventados.

13. Haz clic en **Aceptar** y después en **Aceptar** del cuadro anterior, para cerrar ambos.

Conéctate ya

¡Megarritual!

Para conectarte a Internet, tienes que hacer lo siguiente:

1. Haz doble clic en el icono de la conexión que tendrás en el Escritorio. Si tienes más de una conexión, ahora podrás elegir cuál utilizar en cada momento.
2. En el cuadro de diálogo Conectarse a, escribe tu nombre de usuario y tu contraseña. Los mismos de antes. La contraseña aparece con asteriscos.
3. Activa la casilla de verificación Guardar este nombre de usuario y contraseña. Así te evitará tener que escribirlos la próxima vez.
4. El número de teléfono debe ser el del servidor del proveedor. El que has puesto cuando configuraste la conexión.

5. Haz clic en **Marcar**.

Al pulsar el botón **Marcar** del cuadro de diálogo Conectarse a, aparece un cuadro que luego se convierte en un icono que va a alojarse en la zona derecha de la barra de tareas de Windows. Al aproximar el puntero a él, la etiqueta informativa indica el número de bits recibidos y enviados, cantidad que se va modificando a medida que avanza el tiempo de conexión.

Y ¿cómo me desconecto?

- Por mí... Se puede quedar eternamente en conexión.

Lo más práctico es hacer clic con el botón derecho del ratón en el icono de conexión de la barra de tareas y elegir Desconectar en el menú contextual.

Capítulo 4
Entonces, Romerales supo lo que es el miedo

PALLÁLIA: SELLO CONMEMORATIVO DE LA PRIMERA PELUSA (1) DE RATÓN DE BOLA, QUE SE CONSERVA EN EL GORRINUM MUSEUM, DE PORQUERIÓPOLIS

(1) CON SER INTERNO

Forges©

Hasta que empezó a navegar por Internet a toda máquina, Romerales no había sabido en realidad lo que es el miedo. Había sabido, eso sí, lo que es el fastidio de tener que aguantar al jefe, lo que es la frustración de no conseguir invitar a Mari Puri a café ni una sola vez porque el "enterao" de Peláez estaba siempre a punto con las monedas en la mano. Había sabido también lo que es el temor a marrones y "embolaos," a las peticiones intempestivas del director y a los inventos maquiavélicos del técnico de turno. Pero eso no era tener miedo. Con toda su pintilla de oficinista pocacosa, la verdad es que Cosme Romerales no le tenía miedo, lo que se dice miedo, ni a su parienta y la madre de su parienta juntas.

Pero, tan pronto como se lanzó a la Red, supo lo que es echarse a temblar. Nada más conectarse, apareció ante sus ojos una especie de letrero que, aunque estaba en inglés y no se entendían las palabras, tenía un aspecto amenazante y picajoso, porque los bichitos de marras se movían incesantemente y le empezó a picar todo el cuerpo.

Figura 4.1. ¡Viruuuuuus!

Pero ya sabemos que, cada vez que a Cosme Romerales se le disparan las catecolaminas, su alter ego acude pronto a remediar el asunto y tiene lugar la metamorfosis que transforma su lamentable figura de chupatintas *nonchalant* en un supersabio heroico y archipoderoso, el eximio Megatorpe.

Así pues, ahí le tenemos una vez más dispuesto a ponernos al día en todo esto de los virus, los piratas y los sustos de Internet.

Claro que, como también vamos ya aprendiendo sobre la marcha, no siempre la audiencia es todo lo discreta y agradecida que debiera y a más de uno se le escapan bufidos de impaciencia.

El principio del mal

Los navegadores no solamente se llaman así porque es como si uno navegara con ellos por un océano de páginas y sitios Web, sino porque todo océano oculta amenazas y sustos y el de Internet más que cualquier otro.

Peligros en la Red hay a punta pala. Seguramente ya te habrán hablado de los virus, los espías, los piratas, los atracadores, los timadores y los farsantes. Y, como este capítulo trata de eso precisamente, vamos a analizar sus comportamientos y ver la manera de defendernos de todos ellos.

Contra la ciberdelincuencia organizada o desorganizada se yerguen las instituciones encargadas de proteger al navegante "pringao" para que no le esquilmen más de la cuenta. Y no creas que solamente los países adaptan sus legislaciones a las nuevas delincuencias tecnológicas, sino que también la religión se hace eco. La Iglesia Católica ha promulgado ya la lista de tecnopecados que llevarán de cabeza al infierno a los cibermalos.

Entre ellos están:

- Piratear programas informáticos. Con la nueva legislación, el infierno va a resultar insuficiente para que quepan todos los condenados.
- Bajarse música, películas o documentos de forma ilegal.
- Crear o propagar virus.
- Mentir en los chats.
- Enviar correos falsos o mentiras anónimas por correo electrónico.

- Lo más gordo, como era de esperar, es visitar páginas guarras.

Verás que, aunque todos los productos perversos de Internet tienen su traducción al castellano, los pongo también en inglés, porque, cuando brujulees por la Red, te vas a encontrar sus nombres más veces en inglés que en español. Por ejemplo, todo el mundo sabe lo que es un *dialer* y pocos saben lo que es un *marcador*. Y es lo mismo. Tal cual sucede con los *pop-ups*, el *spam* y los *hoaxes*.

Esto no creas que ha sido una decisión tomada de cualquier manera, sino el resultado del trabajo de 40 teólogos que se reunieron en un simposio sobre penitencia celebrado en el santuario de San Gabriel del Gran Sasso, a unos 120 kilómetros de Roma, allá por el verano de 2004. Esta declaración tuvo en su momento un eco importante entre los ciuredanos, los ciudadanos de la Red, muchos de los cuales elevaron sus súplicas para pedir confesionarios virtuales en los que descargar sus ciberpecados por correo electrónico.

El principio del bien

Ya sabemos que el bien y el mal son caras opuestas de un mismo ente. Por ejemplo, Mari Puri es la cara amable agraciada de la oficina, mientras que Peláez es la cara desagradable y torva de la misma oficina.

El mal no existe sin el bien y el bien no existe sin el mal. En todas las religiones hay un principio del bien y otro opuesto.

- Menos aquí, que sólo hay el principio del mal.

- Será usté, que tiene cara de malandrín.

De igual modo, si en Internet hay un principio del mal, hay un principio opuesto.

- Contra ciberdelincuentes, anticiberdelincuentes.
- Contra virus, antivirus.
- Contra *dialers*, antimarcadores.
- Contra 800, antiochocientos.
- Contra *spam*, antiespamolíticos.
- Contra *pop-ups*, asesinos de *pop-ups*.
- Contra espías, eso, contraespías.
- Contra timos, alertaantitimos.

- Contra el pirateo, antipirateo.
- Contra la ciberdependencia, tratamientos anticiber-dependencia.

El capitán Garfio y sus secuaces

Piratas, lo que se dice piratas, los hay de varias clases, lo que pasa es que, como casi todo lo que tiene que ver con Internet, sus nombres están en inglés y no tienen traducción fácil. Además, hay cosas que, una vez traducidas, no hay manera de saber lo que son ni de qué van, así que es mejor no traducirlas y dejarlas como están. Y que cada uno las pronuncie como Dios le dé a entender, que a los españoles se nos da muy bien pronunciar cada uno los idiomas extranjeros a nuestra manera peculiar.

Los *hackers*

El termino inglés *hack* significa algo así como realizar un trabajo especializado. Los *hackers* son, pues, especialistas informáticos con la suficiente preparación como para desafiar a los más sofisticados sistemas de seguridad, solamente para demostrar que no son tan seguros como pretenden y que ellos, los *hackers*, pueden filtrarse por las paredes, como el fantasma del Comendador traspasó el muro para desafiar a don Juan Tenorio.

Los *hackers* tienen su código de conducta, que incluye reglas recogidas en la página web *Hackers*, en:

La dirección http://usuarios.lycos.es/Marciano2000/hackers.html

El motivo de publicar su código deontológico es dejar reluciente el nombre de *hacker*, sobre el que ha caído tanta basura, porque mucha gente los confunde con los otros piratas dañinos, destructivos y socarrones.

El último chiste de *hackers* que circula por la Red (hoy, quién sabe mañana) es el de la figura 4.2.

Figura 4.2. Los *hackers* lo descifran todo.

Los *hackers* son curiosos especialistas cibernéticos que ponen a prueba la seguridad de los sistemas para demostrar que no existe tal seguridad y para demostrar que son más listos que los que se creen muy listos. Por ejemplo, la empresa DoubleClick Inc, que presta servicios de publicidad en Internet, fue el blanco de un ataque organizado de *hackers*, dirigidos como Fuenteovejuna, todos a una contra el pez gordo del comercio electrónico.

En el día D y en la hora H, miles de *hackers* enviaron miles de peticiones falsas de páginas Web a esa empresa, lo que bloqueó totalmente sus servidores y los dejó para el arrastre. Cuando otros internautas pretendieron dirigirse a DoubleClick Inc para solicitar servicios de verdad, no consiguieron acceder debido al bloqueo. En consecuencia, los clientes potenciales de la empresa se aburrieron y se fueron con la música a otra parte. Ésa es una de las formas de hacer polvo a una empresa gorda, al dejar sin servicio a 900 clientes. También habrás oído que hace algún tiempo colapsaron Yahoo, uno de los portales y buscadores más célebres, dirigiéndose a él por miríadas.

Para ejecutar tales ataques, los *hackers* se valen de sus propios ordenadores y además de miles de ordenadores de otros usuarios inocentes que ni se enteraron. Los *hackers*, accedieron a los ordenadores de miles de internautas, los secuestraron durante un rato y los convirtieron en zombis, obligándoles a dirigirse hacia el objetivo a atiborrar, uno de los negocios clave de la Red.

Los *crackers*

Pero no todos los piratas que pueblan Internet son Robin Hood, ni Curro Jiménez, ni Luís Candelas, es decir, no todos se dedican a atacar a los grandes y a proteger caballerosamente a los pequeños. También hay algunos que atacan y no precisamente como don Quijote atacó a los molinos de viento, sino poniendo el cazo y sacándose buenos cuartos del ataque.

En el verano de 2004, un grupo de *hackers* rusos atacaron a cientos de ordenadores para robar información personal que luego vendieron en el mercado negro a los que emplean esos datos para enviar mensajes de propaganda. Igualito igualito que si una empresa a la que cedes tu datos personales los vende después a esas otras empresas pelmazas que te atosigan con publicidad y llamadas para venderte cosas que no necesitas.

Esos son los *crackers*, otro tipo de piratas que, como verás, nada tienen que ver con los *hackers*. Los *crackers* son revientasistemas que destruyen o se aprovechan de lo que han creado otros. Cracker significa intruso y son intrusos que se cuelan en todas partes para hacer daño o robar.

Aparentemente, los *crackers* hacen lo mismo que los *hackers*, pero con la diferencia de que el *hacker* se da por satisfecho con acceder al sistema, mientras que el cracker necesita satisfacer alguna idea política o filosófica que le lleva a hacer daño, o bien, simplemente, a satisfacer su propia avaricia, que le conduce a esquilmar a los demás a través de la informática.

Los *crackers* son los que hacen compras con el número de tarjeta de otra persona, los que "tiran" de la cuenta bancaria de otros o copian información secreta de unos sistemas para pasárselo a otros.

Se puede decir que hay dos tipos de *crackers*:

- Los que se introducen fraudulentamente en los sistemas informáticos para robar información o producir destrozos.
- Los que se dedican a desproteger todo tipo de programas, tanto de versiones shareware para hacerlas plenamente operativas como de programas completos comerciales que presentan protecciones anti-copia.

Los *phreakers*

Los *phreakers* piratean líneas telefónicas para engañar a las empresas cobran los servicios a distancia; por ejemplo, el teléfono, el gas, el móvil o la televisión de pago. El término *phreaker* es una forma libre de escribir la expresión inglesa freaker, que significa chiflado.

Los *phreaker* son, pues, especialistas en telefonía. Son los *crackers* de los teléfonos. Sobre todo, emplean sus conocimientos para poder utilizar las telecomunicaciones gratuitamente.

Entérate a fondo en:

http://www.ociojoven.com/article/articleview/498912/1/216
http://www.derechotecnologico.com/hackers.html

Las brigadas tecnológicas

Contra los piratas dañinos está la legislación. Los daños que ocasionan se consideran delitos informáticos y están castigados. Y no creas que es imposible atrapar a un delincuente informático, porque las policías de todos los países tienen especialistas en estas lides y al final terminan por pillarles.

El Grupo de Altas Tecnologías de la Guardia Civil y la Brigada de Investigación de la Delincuencia Tecnológica de la Policía Nacional están especializados en vigilar accesos no autorizados a sistemas informáticos públicos y a detener a los agresores. Los encontrarás, respectivamente, en:

http://www.guardiacivil.org

y

http://www.mir.es/policia/bit/index.htm

El grupo de Delitos Telemáticos se encuentra en:

http://www.guardiacivil.org/telematicos/index.htm

Figura 4.3. La Guardia Civil contra los ciberdelincuentes.

Las brigadas de la Guardia Civil hacen su trabajo con toda la eficacia del mundo y no creas que se les escapan los ciberdelincuentes. Un chaval de 20 años que se dedicaba a entrar de forma ilegal en una red de usuarios de Vigo fue detenido en agosto de 2004 por la Comandancia de Pontevedra y acusado de los delitos de "daños, defraudación del fluido en las telecomunicaciones y descubrimiento y revelación de secretos".

Los virus

Los virus son esos bichitos que se nos meten en el organismo y nos infectan. Pero generalmente no atacan por las buenas, sino que se quedan como adormilados hasta que se ponen en funcionamiento para molestar todo lo posible. Y, si les atacamos, cambian de características y se disfrazan de otro bicho, para escurrirse de nuestro ataque. Y así no hay manera de quitárselos de encima.

Pues los virus informáticos son tal cual, sólo que, en lugar de fastidiar nuestra salud, fastidian la de nuestro ordenador, borrando archivos, estropeando programas y desgraciando aquellas fotos tan bonitas que habíamos digitalizado para presumir con las amistades. Y, en vez de ser organismos vivos, son programas informáticos malaidea.

Los virus más malvados son los que penetran sin hacer ruido, sin que nos enteremos, en las entrañas de nuestro ordenador y se quedan allí quistecitos multiplicándose sigilosamente para infectar hasta el último bit. Cuando todo está ya infectado, se ponen en funcionamiento para fastidiar al máximo.

El Centro de Alerta Temprana Antivirus Red.es, que es un organismo oficial de seguridad informática, detectó en los últimos tres años unos 122 millones de virus en Internet, después de analizar 900 millones de correos electrónicos, con una red de sensores para captar gusanos en más de 60 instituciones. Más del 14 por ciento de los mensajes analizados contenían algún virus.

Y, sin saberlo, muchas veces somos nosotros mismos los ejecutores de nuestro mal. Porque abrimos inocentemente un archivo o ponemos en marcha un programa sin saber que allí, agazapado, está el virus perverso esperando el momento de desenterrar el hacha de la guerra y pasar de la siesta al ataque feroz.

Tan malévolos son esos bichitos, que se dedican a recorrer el disco duro para localizar todo lo que nos pueda interesar, como imágenes, textos, musiquitas y demás, para machacarlos alevosamente. Te borran los trabajos, te destripan los programas y hasta pueden conseguir que el ordenador no se ponga en marcha ni a la de tres.

Además de todo eso y, por si no fuera suficiente, un virus puede localizar todos los datos del usuario del ordenador infectado, como su nombre, su dirección de correo electrónico, etc. y enviarlos a su perverso creador, algún informático siniestro que desea hacer daño a la humanidad por algún motivo semioculto, para que nos pueda seguir molestando en el futuro.

La puerta de entrada para virus e infecciones

Los perversos virus entran en el ordenador por numerosas vías de acceso, como los asaltantes entraban en aquellas murallas medievales que parecían inexpugnables. Y no solamente hay virus para PC, sino para ordenadores de mano, de bolsillo, para móviles y para todo aparato que se conecte a la Red.

- El correo electrónico. Entran a través del correo electrónico, escondidos en los mensajes.
- Algunos mensajes llevan el virus en sí, como sucedió con el famoso *I love you*, un mensajito amoroso que llegaba a los buzones de correo electrónico de usuarios inocentes, pidiendo que respondieran. En cuanto los ingenuos usuarios se disponían a contestar a tan tierna misiva, el virus feroz salía de su escondite, infectando, destruyendo, borrando y machacando todo lo que se le ponía por delante.
- Otros mensajes llevan el virus sin que se entere su remitente. El virus ha entrado en su ordenador, ha ido derecho a su agenda de correo electrónico y se ha autoenviado a todas las direcciones de la agenda, con lo que el remitente queda muchas veces a la altura del betún sin comerlo ni beberlo.

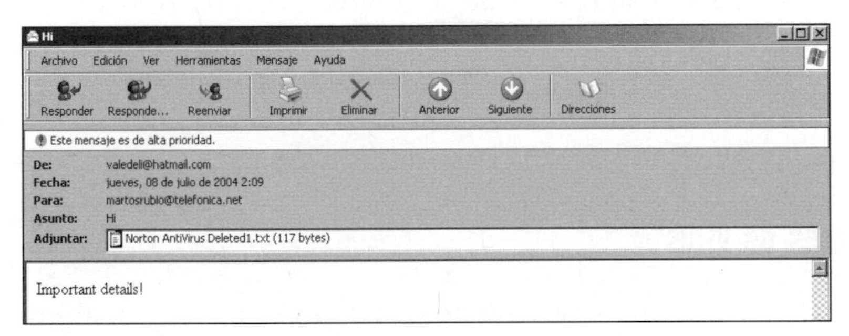

Figura 4.4. Un mensaje de correo electrónico infectado con un virus. Afortunadamente, el antivirus se lo ha zampado.

- Los chat. El divertido chateo es, al fin y al cabo, una forma de comunicación escrita a través de la Red. Si uno de los usuarios del chat tiene un virus en su ordenador, éste perverso bichito puede enviar cartitas-bomba a los demás usuarios conectados, con venenosos fines, para infectarles mientras ellos, inocentes y entretenidos, ligan como locos en el chat.

- Los foros de debate, las listas de distribución y los grupos de noticias. Son también sistemas de comunicación escrita que requieren el envío de textos, archivos y palabritas entre unos y otros usuarios. Si uno de los usuarios tiene el virus en su ordenador, lo puede transmitir a los demás usuarios mediante envíos de correo electrónico o archivos. Y él, ni enterarse, claro.
- Las propias páginas Web. Las páginas de Internet no son solamente texto e imágenes, sino que contienen numerosos programas que se ponen en marcha cuando las visitamos nosotros, pobres usuarios inocentes. Si hay un virus agazapado en un programa de una página Web, puede entrar directamente en nuestro ordenador cuando la estemos visitando. Y el propietario de la página, igual ni se entera.
- La transferencia de archivos. Los archivos que se "bajan" de Internet pueden también tener su virus escondido, en espera de que un ingenuo lo descargue en su disco duro para ponerse a hacer trapisondas.

Clases de virus

Como los virus son bichos mutantes, no hay manera de saber cuántos hay. Pero sí sabemos los tipos de virus que pueden atacar a nuestro ordenador. Veamos algunos:

- De sector de arranque. De los que dan ganas de arrancarle los pelos al que lo inventó. Se esconden en la parte del disco duro en que se aloja la información de puesta en marcha y, claro, así no hay manera de que el ordenador funcione. Lo dejan en blanco, como un coche sin batería que responde ¡gua! al girar la llave de contacto.

- De programa. Son programas dañinos que se insertan o se esconden dentro de otros programas sanos y normales, a los que utilizan como vehículo para propagarse e infectar todo lo infectable.
- De macro. Se cuelan dentro de las macros de Word o de Excel. Las macros son unos programas que llevan incorporados algunas aplicaciones, como Word o Excel de la suite Microsoft Office, y que sirven para automatizar algunas acciones repetitivas, como formatos, cabeceras, etc. Los virus de macro te pueden estropear en un segundo un texto que hayas tardado tres semanas en escribir. Imagínate la gracia.
- Caballo de Troya. Son programas tan dañinos como los virus, pero no se reproducen a sí mismos, así que, una vez los pillas y los destruyes, se acaban. Se cuelan en tu ordenador y utilizan una buena parte de sus recursos con perversas intenciones.
- Residentes. Los que residen en la memoria del ordenador como si fuera su casa, pero no precisamente para decorarla estilo Belle Époque, sino para arrasarla en cuanto se presente la oportunidad.
- Gusanos. Los que se copian a sí mismos y se multiplican una y otra vez para invadir todo lo que encuentran. Son peores que los alienígenas de La Guerra de los Mundos y la Hidra de Lerna juntos. Ya sabes, a la que le cortabas una cabeza y le salían otras cincuenta.
- Los que escriben encima de lo que ya está escrito y machacan todo lo que tengas dentro del ordenador. Si has escrito a tu prima Lola felicitándola por su cumpleaños, te puedes encontrar la carta llena de groserías de lo más soez.

- Los de enlace. Cambian las direcciones que sigue el ordenador para encontrar los archivos y programas que tiene dentro. Le arman un lío descomunal y, al final, no encuentra nada de nada. Empieza a soltar avisos de "no se encuentra el archivo no sé cuántos" y, al final, hay que formatear el disco duro y empezar desde cero.

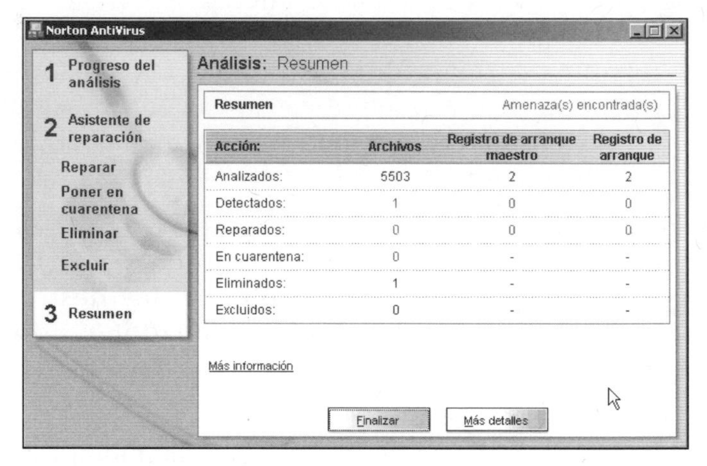

Figura 4.5. El antivirus ha detectado un virus en un archivo.

Uno de los virus más gordos que más guerra nos han dado en 2004 es W32/Mydoom.R., un gusano malévolo de gran propagación. Se propaga a través del correo electrónico y llega a lugares insospechados. Según los expertos, te puede llegar un mensaje que contenga las características siguientes:

- Asunto: [uno de los siguientes]
    - - click me baby, one more time
    - - delivery failed
    - - Delivery reports about your e-mail
    - - error
    - - hello

- - hi error
- - Mail System Error - Returned Mail
- - Message could not be delivered
- - report
- - Returned mail: Data format error
- - Returned mail: see transcript for details
- - say helo to my litl friend
- - status
- - test
- - The original message was included as attachment
- - The/Your m/Message could not be delivered

En cuanto al texto del mensaje, podría contarte que se ha enterado de que tienes un virus en tu ordenador y que te ofrece el mejor antivirus del mundo. Entonces tú te lo crees, picas, haces doble clic en el mensaje para abrirlo y ¡zas! se te cuela el virus dentro de tu ordenador.

Los antivirus

Para protegerte, lo mejor es que sigas los consejos de los expertos. Vienen a ser los siguientes:

- Hazte con un antivirus. Es lo único que te protegerá contra los virus antes y después de que entren.
- Actualiza el antivirus. Cada día aparecen virus nuevos y un antivirus anticuado no podrá detectarlos.
- No abras mensajes de quien no conozcas. No abras mensajes sospechosos con palabras en inglés y menos aún actives los archivos o programas que traigan adjuntos.

- No descargues programas de Internet de sitios web que no ofrezcan garantía. Un programa o imagen gratuito con un virus escondido dentro, te puede salir caro.
- No admitas envíos de archivos ni programas de gente que acabes de conocer en un chat o en un foro de debate.
- Antes de insertar en el ordenador un disco de procedencia dudosa, aplícale el antivirus.
- Haz siempre copias de seguridad de todos tus archivos y programas.
- No utilices software pirateado, que es el que te puede traer problemas y, además, sin derecho a protestar.

Hay virus que infectan un ordenador y se envían a sí mismos a todos los destinatarios de la libreta de direcciones del usuario infectado. Y el usuario, ni se entera. Así puedes infectar sin querer a todas las personas cuya dirección aparezca en la libreta de direcciones de tu ordenador. Hay un truco que a veces funciona y es poner como primer destinatario de la lista el 0000. Cuando el virus se va a autoenviar, encuentra el 0000, se flipa y no sigue. A veces, sí que sigue adelante y se envía a los siguientes destinatarios de la lista. Pero por probar que no quede. En el capítulo 7 veremos la forma de insertar nombres de destinatarios de correo electrónico en la libreta de direcciones.

Localizar un antivirus e instalarlo es cosa fácil. El Ministerio de Industria cuenta con un servicio llamado Centro de Alertas Tempranas, cuyo cometido es detectar los virus de nueva creación, averiguar lo que hacen, cómo se propagan, cuál es su nivel de peligrosidad y alertar a todo el mundo, para que tomemos precauciones. Anota la dirección siguiente:

http://alerta-antivirus.red.es

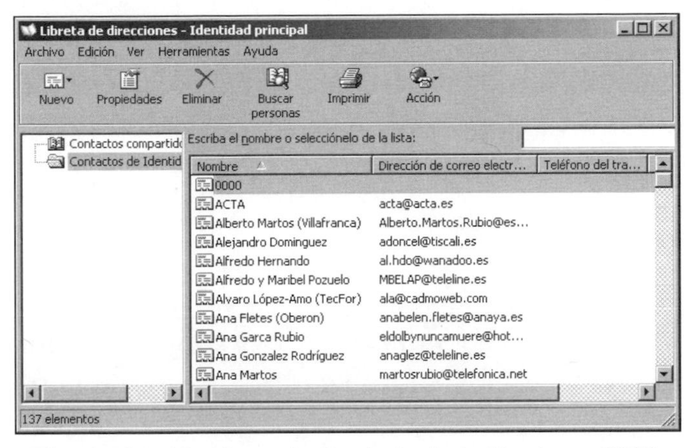

Figura 4.6. El primer destinatario de la libreta es 0000.

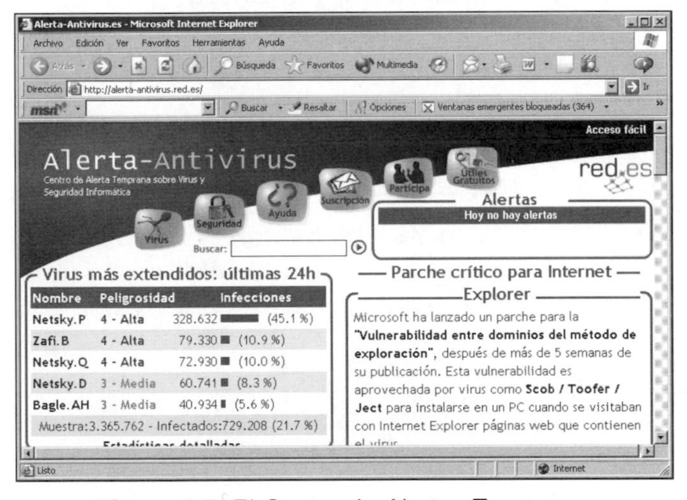

Figura 4.7. El Centro de Alertas Tempranas

Como es una página muy pero que muy interesante, vamos analizarla:

- ¿Así, sin haber hecho nada para merecerlo?

Observa la figura 4.7. Tiene seis botones gordos y redondeados en la parte superior. ¿Los ves?

- A ver si cree que somos cegarrutos.

- Bueno, hombre, bueno.

Crear y propagar virus no solamente es un tecnopecado que te puede llevar al ciberinfierno, sino que también es un delito. El primer creador de virus que ha sido condenado en España lo fue por lanzar un troyano (caballo de Troya). La sentencia 312/04 del juzgado de lo Penal número 7 de Valencia le condenó a dos años de cárcel por crear una página Web desde la cual instalaba un troyano en todos los visitantes que acudían a su página utilizando como navegador Internet Explorer. Llegó a infectar a más de 100.000 sistemas hasta que le detuvo la Guardia Civil en 2003.

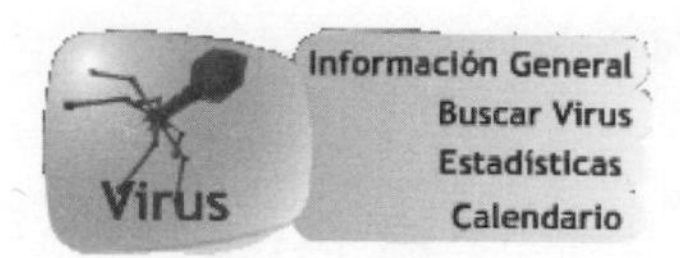

- **Virus**. Al hacer clic en este botón, se infla como Peláez cuando va a soltar una burrada, y aparece el menú con las siguientes opciones:
  - Información General. Te cuenta todo lo necesario para ponerte al día sobre la maldad de los virus y sobre las distintas herramientas de desinfección disponibles, es decir, los antivirus.
  - Buscar Virus. Aparece un formulario que puedes rellenar para informarte sobre un virus determinado para saber sobre él e incluso para saber si es uno de los muchos engaños y bulos que circulan por la Red.
  - Estadísticas. Los virus más extendidos por nuestro país.
  - Calendario. Las fechas previstas de activación de los distintos virus. También hay una lista de virus que se pueden activar cualquier día.

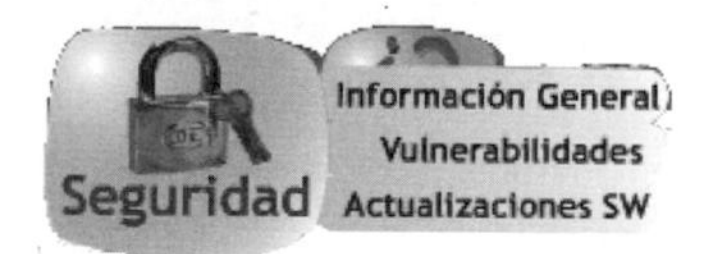

- **Seguridad.** El menú que aparece es también muy interesante:
  - Información General. La información versa ahora sobre seguridad informática y todas sus posibilidades.
  - Vulnerabilidades. El formulario te permite consultar la vulnerabilidad de un programa informático a los virus. Por ejemplo, Internet

Explorer es un navegador muy pero que muy vulnerable, pero hay otros navegadores, programas de correo electrónico o de mensajería que también se exponen a los virus feroces.

- Actualizaciones SW. Tener un antivirus y no actualizarlo es como el que tiene tos y se rasca la nariz. No sirve para nada, porque cada día surgen nuevos virus y los antivirus se quedan anticuados en un santiamén. Hay que actualizarlos. Este menú te ofrece la posibilidad de actualizar tu antivirus y de conectarte a los parches que los fabricantes crean para taponar las brechas de sus productos. Después hablaremos de esto.

- **Ayuda**. Pues eso, ayuda y explicaciones. El menú contiene:
  - Campañas. Luchas, campañas, guerrrrrrrassss.
  - Enlaces. Enlaces con centros de alerta como éste, empresas que fabrican antivirus, etc.
  - Denuncias. El código penal y cómo denunciar.
  - Vídeos de Ayuda. Ayuda para solucionar problemas que te pueden producir los virus.

- **Suscripción**. Te puedes suscribir para recibir completamente gratis los informes que desees. Sólo tienes que rellenar el formulario con tu dirección de correo electrónico y señalar los informes que quieres recibir.

- **Participa**. Si quieres formar parte del ingente número de usuarios que luchan desaforadamente contra virus, basuras y demás, haz clic y elige en el menú:
  - Foros. Foros de debate de la gente que lucha. Cada uno aporta lo que sabe y pregunta lo que necesita saber.
  - Contacto. Desde aquí entrarás en contacto con los foros y podrás preguntar lo que te preocupe. Siempre habrá alguien que te conozca la solución y te conteste.
  - Encuestas. Puedes responder a las encuestas del Centro de Alertas Tempranas.

- **Útiles Gratuitos**. En el fondo, esto es lo que estábamos buscando, ¿a que sí? Antivirus, matarratas, cazamoscas y atrapachinches gratis.

Si haces clic en el enlace Antivirus, dentro de la página Útiles gratuitos que acabamos de ver, encontrarás programas antivirus gratuitos que podrás instalar fácilmente para tener tu ordenador a salvo.

Si desciendes por la página de los antivirus, podrás ver todos los que hay disponibles y, al final de todo, leer lo que hace cada uno.

Clases de antivirus

Encontrarás dos clases de antivirus.

En el CD-ROM de acompañamiento encontrarás antivirus, por si no te quieres molestar en descargarlos.

- Antivirus de escritorio. Son programas que tienes que descargar en tu disco duro e instalarlos. O instalarlos desde un disco, como el CD-ROM de acompañamiento.
- Antivirus en línea. No se descargan ni se instalan en el PC, sino que te pueden comprobar y limpiar el ordenador de virus desde la misma página Web en la que se encuentran. Es como cuando una mona agarra al monito y le busca las pulgas, sólo que en versión tecno. Lo malo de los antivirus en línea es que te tienes que conectar a Internet y acceder a su página Web para limpiar tu ordenador. Y lo bueno es que siempre están actualizados y no tienes que instalarlos.

Puesta en marcha del antivirus

Una vez instalados, estos programas crean un icono de acceso directo en el Escritorio de Windows, desde el que puedes poner el antivirus en marcha o programarlo. Lo mejor es programarlo para las siguientes tareas:

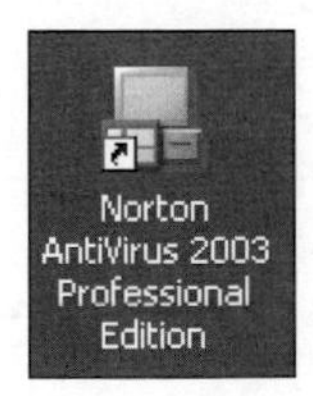

- Que compruebe todos los archivos del PC con cierta regularidad. Lo mejor es que lo haga cuando no estés trabajando, porque ralentiza el trabajo del ordenador.

- Que se actualice automáticamente al menos cada 15 días, pero no olvides que sólo se puede actualizar si te conectas a Internet. Normalmente, la actualización es rápida y no da guerra.
- Que no deje entrar un virus en tu ordenador por nada del mundo, es decir, que se cepille los archivos que vengan infectados.

Para ejecutar el antivirus manualmente, por ejemplo, si no lo has programado para que lo haga de forma automática o si sospechas que tienes algún virus a mano, haz clic en el icono del Escritorio y ponlo en marcha en el momento.

La figura 4.8 muestra el menú contextual de Norton Antivirus. Se abre al hacer clic con el botón derecho del ratón sobre el icono. Para aplicar el antivirus a todos los archivos y carpetas, hay que elegir Scan with Norton Antivirus.

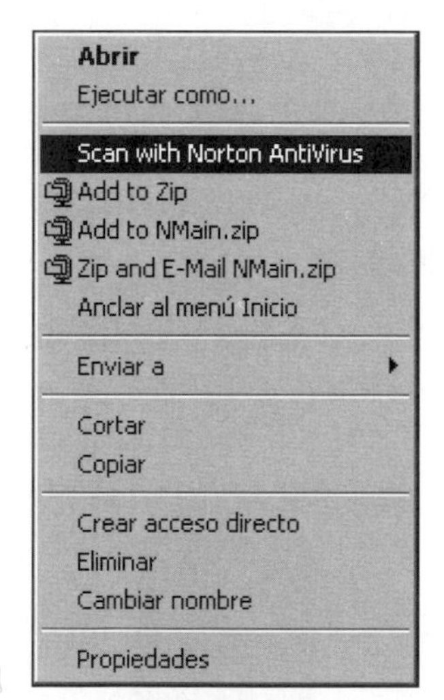

Figura 4.8. El menú contextual de Norton Antivirus.

Generalmente, al antivirus te avisa de que ha encontrado un virus en un archivo que te ha llegado por correo electrónico, dentro de un disco o que has descargado de Internet y te pregunta si quieres que lo arregle, que lo ponga en cuarentena o que lo machaque. Lo más seguro es destruir todo archivo que llegue infectado. Si es algo importante, pide a quien te lo envió que te lo envíe de nuevo, pero que, antes de enviarlo, le aplique su antivirus.

Mi antivirus está en inglés, pero puedes encontrar muchos en castellano. Yo lo tengo en inglés porque es un programa que funciona muy bien, porque hace siglos que lo uso y lo conozco y porque para eso me he molestado en aprender idiomas.

- Se está usté pareciendo a Peláez más cada día.
- Sin faltar.

Actualiza tu antivirus

Si tu antivirus no se actualiza automáticamente o quieres actualizarlo a mano, que también estás en tu derecho, haz doble clic sobre el icono del Escritorio o clic con el botón derecho y localiza un botón o un comando que indique Actualización automática, Actualización a secas o, si, como el mío, está en inglés, Update o Live Update.

¡Megarritual!

Cuando se ponga en marcha la actualización, aparecerá un Asistente para comunicarte que se ha conectado o que se va a conectar a la página de Internet en la que residen las actualizaciones. En cuanto hagas clic en el botón **Siguiente**, se pondrá en marcha el proceso de actualización que tiene normalmente tres etapas:

1. Localización del material necesario para actualizar tu antivirus. Si hace poco que lo has actualizado, puede que no haya nuevo material. El antivirus analizará lo

que ya tengas instalado y te informará de si hay algo nuevo o no.

2. Descarga del material.
3. Instalación del material descargado.

Generalmente sólo tendrás que pulsar el botón **Siguiente** o decir que sí, que yes very well Manuel y todo se realizará sin que te des ni cuenta. Después de actualizarse, el antivirus te pedirá que reinicies el equipo. Ten cuidado y no digas que sí ni que yes, hasta que guardes y cierres todos los programas y trabajos que tengas en marcha.

Los cortafuegos

Los cortafuegos se llaman también *firewalls* y son útiles para proteger a los ordenadores instalados en una red. Los cortafuegos limitan las conexiones de los ordenadores conectados a redes.

Hay varios tipos:

- Perimetrales. Hacen de pasarela entre un ordenador conectado a una red local, por ejemplo, la de tu empresa, e Internet.
- Personales. Adecuados para tu ordenador personal que está conectado directamente a Internet y no a través de la red de tu empresa. Si tienes ADSL, necesitas un cortafuegos personal que compruebe los programas que entran y salen de tu ordenador e impida que entren los que no deben entrar, como virus, espías y otros que veremos más adelante. También pueden impedir que tu PC sea objeto de los piratas, porque lo hace invisible a sus ataques automáticos.

El enlace Útiles Gratuitos de la página Alerta-Antivirus del Ministerio de Industria te ofrece enlaces con páginas desde la que te puedes descargar cortafuegos con todas las garantías del mundo, porque han sido previamente probados por los expertos del Ministerio.

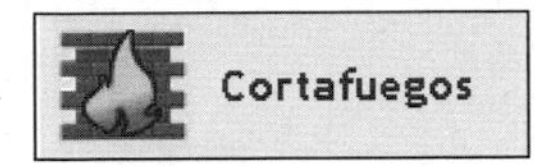

Los cortafuegos son interesantes porque hacen aparecer a tu ordenador en Internet como si estuviera apagado o durmiendo la siesta y eso impide a los programas que pululan por la Red conectar contigo y colarte dentro algún virus, algún programa espía o alguna pifia similar. Cuando un ordenador cliente, como el tuyo, deambula por la Red, no hay necesidad de que tenga los puertos abiertos ni cerrados, lo mejor es que los tenga en estado "sigiloso."

Además de cortafuegos, existen programas para escanear los puertos y detectar estados no convenientes. Se encuentran también, como no podía ser menos, en el enlace **Útiles Gratuitos** de la página Alerta-Antivirus.

Los parches

Hay programas que son verdaderos coladeros para los virus, que se les cuelan por entre las junturas sin que den ni cuenta. Entonces, los fabricantes se ponen en marcha y crean parches para taponar esos orificios por los que se cuelan los virus dañinos.

Internet Explorer es uno de los programas más agujereados del mundo y por eso es imprescindible descargar todos los parches existentes, porque se te cuelan virus que no solamente te pueden estropear el navegador, sino todo lo que tengas en el disco duro.

La figura 4.9 muestra el Boletín de seguridad de Microsoft con todos los parches de Internet Explorer. Microsoft tiene cosas buenas y malas, como todo el mundo. Si algunos de sus programas, como Windows XP e Internet Explorer son supervulnerables a los ataques de los virus, también es verdad que te avisa por correo electrónico de que hay una amenaza semoviente y de que te debes descargar e instalar el parche correspondiente que está a tu disposición en su página.

La competencia no pierde comba. Aprovechando los conocidos agujeros (en el argot informático se llaman *bugs* que se podrían traducir por "gazapos") de Internet Explorer, Mozilla, un conocidísimo navegador, lanzó en agosto de 2004 una iniciativa anunciando que compensaría hasta con 500 dólares a los usuarios que encontrasen fallos en la seguridad de su navegador.

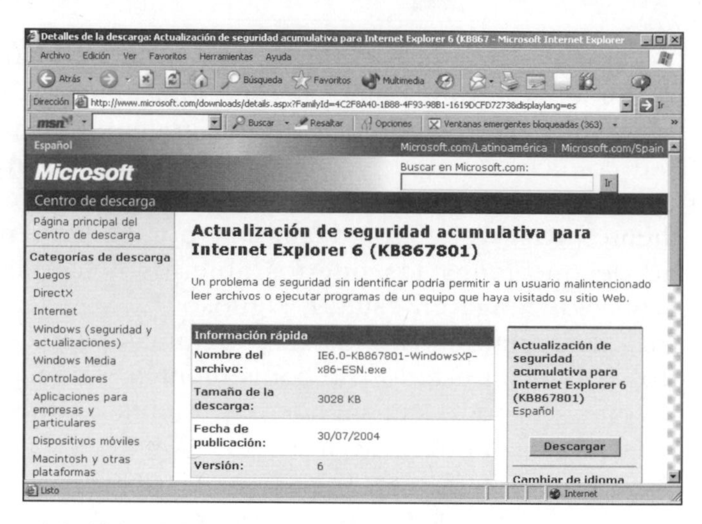

Figura 4.9. El Boletín de seguridad de Microsoft ofreciendo el parche.

Los enlaces a parches y actualizaciones se encuentra en el menú Actualizaciones SW del botón **Seguridad**. También encontrarás todos los parches de un producto en la página Web oficial de ese producto. Por ejemplo, los parches y actualizaciones de seguridad de Microsoft se encuentran en su página y puedes acceder directamente haciendo clic en Inicio>Panel de control>Windows Update.

- Y el que avisa no es traidor.

El correo basura

El correo basura es igual que el mazo de publicidad que te dejan los repartidores en el buzón de tu casa aprovechando el veraneo. Luego llega el cartero con una carta y no tiene espacio para dejarla, porque lo tienes lleno de papelotes.

Pues como ya hemos dicho ¿lo hemos dicho? que Internet es el mundo virtual paralelo al mundo real, el correo basura llega a tu buzón de correo electrónico y te lo inunda. Luego no puedes recibir la foto de Mari Puri porque no cabe. Está lleno de papelotes virtuales. Publicidad, avisos de cosas que no te importan y demás.

El *spam* también es delito, ya sea en la vida real o virtual. Los *spammers* son gente que envía publicidad a quien no desea recibirla y, para enviársela, muchas veces se hace con direcciones de manera fraudulenta. La Agencia de Protección de Datos vigila para que se respeten tus derechos y la ONU tiene en marcha un proyecto para controlar el *spam* en un máximo de dos años, estableciendo una legislación internacional homologada que permita "empapelar" a los que envían correo no deseado.

Los que cumplen

También hay anunciantes que cumplen las normas y te envían correo no deseado, pero señalando que puedes darte de baja si no deseas volver a recibirlo. Ésa es una norma de la Agencia de Protección de Datos que todo anunciante debe cumplir.

Por ejemplo, al final del texto del boletín informativo *HispaMp3*, aparece un enlace en el que tienes que hacer clic para darte de baja y no volver a recibirlo.

Para darse de baja de este grupo; click aqui

Los envíos que cumplen las normas de la Agencia de Protección de Datos llevan incluido, además, un texto que no sé si se ve en la figura 4.10, pero que dice más o menos lo siguiente: "Le informamos que sus datos de carácter personal obran en un fichero automatizado cuyo responsable es MediaXpres, Distribuidora de Medios y Contenidos Audiovisuales, SA. Ud.

En el argot de Internet, el correo basura se llama *spam*, que es la contracción de Spiced Ham, una marca de latas de conserva de jamón que se vende en los Estados Unidos.

tiene derecho a acceder a los mismos, a rectificarlos en caso de ser erróneos, o a cancelarlos, todo ello a través de comunicación escrita mediante e-mail a la siguiente dirección:"

El 30 por ciento del *spam* se envía desde ordenadores "zombis." Te colocan un caballo de Troya y utilizan tu ordenador como zombi para enviar *spam*, virus y lo que se tercie.

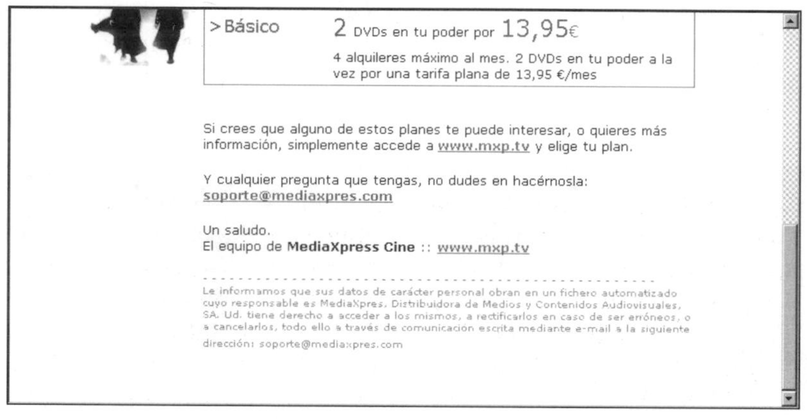

Figura 4.10. Un mensaje de correo electrónico que cumple las normas.

Los que no cumplen

El correo basura o *spam*, como más te guste, cumple tres requisitos:

- Se envía masivamente. Es como las avalanchas de correo que utiliza el marketing de la vida real, dirigidos a todo el que se encuentre en una lista de destinatarios. A veces, apareces en una lista de destinatarios porque deseas aparecer. Es decir, muchas veces te suscribes a un boletín o a una revista o periódico y estás en su lista. Cuando te suscribes a un boletín en Internet, te suele preguntar qué tipo de productos te interesan y entonces te envían publicidad y ofertas de esos productos. Otras veces, te llega sin comerlo ni beberlo, porque el remitente ha encontrado tu dirección en algún sitio, la ha robado a algún proveedor o incluso la ha comprado.

- Es correo no deseado. Si te gusta que te llegue, te resulta útil o te divierte, ya no es correo basura. ¿No encuentras a veces en tu buzón de correo postal alguna publicidad que es justamente lo que buscabas?
- El remitente se beneficia en cantidades industriales de estos envíos, a base de molestar al prójimo.

Contra *spam*, antispam

El enlace Útiles Gratuitos de la página Alerta-Antivirus te ofrece también la posibilidad de hacer clic y encontrarte una página repleta de consejos, ideas, ayudas y conexiones con productos antibasura.

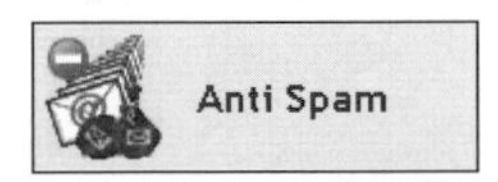

Los programas de gestión de correo electrónico suelen tener una opción para bloquear los envíos no deseados. Por ejemplo, Outlook Express tiene un comando **Mensaje>Bloquear remitente,** con el que puedes impedir que ese remitente te vuelva a incordiar. Outlook bloquea todos sus mensajes y no los deja salir del servidor de correos. Y allí se quedan para siempre jamás, hasta que los pobladores infernales vengan a devorarlos.

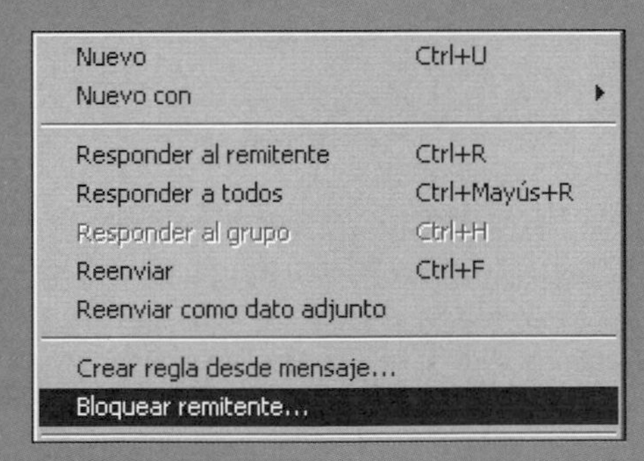

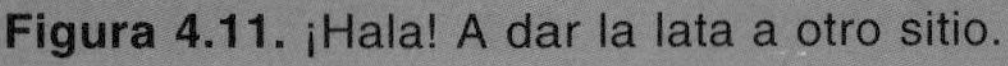
Figura 4.11. ¡Hala! A dar la lata a otro sitio.

- Y... ¿no hay algo para bloquear pelmadas en la vida real?

Los productos antispam "conocen" a los remitentes insidiosos, porque existen numerosas listas negras creadas con la ayuda y la denuncia de usuarios aburridos. También tienen filtros para detectar direcciones falsas de remitentes.

Los *dialers*

Dialer es una palabra inglesa que significa marcador. Los marcadores son programas que se instalan en tu ordenador sin que te enteres ni lo pidas ni lo quieras y que marcan un número de teléfono al que tú ni quieres marcar ni te importa. Lo malo es que ese número de teléfono es uno de esos que empiezan por 8, los 806, 803, 807 y que sustituyen a los anteriores 906, 907 etc. Y esos teléfonos tienen una tarifa especial carísima, es decir, que si marcas uno de esos números, Telefónica o el operador que tengas te clava una pasta en la factura mensual.

Son los números de teléfono a los que la gente llama para consultar videntes, participar en algunos concursos o mantener charlas pornofónicas.

Cuando hemos configurado el módem y la conexión de acceso a Internet en el capítulo anterior, recordarás que hemos tenido que escribir un número de teléfono facilitado por el proveedor, que es el número de teléfono al que tu módem tiene que llamar para conectarte a Internet. Pues bien, los marcadores o *dialers* modifican ese número y lo sustituyen por un ochocientos y pico que cuesta un dineral cada vez que te conectas y, tú, ni enterarte hasta que llega la factura a fin de mes o de bimestre.

Hasta ahora, la forma más segura que teníamos de librarnos de estos fraudes era llamar a nuestro operador telefónico y pedirle que excluyera esos números de teléfono de nuestras posibilidades de marcar, es decir, que nadie pudiera llamar a un 800 desde nuestro teléfono.

- ¿Ni para sacar un ligue para la noche del viernes?
- A ver si cree usté que va a ligar con alguien.
- No me frustre que me puedo deprimir.
- Por mí, como si se comprime.

Contra marcadores, antimarcadores

Afortunadamente, los antimarcadores ya no son precisos, porque el Boletín Oficial del Estado de 21 de julio de 2004 publicó una Orden del Ministerio de la Presidencia (eso tan aparentemente misterioso que se llama una OM) que señala un sistema para esos servicios especiales de tarificación en Internet.

A partir de ese momento, en lugar de tener que pedir al operador que NO permita llamar a esos números desde tu teléfono, es al revés. De forma predeterminada, no se puede llamar a esos números carísimos a menos que el usuario solicite expresamente la posibilidad de llamar.

Hacía tiempo que los usuarios se quejaban y que los empresarios pedían una normativa, porque ellos también resultan perjudicados por la historia de los marcadores, ya que mucha gente no accede a sus páginas por miedo al fraude.

Los malditos *pop-ups*

Los *pop-ups* son ventanas emergentes que aparecen súbimente cuando visitas una página Web o, incluso, cuando estás trabajando tranquilamente con tu ordenador sin siquiera enredar en Internet, pero tienes una conexión permanente, como ADSL.

Reconocerás esas malditas ventanas por algunos signos:
- Ya. Tienen dos caras, la de usté y la de Peláez.
- Eso no me lo dice usté en la escalera.

- No te hacen maldita la falta.
- Incordian y se ponen delante de lo que estás viendo.

Según un estudio realizado por la consultora Bunnyfoot Universality, el 90 por ciento de los internautas hace clic alguna vez en una de esas marditas ventanas emergentes y se encuentra con una información que no necesita ni quiere. De los usuarios que pulsan los *pop-ups*, sólo el 2 por ciento lo hace a propósito.

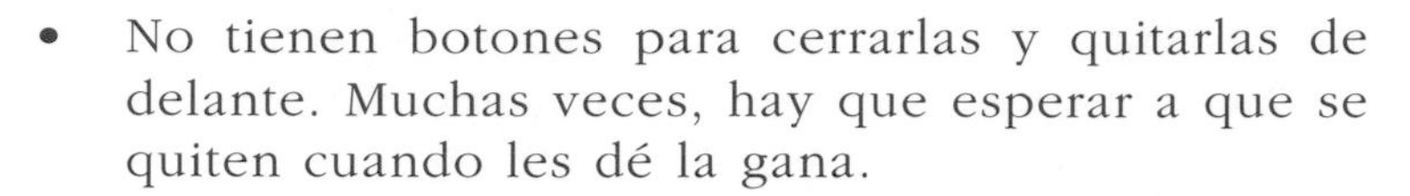

- No tienen botones para cerrarlas y quitarlas de delante. Muchas veces, hay que esperar a que se quiten cuando les dé la gana.
- Contienen mensajes publicitarios.

Figura 4.12. Ahí la tienes. Jorobando lo más posible.

Las ventanas emergentes aparecen sobre todo en páginas de productos gratuitos, aunque no tienen nada que ver con el producto que estás buscando. Son como la jeta de Peláez que asoma justamente en el momento en que Romerales está atisbando a Mari Puri por el pasillo, interponiéndose entre el bueno de Cosme y la visión celestial.

No confundas los *pop-ups* con los *banners* que son banderines publicitarios fijos en la página. Están ahí siempre, no aparecen y desaparecen ni te tapan lo que quieres ver. Son banderas publicitarias que el anunciante paga al propietario de la página. ¿De qué crees que viven tantas y tantas páginas gratuitas como hay en Internet. Pues eso, de la publicidad.

Por ejemplo, en la figura 4.13 puedes ver un *banner* que anuncia ADSL.

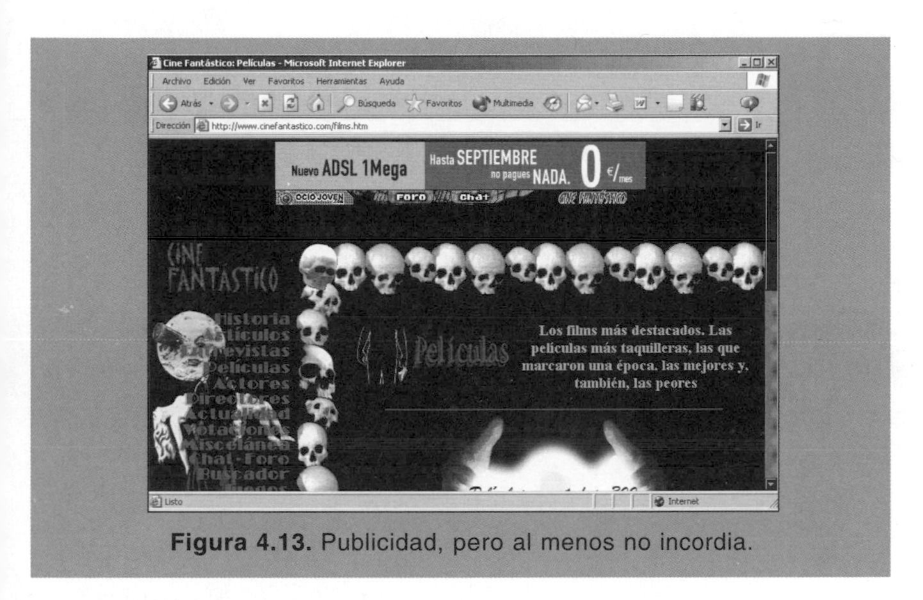

Figura 4.13. Publicidad, pero al menos no incordia.

Muchas ventanas emergentes tienen un botón de cierre. Cuando navegues por la Red y alguna ventana ataque a tu izquierda o a tu derecha, si no te ofrece nada que te interese, haz clic en el botón **Cerrar** o en donde veas que la puedes cerrar. Si no tiene botones, no hay más remedio que esperar un poco a que pase de largo.

Asesinos de ventanas

Los programas que se cargan las ventanas emergentes se llaman mataventanas o, en inglés que es más divertido, *PopupKillers*.

La Barra de búsqueda MSN

Hay barras de herramientas que se incorporan al navegador y que se ocupan por ellas mismas de machacar las ventanas emergentes que aparecen. Precisamente en una de esas banderas publicitarias encontré una vez la barra de MSN, un día que estaba hasta el moño de *pop-ups*.

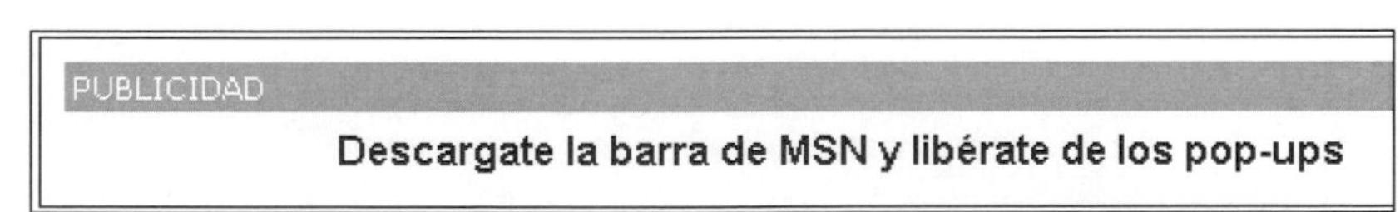

Figura 4.14. La publicidad es a veces muy oportuna.

Para localizar la barra de herramientas de MSN, tienes que hacer lo siguiente:

1. Ir a **http;//www.msn.es**.
2. Hacer clic en el enlace **Barra de búsqueda**.

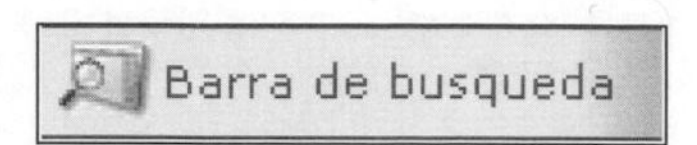

3. Seleccionar tu idioma en la lista desplegable **Selecciona tu país y tu idioma**.

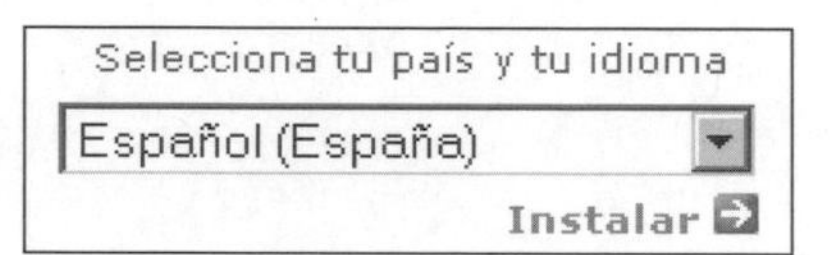

4. Hacer clic en **Instalar**.

La Barra de búsqueda MSN tiene los botones siguientes:

- Bloquea anuncios emergentes con el protector contra ventanas emergentes (*pop-ups*).

- Encuentra las palabras que has buscado rápidamente con el resaltador de palabras y las palabras clave resaltadas.

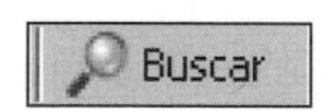

- Busca en Internet desde cualquier página Web.

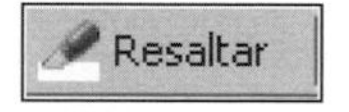

- Inicia MSN Hotmail, MSN Messenger y Mi MSN directamente.

Una vez que la barra se instala ella sola en tu navegador, nada más hacer clic en el enlace **Instalar** de antes, empieza a matar ventanas emergentes a diestro y siniestro.

Pero no siempre conviene cepillarse todas las ventanas emergentes que aparecen, porque muchas veces son necesarias. Por ejemplo, para consultar tu cuenta en el Banco, es posible que aparezca una ventana emergente en la que debes escribir tu contraseña. Para darte de alta o suscribirte a algunas cosas, muchas veces aparecen ventanas emergentes. Si lees un periódico en línea, es frecuente que las noticias aparezcan en ventanas emergentes. En el apéndice que describe el contenido del CD-ROM de acompañamiento, encontrarás las instrucciones para configurar esta barra de herramientas. También encontrarás la barra, por si no te es posible descargarla de Internet.

Admitir ventanas emergentes en este sitio
Configuración del protector contra ventanas emergentes...

Los mataventanas

Además de la barra de herramientas que hemos visto y otras muchas, existen programas específicos llamados, como hemos dicho, mataventanas o *popupkillers*. Cuando instalas uno de ellos, te deja un icono en el Escritorio y otro en la barra de tareas de Windows.

Cuando accedas a una página Web a la que asomen ventanas emergentes, no verás las ventanas, sino que escucharás una especie de explosión y ¡zas! ventana fuera.

Pero también conviene saber cómo desactivarlo, porque cuando intentes insertar tus datos para acceder a tu cuenta bancaria o suscribirte a algo, escucharás el disparo pero no aparecerá la ventana esperada.

1. Para desactivar temporalmente el mataventanas, haz clic con el botón derecho del ratón en el icono de la barra de tareas de Windows.
2. Haz clic en la opción **Exit** o **Desactivar** o como se llame la de tu programa.

Figura 4.15. Desactiva el mataventanas.

3. Para volver a activarlo, haz doble clic en el icono que aparece en el Escritorio.

Encontrarás programas destructores de ventanas incordiantes, gratuitos y probados, en el enlace **Mata-Emergentes** en el enlace **Útiles Gratuitos** de la página Alerta-Antivirus del Ministerio de Industria. Encontrarás también algunos en el CD-ROM de acompañamiento.

 **Mata-Emergentes**

Los espías

Los espías son programas llamados también *spyware* que se instalan en tu ordenador sin que te enteres y te fastidian todo lo posible. Los programas espías copian toda la información que encuentran en tu ordenador para luego enviarla a un interfecto que la aprovecha para aburrirte con publicidad, envíos y ofertas.

Por ejemplo, es fácil que un buen día te encuentres con una ventana de esas que se cuelan y que no las mata ni el mataventanas más picajoso, en la que te informa, en inglés para más molestia, de que tu ordenador contiene *spyware*, o sea, que se te ha llenado de espías.

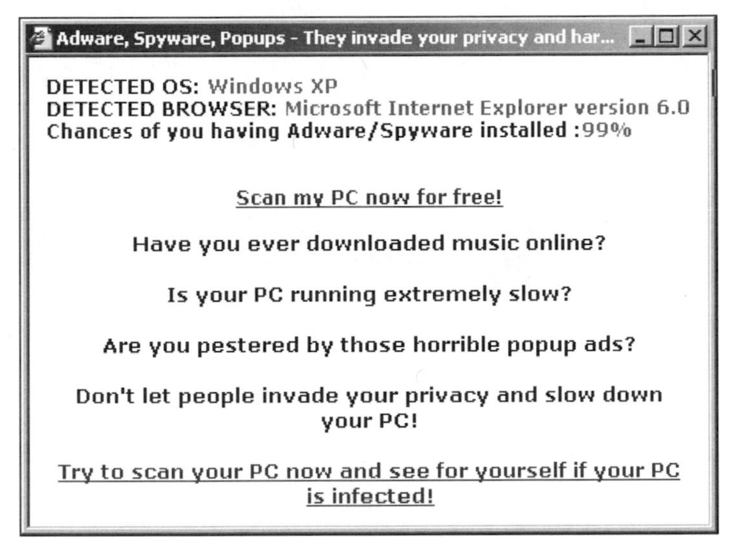

Figura 4.16. ¡Alerta! ¡Espías a bordo!

Entonces tú te pegas un susto de muerte y haces clic en el enlace que la ventana te ofrece para desinfectar tu ordenador, gratuitamente, desde luego. Fíjate en la figura 4.16. El enlace Scan my PC now for free resulta de lo más tentador.

Al hacer clic, llegas a una página Web que te ofrece amablemente un programa para que lo descargues gratis y examines tu PC en busca de programas espías. Si se te ha colado él, es más que probable que se te hayan colado otros, así que los encontrará. Entonces, intentarás pulsar un botón que indique que con eso se desinstalan y borran para siempre los programas malvados.

Pues, tururú. Haces clic y te dice que ya has visto lo amable que es y lo bien que funciona, pero que de ahí a trabajar gratis, nasti. Así que tienes que pagar un dinerito para que el programa antiespías se complete e incluya el dispositivo aniquilador.

Es decir, lo que te ofrecen gratis no es limpiar tu PC, sino confirmar que tienes espías y, a veces, dónde están y cómo se llaman. Si sabes eso al menos, puedes intentar desinstalarlos a través del **Editor del Registro de configuraciones de Windows**. Pero muchas veces, ni eso.

Por tanto, es una engañifa. Prometen lo que no cumplen.

Si realmente quieres tener un aniquilaespías, es mejor que lo descargues de nuestro ya conocido enlace **Útiles Gratuitos** de la página Alerta-Antivirus. Al menos, son programas conocidos y probados.

Anti-espías

Si ya se te ha colado algo en el ordenata, no pierdas el tiempo. Lo primero que tienes que hacer es desinfectarlo y luego instalar todos los antivirus, antiespías, mataventanas y lo que quieras. Para ello, dirígete al enlace **Herramientas de Desinfección** de la susodicha página de Alertas Tempranas.

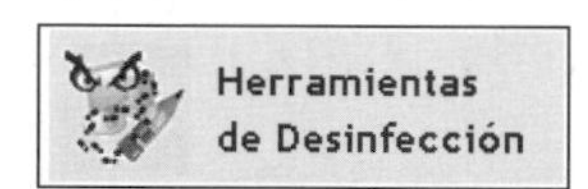

SpywareInfo.com publica periódicamente una lista de programas de los que se utilizan para intercambiar ficheros en las redes P2P, que incluyen programas ocultos espías, que controlan la actividad de los usuarios. Estos programas de intercambio se emplean para intercambiar música y películas en Internet y, según unos, su actividad no es delictiva, mientras que, según otros, sí lo es. Como no lo sabemos con seguridad, no emitiremos juicio alguno y simplemente nos limitamos a transcribir la última lista publicada por SpywareInfo.com. Si utilizas uno de estos programas, comprueba para ver si es verdad que tienes un espía instalado:

- KaZaa (la versión gratuita, la versión de pago esta a salvo de *spyware*, que la firma denomina como *adware*).
- Limewire

- Audiogalaxy
- Bearshare (ofrece una versión de pago libre de *spyware*)
- Imesh
- Morpheus
- Grokster
- Xolox
- Blubster 2.x aka Piolet (A partir de la versión 2.0 de ambos productos se incluyen *adware* en la aplicación)
- OneMX
- FreeWire
- BitTorrent (Solamente la Unify Media version. Otras versiones no incluyen estas herramientas)

Entérate en:

http://www.spywareinfo.com

Los timos

Como ya dijimos que Internet tiene su lenguaje particular, los timos, las estafas y los fraudes tienen un nombre en inglés, claro, el *phishing*.

Phishing

El *phishing* es un delito informático de moda, que consiste en el envío masivo de falsos mensajes de correo electrónico que simulan proceder de fuentes fiables, como un Banco o una entidad conocida, intentan recoger datos confidenciales de los usuarios, principalmente relacionados con cuentas bancarias o tarjetas de crédito. Estos mensajes afirman que, por motivos de seguridad, es necesario actualizar datos de los clientes, como números PIN, nombres de usuario o contraseñas. Si el internauta se confía por el aspecto

En agosto de 2004 había ya más de 300 estafadores detenidos por la práctica del *phishing*.

del mensaje recibido e introduce sus datos, van a parar a manos de ciberdelincuentes, facilitándoles la estafa correspondiente.

¡Socorro!

La Asociación de Internautas puso hace tiempo en marcha una campaña de ayuda para los usuarios.

También sabrás la manera de trabajar con seguridad en línea con tu Banco y cómo distinguir el fraude de la realidad. Desde luego que hay cosas que son de sentido común. A ningún banco se le ocurre enviarte un mensaje para pedirte datos personales y ya sabemos que este tipo de timos también se llevan a acabo por teléfono o personalmente.

Igual que no debes tus datos a un individuo que te los pida por teléfono, tampoco debes darlos por Internet. Precisamente, en agosto de 2004, la Guardia Civil andaba investigando 400 casos de fraudes telefónicos y por Internet sucedidos en Andalucía.

Para conocer todo lo relativo a esta práctica fraudulenta y disponer de las herramientas necesarias para defenderte a capa y espada, haz lo siguiente:

1. Dirígete a http://www.seguridadenlared.org.
2. Haz clic en el enlace No te quedes indefenso y actúa.

Nuestra vulnerable tarjeta de crédito

La tarjeta de crédito tiene una importantísima intimidad que proteger. La intimidad de los numeritos que en ella figuran y que pueden caer en manos de algún desaprensivo que los utilice para hincharse a comprar a costa de tu cuenta corriente.

Pero no nos libramos de los ataques. Ahora resulta que uno de los mejores buscadores de Internet, Google, del que hablaremos en los próximos capítulos, tiene funcionalidades que permiten buscar números de tarjetas de crédito que los administradores han dejado a la luz del día por un despiste humano.

Claro que eso sucede en las tiendas cuyos empleados no conocen bien los métodos de seguridad para proteger los datos delicados de sus clientes.

- Y ¿para proteger nuestros oídos de su larguísimo rollo?

- Mejor se calle. De larguísimo se puede convertir en infinito.

- No, si yo no...

La Federación de Usuarios y Consumidores Independientes, FUCI para los amigos, aconseja a los internautas comprar solamente en los sitios Web en los que el proveedor esté perfectamente identificado y adherido a arbitraje de consumo, porque eso es garantía de que estamos tratando con un vendedor que respeta los derechos del consumidor y es dialogante en caso de reclamaciones.

Los derechos de los honrados usuarios tienen su protección frente a los abusos que surgen en esta sociedad de la información en que estamos inmersos.

Entérate en las páginas de la Confederación Española de Organizaciones de Amas de Casa, Consumidores y Usuarios. Están en:

http://www.ceaccu.org

Una de sus publicaciones se titula *El comercio electrónico y las condiciones generales de la contratación* y tiene mucho que ver con todo eso de comprar cosas a través de Internet.

Y la mejor es una guía práctica titulada *Cómo comprar y contratar en Internet*. En ella encontrarás toda la información que necesitas como consumidor y los derechos que te asisten como usuario.

Si quieres consejos prácticos sobre seguridad en tus compras, en tus mensajes de correo electrónico y en tus paseos por el ciberespacio, no te pierdas la página Criptonomicon, del CSIC, en la dirección:

http://www.iec.csic.es/criptonomicon/consejos/usuarios.html

La nueva ley orgánica 15/2003 promulgada en octubre de 2004 incorpora medidas para impedir que se sigan poniendo en práctica los "usos habituales" de muchos españoles y no españoles. El hecho de descargar música de Internet, por ejemplo, puede llevarle a uno a la cárcel. Y, si es un menor, el que puede tener que pagar una multa morrocotuda es el padre, sin comerlo ni beberlo y creyendo que su "angelito" está en su cuarto entretenido con el ordenador.

Si quieres estar al día en todas las prácticas fraudulentas y en la manera de defenderte de todo tipo de manipulación (incluidas las de Peláez que en cuanto puede te manipula para largarte un marrón de agárrate y no te menees), suscríbete a la revista *Consumer*. Es gratuita y te llegará puntualmente a tu buzón de correo electrónico con todas las noticias, las recomendaciones, los avisos y las alarmas. Te informará y te asesorará sobre las dietas milagro, los medicamentos, los timos, la compra de vivienda, los precios, los derechos del consumidor, etc.

Suscribirse a una revista es lo más fácil del mundo. Vamos a probar a suscribirnos a *Consumer*:

1. Dirígete a http://www.consumer.es.
2. Escribe tu dirección de correo electrónico en la casilla tu email.
3. Haz clic en el enlace Dar de alta.
4. Elige el tipo de boletín que quieres. El gráfico está seleccionado de antemano y es el mejor.
5. Haz clic en el botón **Activar los cambios**, situado al final de la página.

El otro pirateo

Si atendemos a lo que dice la legislación sobre los delitos contra la propiedad intelectual, resulta que la mitad de los españoles somos delincuentes. Eso dicen, al menos, algunos personajes de la Guardia Civil.

El otro pirateo es el que casi todos realizamos al menos una vez en la vida. Que si compramos un disco en un top manta, que si copiamos un programa para un amiguete, que si descargamos música o pelis de Internet sin pagar un duro.

- Eso lo hará usté, que lo que es un servidor...
- Ya le digo. ¿Usté no usa programas pirateados?
- Nunca.

- ¿Ni discos copiados?
- Jamás.
- ¿Ni fotocopias de libros?
- Para nada.

No sé si estos que juran no haber pirateado nada en su vida dicen la verdad o no. Lo que sí sé es que España está entre las "Top Ten" del pirateo musical. Según un listado que acaba de publicar la Federación Internacional de Industria Discográfica (IFPI), España se encuentra entre las diez naciones en donde más se piratea.

Más cosas. Según los resultados del Estudio Global sobre Piratería de Software en 2003, elaborado por IDC y anunciado por la Business Software Alliance, la tasa de piratería en la Unión Europea es del 37 por ciento y, en España, casi el 50 por ciento del software que se utiliza es ilegal.

La adicción a Internet, que la hay

Hay gente que se pega a Internet como una lapa y que no se despega ni con agua caliente. Sin ir más lejos, conozco a uno que se vuelve loco por las mañanas al ir calentarse el café en el microondas, buscando desesperadamente dónde escribir la contraseña.

- ¿Es verdad?
- Es un chiste.
- Ja. Ja. Ja.

Según la revista *PsiquiatriaOnline*, el 6 por ciento de los internautas españoles hacen un uso patológico de la Red, habiendo más mujeres adictas que hombres. Según un estudio realizado por los psiquiatras españoles, el perfil del adicto a Internet es una mujer de entre 19 y 26 años con un nivel de estudios alto que pasa más de 30 horas a la semana conectada a la Red, principalmente para charlar o jugar.

También señalan que existen tres grandes tipos de adictos a Internet:

No vayas a creer que descargar música o películas de Internet es siempre una práctica prohibida. Hay muchos sitios de los que se puede descargar pagando una cantidad pequeña e incluso los hay que permiten descargar gratuitamente pistas de discos para que conozcamos a los intérpretes y a los autores y luego nos animemos a comprar sus discos.

Dependencias las hay y gordas. Por ejemplo, en China, una mujer se pasó 72 horas jugando sin parar en línea y, después, se desmayó y hubo que llevarla al hospital. Parece que se mantuvo las 72 horas a pan y agua mientras jugaba a un juego llamado algo así como La guerra contra el terrateniente. Y en Alemania se han detectado 380.000 pacientes que sufren adicción a los mensajes cortos SMS, usuarios adictos a la telefonía móvil que le dan compulsivamente a la tecla de los mensajes.

- Los que están interesados en su ordenador y navegan durante horas para encontrar programas e incorporarlos a su equipo.
- Los que aprovechan las horas de conexión para relacionarse con otros internautas.
- Los que ya padecen ludopatía y utilizan la Red como medio para jugar.

O sea, que Internet es una adicción como otra cualquiera. El que se pasa las horas jugando es un ludópata que, si no existiera Internet, jugaría en el Casino, en las tragaperras, en la consola o en lo que fuese.

Otra de las adicciones que se reproducen, ya que no se producen, en Internet es la compra compulsiva. Pero volvemos a lo de antes. Quien se gasta en las tiendas de la Red todo lo que tiene y lo que no tiene, se lo gasta igual en las rebajas de los grandes y pequeños almacenes y hasta en el Todo a 100.

Y otra de las adicciones que se dan es la adicción al sexo, en personas que se pasan el tiempo saltando desesperadamente por las páginas porno, pero también buscarían sexo con la misma ansiedad si Internet no existiera.

También hay empleados de oficinas que se convierten en adictos a navegar por Internet y se saltan a la torera el trabajo y el horario. Pero son lo mismo que otros que salen doscientas veces a tomar café o que se pasan el día laboral haciendo crucigramas. Por cierto, la caricatura del oficinista le pinta siempre haciendo pajaritas de papel. ¿Qué más da hacer pajaritas que darle a la Interné?

Eso significa que la ciberdependencia no existe, dicen algunos. Otros aseguran que Internet ofrece una intimidad y una cotidianidad que no ofrecen los demás medios, por lo que es más fácil crearse una dependencia a través de la Red que en la vida real.

- Menos la dependencia de hablar, hablar y hablar sin parar y aburrir a la concurrencia.

Capítulo 5
Romerales, navegante a la deriva

HUNGRÍA: SELLO CONMEMORATIVO DEL PRIMER BURRUÑO DE CABLES DE INFORMÁTICA, CON LAZO ESPONTÁNEO

¿Has visto alguna vez navegar una cáscara de nuez en un río fragoroso? Tal cual se desplazaba el intrépido Cosme Romerales por las aguas temibles de Internet, sin un motor fuera borda que echar por la ídem, sin timón, ni bitácora, ni compás.

Así es como todos nos encontraríamos en Internet, si no fuera por los increíbles programas que los entendidísimos programadores ponen a nuestra disposición. Y así es como Romerales se hubiera visto abocado al naufragio entre el ir y venir de la Red, si no hubiera sido por su oportuna metamorfosis en ese alter ego suyo imbatible, invencible e in...

- Dígalo, insufrible.

¡Ejem! Porque, vamos a ver, ¿cómo supones tú que uno puede acceder a un mar de información, localizar lo que le interesa, fisgar todo lo posible, le interese o no, y arribar finalmente a puerto llevando consigo el fruto de su pericia y de su bien hacer?

- Lo que yo me temía.

-¿Qué se temía? ¿La incapacidad humana para desenvolverse en los vaivenes del silicio inteligente?

- No, que iba usté a aprovechar para soltar el rollo.

- De desagradecidos...

- Eso ya lo ha dicho en otro capítulo.

Los navegadores

Esos programas inefables que los creadores ponen a disposición del internauta se llaman navegadores. Antes de eso se llamaron exploradores, que es la traducción de *browsers*, porque lo que hacen en realidad es explorar la Web y dirigirse a los lugares deseados. Pero como resulta que estos exploradores están provisto de una serie de herramientas similares a los instrumentos de navegación, es decir, herramientas para dar marcha atrás, para dar marcha adelante, para seguir, para pararse, para buscar y para protegerse de galernas y tempestades, han terminado por llamarse navegadores.

En realidad, la palabra "navegar" está bastante bien aplicada al recorrido que se hace generalmente por Internet. Es decir, uno se propone adentrarse en la Red para localizar algo que le interesa, por ejemplo, supongamos que quieres obtener información sobre Megatorpe, el ínclito, el excelso, el ilustre. Le pides a un buscador que localice todo lo que exista en Internet sobre Megatorpe y el buscador, obediente y orgulloso de tan suntuosa tarea, te muestra raudo y veloz una lista interminable de documentos Web que hablan de Megatorpe. No podía ser menos, teniendo en cuenta la fama imperecedera del prócer, quien...

- ¡Socorroooo! Pero, ¿qué hemos hecho nosotros?

- A aguantar, que para una vez que puedo explayarme...

En fin, como te decía, te ves abrumado por tal cantidad y calidad de información. Entonces, como no sabes por donde empezar, miras y remiras hasta que observas una página Web que menciona a Megatorpe como adalid de los párvulos en informática. Te lanzas en picado y te encuentras con una página en la que un grupo de gente discute un asunto. No te lo esperabas, pero te pones a leer la discusión y te entran ganas de participar. Participas y ya te has liado en un rollo que no era el que tú buscabas.

Entonces das marcha atrás y vuelves a localizar la página de la que partiste, pero, a mitad de camino te encuentras con una entrevista interesante y te quedas a leerla. Resulta que la entrevista te ofrece pasar a un noticiario que abunda en el tema tratado en la entrevista en cuestión. Pues nada, te vas al noticiario y te enteras de algo que no te esperabas.

Total, que has ido a por uvas y vuelves con alcaparras. Eso es lo que sucede con Internet, que uno va en una dirección y termina dispersándose y persiguiendo objetivos que no eran el primordial.

Los niños son los primeros que se lanzan a navegar sin temores, ni complejos, ni gaitas. ¿Sabías que casi la mitad (el 43 por ciento) de los niños finlandeses de entre 4 y 12 años navegan por Internet que es un gusto?

Internet Explorer

Internet Explorer es uno de los navegadores más difundidos y utilizados, por eso lo vamos a ver en primer lugar.

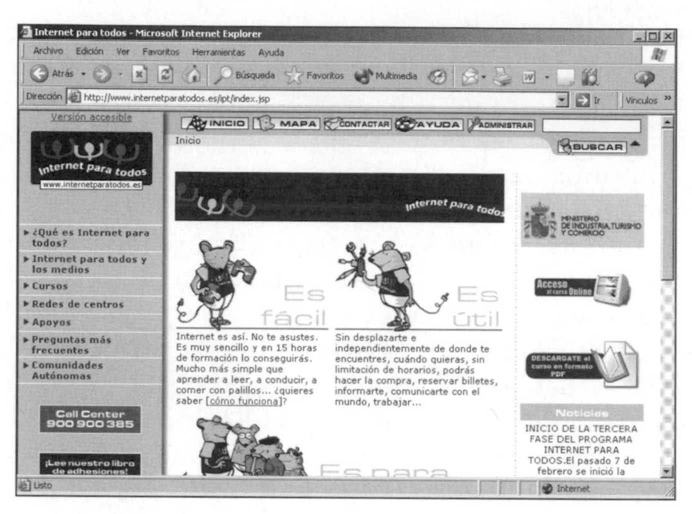

Figura 5.1. Internet Explorer en persona.

Windows incorpora siempre una versión de Internet Explorer. Ahora, Windows XP incluye Internet Explorer versión 6. ¿Quieres verlo? Haz clic en el menú **Ayuda>Acerca de Internet Explorer**. ¿Lo ves? Tienes Internet Explorer versión 6.026 y no sé cuántos ceros más.

La versión

No creas que ver la versión del navegador es sólo cuestión de curiosidad o de cotilleo. La versión es importante por varias razones, entre ellas:

- Las versiones más modernas tienen más recursos. Podrás ver mejor una página Web muy sofisticada con un navegador en versión moderna. Si utilizas un navegador antiguo, es posible que no puedas ver bien esa página, porque tendrá elementos que tu navegador no podrá interpretar.
- Si conoces la versión de tu navegador, podrás saber si las noticias que circulan por la Red acerca

de un virus, un *bug*, un parche o un *plug-in* se refieren a tu navegador o no.

- Si conoces la versión de tu navegador, podrás añadirle elementos y programas extras, creados precisamente para la versión tal o cual.

Figura 5.2. La versión de Internet Explorer.

Si tu versión de Internet Explorer es antigua, la puedes actualizar gratuitamente y obtener todos los aditamentos que Microsoft ha creado para la última versión, como parches, funciones, *service packs*, etc. Para actualizarlo solamente tienes que dirigirte a la página oficial de Microsoft en España. Encontrarás la versión 6 de Internet Explorer en la carpeta Navegadores del CD-ROM de acompañamiento.

Puesta en marcha y cierre

Internet Explorer se pone en marcha:

- Haciendo clic en su icono del menú Inicio.

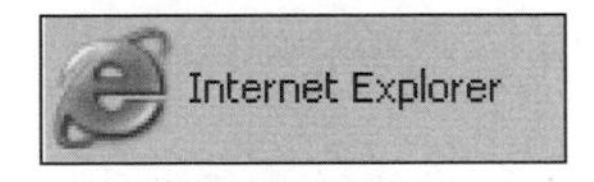

- Haciendo doble clic en el icono que aparece en el Escritorio de Windows.

- Haciendo clic en el de la barra de herramientas Inicio rápido.

Si la barra de herramientas Inicio rápido no aparece en la barra de tareas de Windows, puedes activarla de manera fácil:

1. Haz clic con el botón derecho del ratón en una zona de la barra de tareas en que no haya botones ni iconos.
2. Haz clic en Barras de herramientas.
3. Haz clic en Inicio rápido.

Para cerrar Internet Explorer tienes que hacer clic en el botón **Cerrar**, que es el que tiene un aspa y se halla en la esquina superior derecha. También puedes pulsar Archivo>Cerrar.

Instalación

La instalación de Internet Explorer se realiza automáticamente al mismo tiempo que la instalación de Windows XP, porque Internet Explorer, igual que Outlook Express que es el programa de correo electrónico y Windows Messenger que es el programa de mensajería instantánea, son componentes de Windows XP.

Pero puede suceder, por alguna de esas cosas raras de la vida, que no tengas instalado este programa. Lo sabrás porque, al desplegar el menú Inicio no aparecerá el icono correspondiente.

- Y ¿si me lo han robado los piratas cibernéticos?

- Un piratazo le voy a dar yo como me siga distrayendo. Para comprobarlo, haz lo siguiente:

1. Haz clic en Inicio>Panel de control.

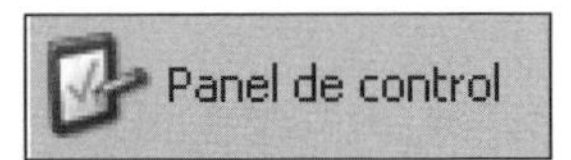

2. Haz clic en **Agregar o quitar programas**.

Agregar o quitar programas

3 En el cuadro de diálogo **Agregar o quitar programas** observa si está Internet Explorer. Puedes verlo en la figura 5.3.

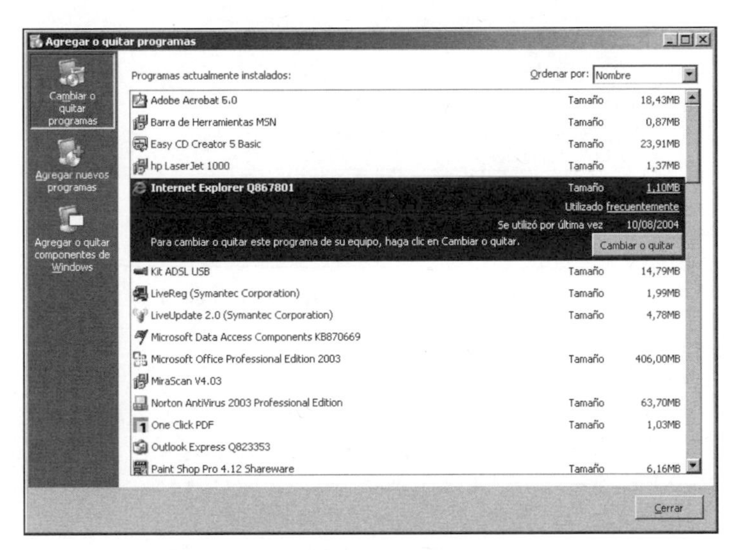

Figura 5.3. ¡Ahí está Internet Explorer!

4 Si no está, haz clic en el botón **Agregar o quitar componentes de Windows**.

5. Se iniciará el Programa de instalación de Windows XP.

6. En el cuadro de diálogo **Asistente para componentes de Windows**, haz clic en la casilla de verificación junto a **Internet Explorer**.

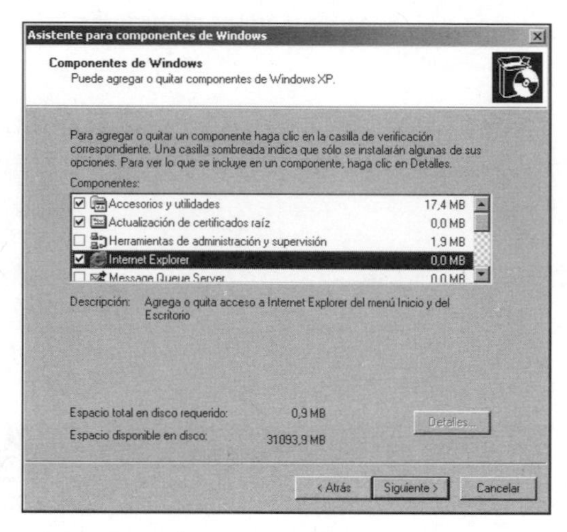

Figura 5.4. Ésa es la casilla de verificación.

7. Haz clic en el botón **Siguiente**.

8. Ten a mano el disco de Windows XP porque te lo pedirá en algún momento. El Asistente para componentes de Windows instalará Internet Explorer y Outlook Express.

9. Cuando termine la instalación, te dirá que qué bien, que enhorabuena, que ya tienes instalado el nuevo componente.

Trabajar sin conexión

Internet Explorer, como todo programa que utilices, necesita un repaso para adecuarlo a tus necesidades y a tus gustos, porque los programas vienen de fábrica preparados para hacer lo que al fabricante le da la gana que hagan, que no siempre es lo que a ti te da la gana.

Por ejemplo, Internet Explorer viene preparado de manera que, nada más ponerse en marcha, se lanza en picado a Internet y, si no has creado aún una conexión como vimos en el capítulo 3, bien porque todavía no tengas un contrato con un proveedor de servicios de Internet, bien porque no te hayas decidido todavía a conectarte a la Red o bien porque hayas seguido algún consejo malévolo y tendencioso que desacredite la insigne técnica de la internáutica, es probable que quieras jugar con Internet Explorer o que quieras configurarlo a tu gusto, pero sin necesidad de conectarte. Puede también suceder que hayas adquirido una conexión de pago por tiempo de utilización y no te parezca adecuado conectarte a Internet para configurar y aprender a utilizar el navegador, cosa muy loable. Pues lo más probable es que Internet Explorer no entienda esa decisión tuya de utilizarlo sin conectarte y se ponga pelma intentando pillar una conexión sin lograrlo.

Y no te vayas a creer que esa manía de conectarse es exclusiva de Internet Explorer. Netscape Navigator, que también es un navegador excelente, también se empeña en conectarse aunque estés trabajando con el módem apagado.

Lo malo es que, cuando uno de esos programas no consigue conectarse, no se le ocurre que sea porque a ti no te haya pasado todavía por las mientes establecer conexión, sino que piensa que se debe a sabotaje, a que la conexión falla, a que tu proveedor de servicios de Internet no te sirve lo que te debería servir o a que tienes conectado el ordenador a una red y que ésta está fallando. Entonces te empieza a recomendar que hables con el administrador de la red para que la arregle y te aconseja que si patatín que si patatán.

Mientras, tú, que lo único que querías era mirar la versión del navegador, te vas llenando de angustia y malestar pensando que algún malintencionado genio se ha colado entre los cables de tu equipo para hacerte rabiar. Y te pasas un mal rato tontamente.

Esto se debe a que los programas que compramos para trabajar con el ordenador suelen estar creados en los Estados Unidos y allí la gente se conecta gratis o casi gratis, por lo que no se entiende el funcionar sin conexión.

Para trabajar con Internet Explorer sin que trate de conectarse a Internet, hay que hacer clic en la opción **Archivo>Trabajar sin conexión**.

Si después quieres conectarte a Internet, lo único que tienes que hacer es hacer clic en la misma opción para desactivarla.

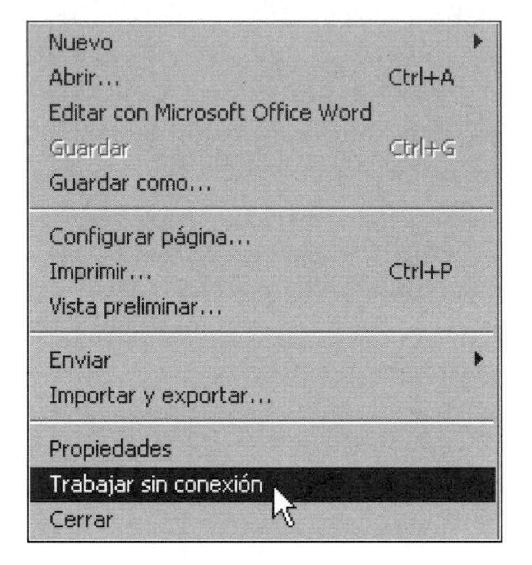

Figura 5.5. ¡Hala!

Internet Explorer por dentro

Como todas las ventanas de Windows, la de Internet Explorer tiene los elementos siguientes que pueden verse en la figura 5.1:

- Una barra de título con el nombre de la página visitada, en este caso, Internet para todos.
- En el extremo derecho de la barra de título hay tres botones:

- **Minimizar**. Convierte la ventana en un botón sobre la barra de tareas de Windows.
- **Restaurar**. Restaura el tamaño de la ventana. Si está extendida, la hace más pequeña. Cuando es pequeña, el mismo botón se llama **Maximizar** y amplía el tamaño de la ventana al máximo.
- **Cerrar**. Cierra la ventana y, con ello, cierra Internet Explorer.

- Una barra con menús desplegables para abrir, guardar, imprimir, buscar, copiar y, en general, las funciones que se llevan a cabo con los programas que hemos visto anteriormente. Se puede ver inmediatamente debajo de la barra de título.
- La barra de herramientas Estándar con los botones para navegar que veremos a continuación. Se encuentra bajo la barra de menú.
- La barra Dirección en la que hay que escribir el URL de la página a visitar. En la figura se puede ver el URL de la página Internet para todos: http://www.internetparatodos.es.
- El botón **Ir**, situado junto a la barra Dirección. Hay que pulsarlo después de escribir la dirección de la página a visitar.
- La barra Vínculos. Esta barra de herramientas establece vínculos con páginas Web visitadas con frecuencia. Aparece replegada a la derecha, pero se despliega al hacer clic en el botón >> .
- La barra de estado, en la parte inferior de la ventana. Indica el estado del navegador. Cuando está conectado, la zona derecha reza: Internet. La zona

izquierda indica la página que se está cargando o la dirección con la que enlaza un vínculo. En la figura, la zona derecha indica Internet y la izquierda, Listo, lo que significa que la página está totalmente cargada.

La mejor manera de conocer un programa es hacer clic en todo lo "clicable", abrir y cerrar menús, pulsar botones y toquetearlo todo para ir viendo la respuesta del programa ante cada instrucción, porque no debes olvidar que un clic es una instrucción. Lo más que puede pasar es que se desconfigure y luego no haya manera de manejarlo, por lo que conviene siempre tener delante el manual de instrucciones y pulsar los resortes de forma controlada.

La barra de menú

La barra de menú de Internet Explorer tiene archivos desplegables como los de cualquier otro programa de los muchos que utilizas con Windows.

- Utilizar, lo que se dice utilizar, yo...

Archivo.

El menú Archivo contiene opciones para guardar o imprimir páginas Web, para trabajar sin conexión, como estamos haciendo ahora mismo, para configurar la página y que se imprima como debe ser, así como para enviar la página Web cargada por correo electrónico. Lo puedes ver en la figura 5.5

- Una de las opciones más interesantes del menú Archivo es Guardar como. Cuando visites una página Web que te interese por cualquier motivo, si pulsas esa opción, se abrirá el cuadro de diálogo Guardar página Web, con las opciones siguientes:
  - Guardar en: En esta lista desplegable puedes hacer clic para seleccionar el lugar de tu disco duro en el que quieres guardar la página Web. La opción predeterminada es la carpeta Mis documentos, pero puedes desplegar la lista y elegir la unidad de disco y la carpeta que prefieras.
  - Nombre. Puedes darle a la página Web el nombre que quieras. Generalmente, este cuadro

de diálogo te ofrecerá guardarla con el nombre que ya tiene.

- **Tipo**. La opción predeterminada es **Página Web completa**. Es la mejor, porque te guardará la página tal como está.

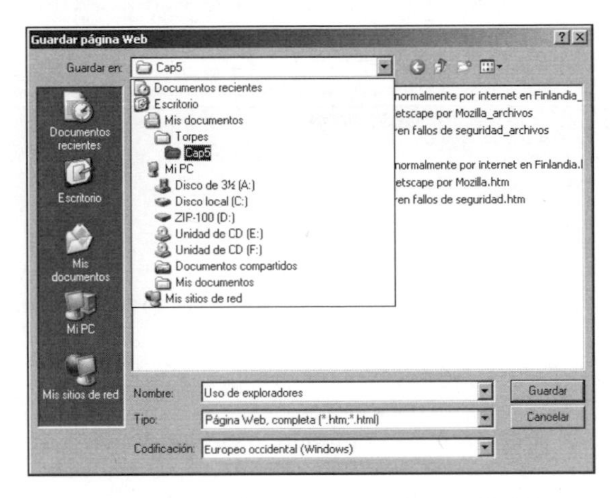

Figura 5.6. Guárdate la página Web.

Por ejemplo, la página Web de la figura 5.6 se va a guardar en la subcarpeta **Cap5** dentro de la subcarpeta **Torpes**, dentro de la carpeta **Mis documentos**. Guardar la página Web Internet para todos no tiene objeto, pero sí puedes guardar en una carpeta especial una página Web de un periódico en línea que tenga una noticia que te interese.

¿Por qué crees que yo sé que el 93,6 por ciento de los internautas utiliza Internet Explorer?

- Porque es usté omnisciente.

- Sí, pero, además.

El noticiario *Noticiasdot.com* trajo esa información el 30 de junio de 2004. Como quería incorporarla a este libro, guardé la página Web con el nombre que ves en la figura 5.6: Uso de exploradores. Después, para abrirla de nuevo, solamente he tenido que localizarla en la carpeta **Mis**

documentos\Torpes\Cap 5, donde la tenía guardada, y hacer doble clic sobre ella.

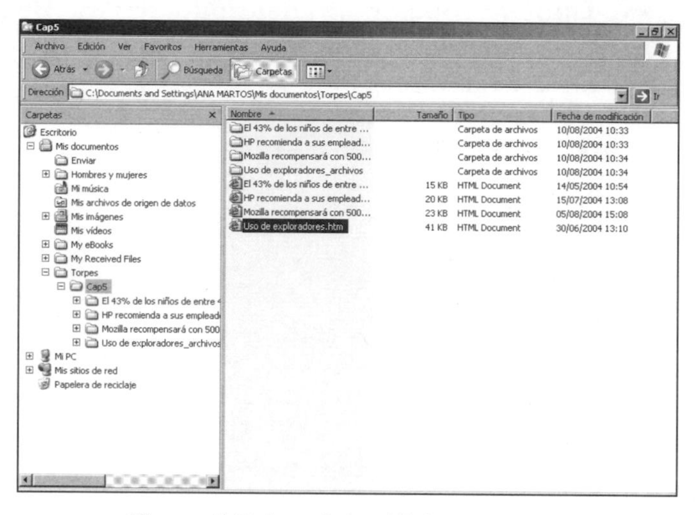

Figura 5.7. La página Web guardada.

Observa la figura 5.7. Es el Explorador de Windows en el que aparece la página Web guardada en la carpeta **Mis documentos\Torpes\Cap 5**. Observa que, en la parte superior, encima de los nombres de las páginas Web guardadas, aparecen unas carpetas que se llaman igual que ellas. ¿Las ves? Cada página Web guardada tiene su carpeta correspondiente. Si observas a la derecha de la página, las carpetas son del tipo Carpeta de archivos, mientras que las páginas Web son documentos HTML. Dentro de esas carpetas de archivos se guardan las imágenes, los botones, los vínculos y todos los elementos de cada página Web. Para verlos, tienes que hacer doble clic en la carpeta. Para abrir la página Web, tienes que hacer doble clic en el archivo HTML, como el que aparece seleccionado en la figura 5.7.

- La otra opción interesante del menú **Archivo** es **Imprimir**. Esta opción te permite imprimir la página Web que esté cargada en Internet Explorer, tanto si estás en conexión con Internet como si hace hora y media que te desconectaste. Puedes imprimir, por ejemplo, una página que tengas incorporada a la carpeta Favoritos o que aparezca en Historial. Pero recuerda activar la opción Archivo>Trabajar sin conexión previamente.

Antes de imprimir una página Web, es conveniente comprobar que se va a imprimir completa, porque a veces se imprimen las líneas a medias o faltan imágenes o solamente se imprime una parte de la página.

¡Megarritual!

1. Con la página Web cargada en Internet Explorer, haz clic en Archivo>Configurar página.
2. Comprueba que el tamaño y la orientación del papel corresponden al papel de tu impresora. De lo contrario, haz clic en la lista desplegable Tamaño para seleccionar el tamaño adecuado. Normalmente, el papel tendrá orientación vertical, pero observa que hay un botón de opción para cambiar a orientación Horizontal.
3. Haz cliç en **Aceptar**.
4. Haz clic en Archivo>Vista preliminar.
5. Comprueba que la página se ve completa y que las líneas de texto están enteras y no a medias.

La ventana Vista preliminar de Internet Explorer tiene los botones siguientes:

- **Imprimir**. Imprime la página que estás viendo, tal y como la estás viendo.
- **Configurar página**. Abre el cuadro de diálogo que hemos visto antes.
- **Primera página**. Va a la primera página de la Web que tengas cargada. Hay algunas que tienen 15 ó 20 páginas o más. Si se trata, por ejemplo, de un

sitio en el que Peláez cante sus propias alabanzas, ten por seguro que puede tener miles de páginas.

- **Página anterior**. Va a la página anterior a la que te encuentres.
- **Página siguiente**. Va a la página siguiente. ¿Quién lo diría, verdad?
- **Última página**. Va a la última página.
- **Alejar**. Aleja la vista de la página Web para que puedas verla completa,.
- **Acercar**. Acerca la vista de la página Web para que puedas ver el detalle.
- **Zoom**. Si pulsas la flecha abajo, podrás elegir en la lista desplegable el porcentaje al que quieres ver la página. Podrás elegir ver dos o más páginas a la vez.
- **Ayuda**. Abre la ventana de la Ayuda que veremos más adelante.
- **Cerrar**. Cierra la ventana Vista preliminar.

Figura 5.8. La vista preliminar.

Si solamente quieres guardar un trozo de texto de una página Web, no es necesario que guardes la página completa. Haz clic al principio del texto, arrastra el ratón y suéltalo al final. Luego haz clic en Edición>Copiar. El texto irá a parar al Portapapeles de Windows. Después, sólo tienes que abrir WordPad, Word o el procesador de texto que quieras, hacer clic en un documento en blanco y pulsar Control – V o seleccionar Edición>Pegar.

Una vez comprobado que todo está en orden, puedes imprimir.

1. Haz clic en Archivo>Imprimir.
2. Comprueba el cuadro de diálogo Imprimir. Normalmente estará activada la opción para imprimirlo todo. Si tienes más de una impresora, comprueba que el cuadro de diálogo indica la que esté disponible.
3. Haz clic en **Aceptar**.

Si la página a imprimir tiene marcos, comprueba que el cuadro de diálogo Imprimir tiene activado el botón de opción Todos los marcos uno por uno. Es la opción predeterminada para imprimir los marcos adecuadamente. Lo más seguro es que esta opción se encuentre en la ficha Opciones del cuadro de diálogo Imprimir.

Edición

El menú Edición contiene opciones para buscar un texto o una palabra en la página Web cargada, para copiar texto o imágenes y luego poderlos pegar en otro lugar y en cualquiera otra aplicación.

- La opción Copiar te permite copiar al Portapapeles de Windows el texto o imágenes seleccionados en la página Web. Para seleccionar, hay que hacer igual que haces con Word, WordPefect o el procesador de textos que utilices, haces clic al principio del bloque de texto a seleccionar, arrastras el ratón sin soltar el botón izquierdo y sueltas el ratón al llegar al final del bloque. Cuando hayas seleccionado lo que deseas, ya puedes hacer clic en Edición>Copiar. Una vez copiado en el Portapapeles, puedes pegarlo en Word, en WordPad o en donde quieras, pulsando Edición> Pegar.
- La opción Seleccionar todo sirve para seleccionar todo el contenido de la página Web. Así puedes copiar todo el texto, las imágenes, etc. Pero piensa que cuando lo vayas a pegar, puede resultar un archivo grandísimo con imágenes, vídeo, banderines publicitarios, hipervínculos, marcos, etc.

Recuerda que las páginas Web no son del dominio público, que el material que aparece en Internet, al igual que el material impreso en papel o soporte magnético o electrónico, está sujeto a derechos de propiedad intelectual y que las empresas o particulares pueden emprender acciones legales contra quienes los quebranten. Hay en Internet numerosos textos e imágenes que pueden utilizarse dentro de ciertos límites legales. Por ejemplo, las conferencias de algunos congresos virtuales que se celebran en la Red incluyen un apartado con la forma en que se permite citar el contenido. Las imágenes están también sujetas a la ley de propiedad intelectual.

- La opción **Buscar en esta página** permite localizar una palabra o una frase dentro de la página Web que estás visitando. Puedes afinar la búsqueda activando la casilla de verificación **Palabra completa** o bien **Mayúsculas/minúsculas**.

Por ejemplo, si Peláez se tira el farol de que su nombre se menciona en una página Web, puedes acceder a esa página Web y pedir a Internet Explorer que busque la palabra "peláez". Internet Explorer localizará "peláez," "Peláez," "superpeláez," "Archipeláez" y todas las palabras que contengan la expresión que has escrito en la casilla **Buscar**.

Si quieres que localice "Peláez" a secas, sin súper ni Archi ni nada de eso, selecciona la casilla de verificación **Palabra completa**. Y para que solamente localice la palabra escrita con mayúsculas, activa la casilla de verificación **Mayúsculas/minúsculas**.

Ver

El menú **Ver** contiene opciones para visualizar o no las barras de herramientas, para ir a un lugar determinado, para cambiar el tamaño de la letra (cuando se nos olvidan las gafas).

Una de las opciones más interesantes del menú **Ver** es **Pantalla completa**. Si tienes que ver una página Web grande y no cabe en la ventana de Internet Explorer, puedes seleccionar esta opción para que desaparezcan todas las barras de herramientas y disponer de más espacio para la página Web.

Figura 5.9. Las barras de herramientas. Ver o no ver, he aquí la cuestión.

Para ver la página completa, pulsa la tecla de función F11. Cuando quieras volver a visualizar las barras de herramientas, vuelve a pulsarla.

- La opción Barras de herramientas permite activar o desactivar las barras de herramientas de Internet Explorer. En la figura 5.9 puedes ver que las tres primeras barras de herramientas tienen al lado una marca. Eso significa que están visibles. Si haces clic en una de ellas, desaparece la marca y la barra ya no se ve. Si haces clic en una que no tenga marca, como MSN, la barra se hará visible. Lo mejor es que tengas a la vista las barras que utilices y que utilices las otras, para que no ocupen espacio y te dejen ver las páginas Web lo más completas posibles. Otra cosa es que localices la página que habla de Peláez y asome allí su careto estrafalario. Entonces es mejor que hagas visibles todas las barras de herramientas posibles para no verle entero. Es una visión que no te dejaría dormir. Palabra.

Si no tienes las barras de herramientas MSN o Norton Antivirus que aparecen en la figura 5.9, es porque no has instalado la barra que instalamos en el capítulo 4 y porque no te has descargado todavía el antivirus.

- La opción **Barra del explorador** te permite visualizar una ventana lateral que se ajusta a la zona izquierda de la ventana de Internet Explorer. Contiene las siguientes opciones:

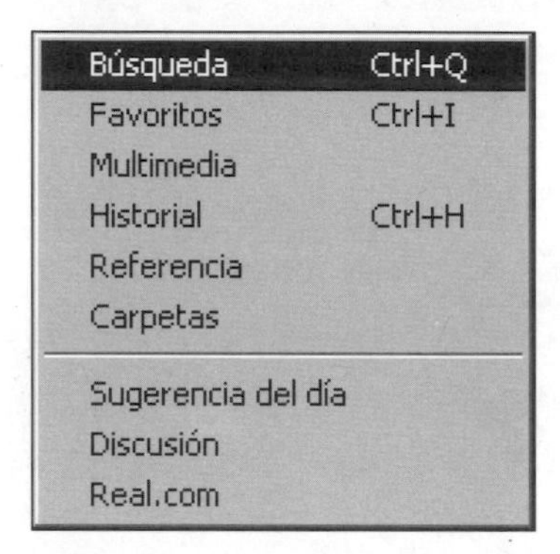

Figura 5.10. La Barra del explorador.

- **Búsqueda**. Abre la ventana de búsquedas para que puedas localizar y encontrar algo en Internet. En el capítulo 6 aprenderemos a realizar busquedas.
- **Favoritos**. Abre la ventana **Favoritos**. La veremos en el epígrafe siguiente.
- **Multimedia**. Abre una ventana con las opciones multimedia. La utilizaremos más adelante. Tiene los botones siguientes:

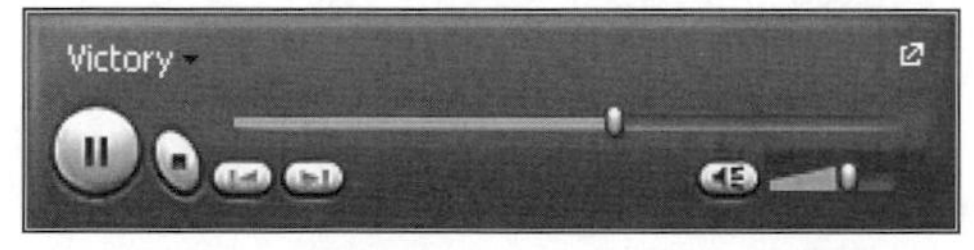

Figura 5.11. Los botones de la ventana Multimedia.

- **Opciones multimedia**. Despliega un menú que te permite buscar más recursos multimedia, acceder a la **Guía de radio** o configurar el reproductor.

  - **Desacoplar reproductor**. Es el botón minúsculo que aparece en la parte superior derecha de la figura 5.11. Desacoplar el reproductor significa hacerlo más grande, en una ventana independiente. Para volver a acoplarlo a la ventana de Internet Explorer, tienes que volver a hacer clic en este mismo botón.
  - **Reproducir**. Pone en marcha el reproductor.
  - **Detener**. Detiene la reproducción.
  - **Pista anterior**. Igual que un reproductor de verdad, salta a la pista anterior.
  - **Pista siguiente**. Salta a la pista siguiente
  - **Silencio**. Si lo pulsas, no oyes ni pum. Puedes aumentar o reducir el volumen moviendo a izquierda o a la derecha el botón blanco. Es útil para saltarte las broncas que te envíe tu jefe por Internet.
- Historial. Abre la ventana Historial que muestra el historial de las páginas Web que has visitado últimamente. Es útil para localizar una página que te interesa, que se te olvidó guardar y cuya dirección ya no recuerdas. En esta ventana encontrarás las páginas Web que has visitado hoy, ayer, la semana pasada, hace dos semanas, etc. Para ir a una de ellas, solamente tienes que hacer clic en su enlace.
- Referencia. Esta ventana incorpora las funciones de traducción de Word. Puedes escribir una palabra en la casilla Buscar y hacer clic en el botón **Iniciar búsqueda**, que tiene una flecha verde. Aparecerá la ventana Traducción en la que puedes seleccionar los idiomas De y A.
- Carpetas. Podrás ver las carpetas de tu PC y localizar ésa que no encuentras.

Todas las ventanas que se acoplan a Internet Explorer tienen en la esquina superior derecha un botón con forma de aspa que puedes pulsar para cerrar la ventana.

Favoritos

El menú **Favoritos** contiene opciones para facilitar el acceso a determinadas páginas que te interesen más que otras y que quieras convertir en favoritas. Internet Explorer lanza un puntero que apunta a la página en cuestión y la localiza en un plis plas. Previamente, el muy cuco había guardado una copia de la página en una carpeta de Windows llamada **Favoritos**.

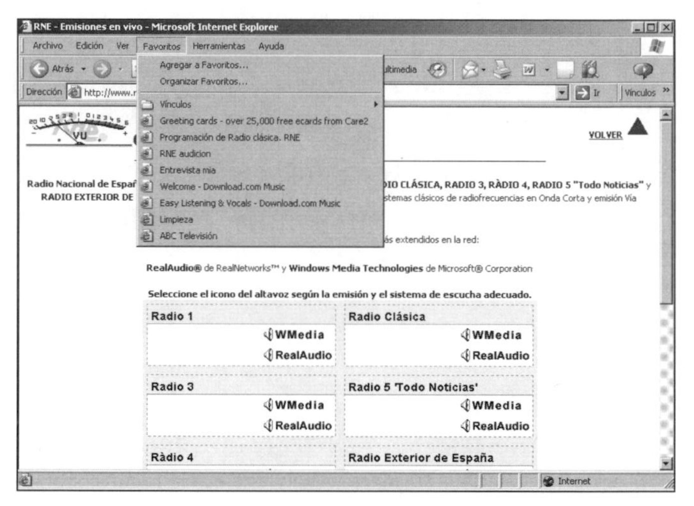

Figura 5.12. Una página favorita y el menú Favoritos.

Por ejemplo, supón que quieres escuchar Radio Nacional de España en directo. Pero no quieres escucharla ahora un ratito, sino que te gusta oírla mientras navegas por Internet. Tienes que hacer lo siguiente:

1. Pon en marcha Internet Explorer.
2. Escribe en la barra **Dirección** la dirección de Radio Nacional: http://www.rne.es/envivo.htm.
3. Haz clic en el botón **Ir**.
4. Cuando tengas la página en la ventana de Internet Explorer, haz clic en el botón **Favoritos**, de la barra de herramientas de Internet Explorer.

¡Megarritual!

5. En la ventana **Favoritos**, que puedes ver en la figura 5.13, haz clic en **Agregar**.
6. En la casilla **Nombre** del cuadro de diálogo **Agregar a Favoritos**, escribe un nombre que te recuerde la página. Si te sirve el que el programa te ofrece, como RNE Emisiones en vivo, no hace falta que escribas nada.
7. Haz clic en la casilla de verificación **Disponible sin conexión**, para que Internet Explorer guarde la página en la caché y puedas verla sin necesidad de conectarte a la Red.
8. Haz clic en **Aceptar**.
9. Cuando quieras visitar la página, puedes hacerlo con o sin conexión. Solamente tendrás que hacer clic en el botón **Favoritos** y seleccionar la página deseada en la ventana **Favoritos**.

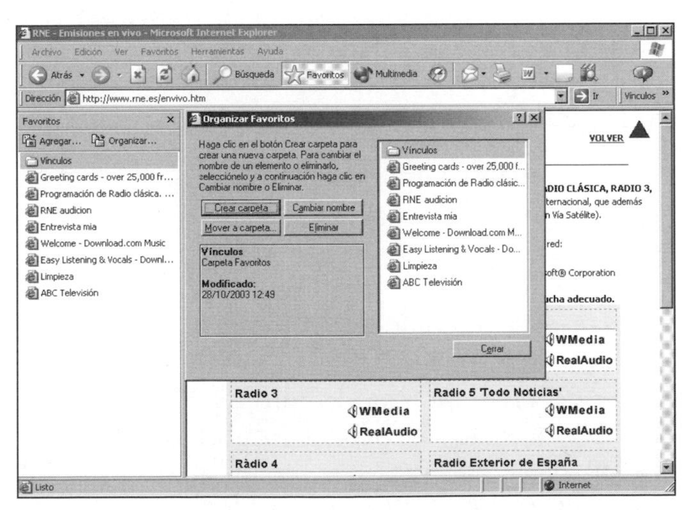

Figura 5.13. Favoritos y el cuadro de diálogo Organizar Favoritos.

Si deseas guardar esa u otra página favorita en alguna carpeta especial, haz clic en **Organizar**, en la parte superior de la ventana Favoritos. Se abrirá un cuadro de diálogo en el que podrás seleccionar una a una tus páginas predilectas y, luego, hacer clic en la opción correspondiente:

- **Crear carpeta**. Crea una nueva carpeta dentro de Favoritos, para que puedas guardar páginas muy especiales. O muy poco especiales. Eso es cosa tuya.
- **Mover a carpeta**. Después de seleccionar una página, haz clic en esta opción para trasladar la página a la carpeta que indiques a continuación.
- **Cambiar nombre**. Si has creado una nueva carpeta, esta opción te permite darle el nombre adecuado. Si no estás de acuerdo con el nombre de una carpeta, también.
- **Eliminar**. Borra de Favoritos la carpeta o la página seleccionada.
- **Cerrar**. Cierra el cuadro de diálogo.

- Vale, se cierra. Y ¿qué botón hay que pulsar para que cierre usté la boca?

¡Megarritual!

Y ya que tenemos la página de Radio Nacional, vamos a utilizarla, que es muy fácil:

1. Pon en marcha Internet Explorer.
2. Haz clic en el menú Favoritos.
3. Selecciona RNE - Emisiones en vivo.
4. Ahí está la página Web. Puedes verla sin conectarte a Internet, pero si quieres oírla, tendrás que conectarte, porque lo que ha guardado Internet Explorer en la carpeta Favoritos es una copia de la página, pero no puede guardar las emisiones, ni lo que hay detrás de los vínculos.

5. Haz clic en la emisión que quieras escuchar. Observa que todas tienen dos opciones:
   - **MMedia**. Para los oyentes que tengan instalado el Reproductor de Windows Media. Si tienes Windows, lo tienes. Haz clic aquí.
   - **RealAudio**. Para los oyentes que tengan instalado Real Player. Si tienes Netscape Communicator instalado, es muy posible que tengas este reproductor.
6. Se abrirá la ventana **Multimedia** y podrás escuchar la emisión seleccionada.

Herramientas

El menú **Herramientas** contiene opciones para abrir el programa de correo electrónico y una opción muy interesante que veremos con más detalle: **Opciones de Internet**, con la que podemos configurar Internet Explorer a nuestro gusto.

- ¿Cuándo, ahora?

- No, luego.

- Pero ¿qué prisa tiene?

- Que a ver si acaba, que se me estarán pegando las lentejas.

- Pues déjelas que se maten, al fin y al cabo es para comérselas ¿no?

- ¡Matarrrrrr! ¡Qué palabra!

Ayuda

El menú **Ayuda** contiene archivos de ayuda que podemos leer en momentos de apuro.

La Ayuda es bastante completa y resulta fácil de manejar. Veámosla.

El menú **Ayuda** se despliega al hacer clic en **Ayuda**, en la barra de menú de Internet Explorer. La primera opción del menú es **Contenido e índice**. Al pulsarla, da paso a la ventana que muestra la figura 5.14.

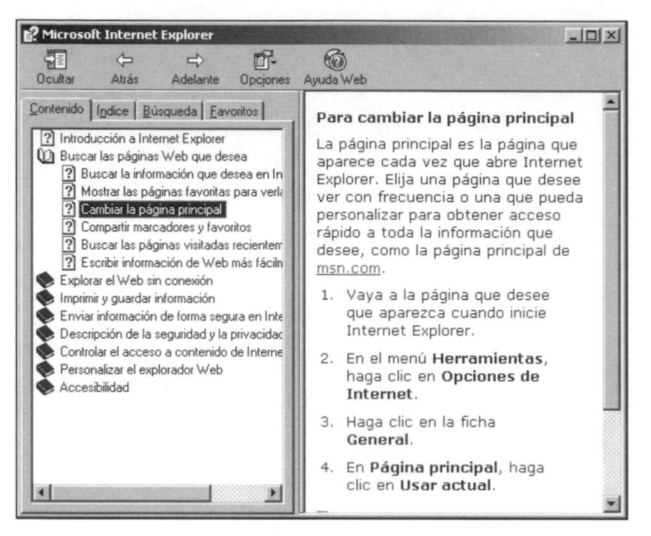

Figura 5.14. La Ayuda de Internet Explorer.

La ventana de la Ayuda tiene una barra de herramientas en la parte superior y tres pestañas que dan acceso a otras tantas fichas. La barra de herramientas contiene los siguientes botones:

- **Ocultar**. Oculta la zona izquierda de la ventana para dejar visibilidad sobre Internet Explorer. Cuando está oculta, el botón se llama **Mostrar** y, al pulsarlo, despliega la zona izquierda de la ventana.
- **Atrás**. Vuelve a la página anterior de la ayuda.
- **Adelante**. Va a la página siguiente de la ayuda, cuando se ha dado marcha atrás. Para poder ir a la página siguiente, tienes que haber estado ya en ella; de lo contrario, el botón aparece desactivado.
- **Opciones**. Despliega un menú de opciones para desplazarse por la Ayuda. Las opciones son Atrás y Adelante (como los botones), Inicio para ir a la primera página de la Ayuda, Imprimir y otras similares a las de la barra de herramientas de Internet

Explorer, como **Opciones de Internet**, que veremos más adelante.

- **Ayuda Web**. Abre una página con un vínculo que puedes pulsar para ponerte en contacto con el soporte en línea. Es decir, te conecta a las páginas de Microsoft en Internet para que pidas ayuda.

Las pestañas de la ventana **Ayuda** corresponden a las cuatro fichas siguientes:

- **Contenido**. Puedes verla en la figura 5.14. Los temas aparecen en forma de libros que puedes pulsar para abrirlos. Cada tema se subdivide en algunos subtemas. Cada vez que haces clic en uno de ellos, la información aparece detallada en la ventana de la derecha. Dentro del texto de la información, encontrarás vínculos para acceder a datos relacionados o a detalles. En la figura puedes ver que hemos hecho clic en el tema **Buscar las páginas Web que desea**, lo que ha abierto el libro para presentar seis subtemas. Hemos hecho clic en el tercero, **Cambiar la página principal** y el texto informativo ha aparecido en la ventana de la derecha.
- La ficha **Índice** presenta los temas organizados por orden alfabético. Si quieres acceder rápidamente a un tema, escribe las dos primeras letras en la casilla. De lo contrario, tendrás que desplazarte hacia abajo hasta que lo encuentres y te puedes eternizar si empieza por la S y estás en la A.
- **Búsqueda**. Esta ficha tiene los temas indexados y permite buscarlos por palabra clave. Para buscar un tema, por ejemplo, una explicación sobre la barra de vínculos de Internet Explorer, tienes que escribirlo en la casilla superior y hacer clic en el botón **Enumerar temas**. Si hay más de uno, haz clic en el que te interese leer y luego pulsa el botón **Mostrar**.

- **Favoritos**. Cuando localices un tema que te interese, por ejemplo, el que hemos seleccionado en la figura 5.14, **Cambiar la página principal**, si pulsas la pestaña **Favoritos**, verás que el tema buscado aparece en la casilla **Tema actual**. Si quieres que ese tema esté siempre disponible, haz clic en el botón **Agregar** y podrás ir confeccionando una lista de temas de ayuda favoritos, para poderlos leer siempre que tengas dudas.

Las barras de herramientas

Internet Explorer tiene cuatro barras de herramientas además de la Barra del explorador que hemos visto anteriormente:

- La habrá visto usté.

- ¿Otra vez se le han olvidado las gafas?

- **Estándar**. Contiene los botones de navegación, con los que nos vamos a mover por Internet a partir del capítulo que viene. Veámoslos:

  - **Atrás**. Vuelve a la página anteriormente visitada. Púlsalo cuando quieras volver a una página en la que estuviste anteriormente. Si has recorrido más de una página Web, puedes pulsar la flecha abajo para desplegar el menú y, en él, puedes elegir volver a una página o a otra de las anteriormente visitadas.

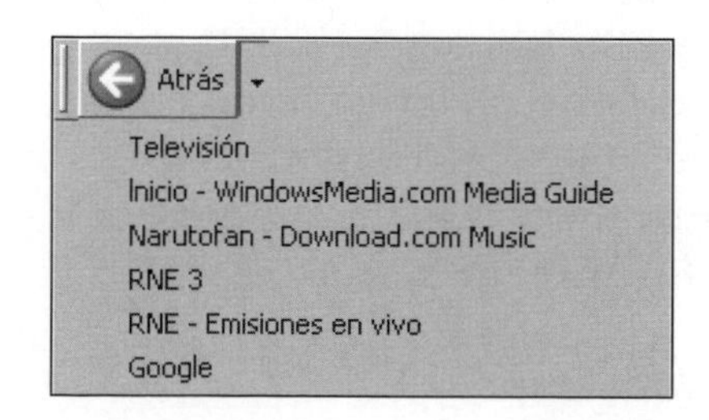

- **Adelante**. Va a la página siguiente visitada, cuando se ha dado marcha atrás. Para poder ir a la página siguiente, tienes que haber estado ya en ella y haber ido hacia atrás; de lo contrario, el botón aparece desactivado. También tiene un menú desplegable para avanzar a una página concreta.

- **Detener**. Detiene el acceso del navegador a la página a la que se había dirigido. Púlsalo cuando una página tarde mucho en descargarse y te arrepientas de haberte dirigido a ella. Internet Explorer se parará en seco y podrás redirigirlo a otro sitio.

- **Actualizar**. Vuelve a cargar la página. Púlsalo cuando una página tarde en cargarse o cuando Internet Explorer te muestre una página anticuada que tiene en la memoria *caché*.

Internet Explorer, como todos los navegadores, tiene una memoria temporal que se conoce como *caché* (en francés significa oculta), en la que guarda las páginas que visitas. Por eso, cuando accedes por segunda vez a una página o sitio Web, la carga enseguida desde la *caché*. Si la página se ha modificado desde la última vez que la visitaste, pulsa el botón **Actualizar** para poner la página al día.

Por ejemplo, si quieres ver la programación de televisión diaria, localízala en la página:

http://www.abc.es/television

Pero, si vuelves mañana a mirar la programación, puede que Internet Explorer cargue la página que tiene almacenada en su memoria *caché* y te vuelva a mostrar la programación de la tele de ayer. Lo sabrás por la fecha, claro está. Para actualizar esa página y ver la de hoy, haz clic en el botón **Actualizar** de la barra de herramientas de Internet Explorer.

- **Inicio**. Va a la página inicial que tengas configurada. Luego veremos cómo se configura y para qué sirve.

A continuación hay cuatro botones que realizan exactamente las mismas funciones que las opciones que vimos en la Barra del explorador:

- **Búsqueda** Abre la ventana Búsqueda en la que se puede escribir un texto para buscar páginas Web que lo contengan. Púlsalo cuando quieras localizar información sobre un tema determinado y no sepas dónde acudir. Por ejemplo, si escribes WAP, obtendrás una lista de sitios Web relacionados con la tecnología WAP.

- **Favoritos**. Abre la ventana Favoritos.

- **Multimedia**. Abre la ventana Multimedia.

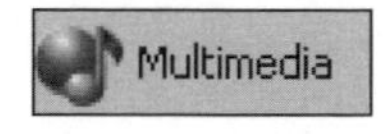

- **Historial**. Abre la ventana Historial.

Los cinco botones restantes hacen lo siguiente:

- **Correo**. Despliega un menú con opciones para leer o enviar correo electrónico a través del programa disponible, por ejemplo, Outlook Express.

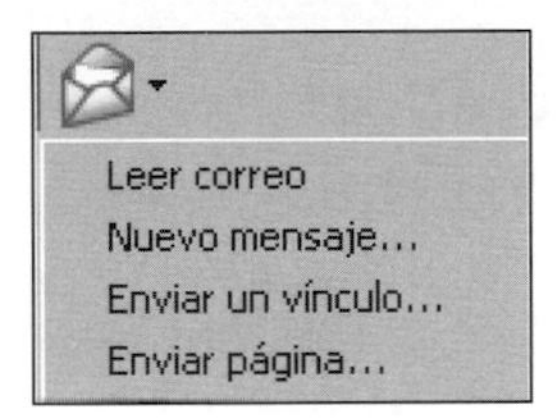

- **Imprimir**. Imprime la página Web cargada. Púlsalo cuando quieras imprimir una página y ya hayas comprobado que la configuración es la adecuada. Para configurar la impresión, hay que pulsar el menú Archivo> Imprimir.

- **Editar**. Tiene un menú en el que puedes seleccionar el programa que quieras para editar en él la página Web. Por ejemplo, si seleccionas Editar con Microsoft Word, la página Web que estás visitando aparece convertida en un documento de Word, lo que te permite ver cómo está construida, copiar texto o imágenes, etc.

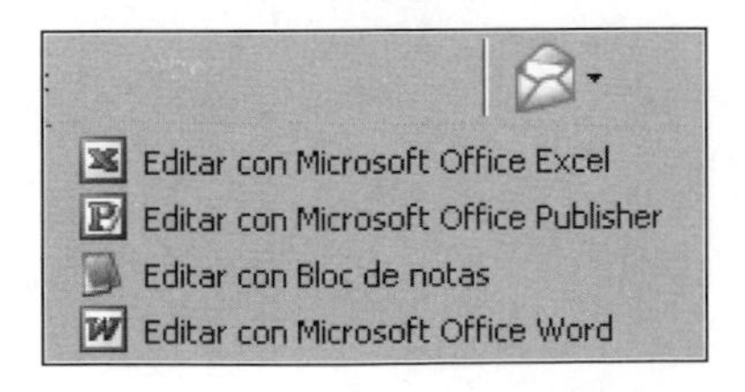

- **Conversar**. Abre la barra de herramientas Discusiones, con opciones para debatir con otros usuarios un tema determinado. No lo veremos porque excede al alcance de este libro. No le faltaba más a Romerales que manejar la barra Discusiones para tener la guerra montada con Peláez.

- **Referencia**. Igual que la opción de la Barra del explorador que vimos antes.

- Direcciones. Contiene el campo para escribir la dirección de la página a la que quieras ir, más el botón **Ir**.

- Vínculos. Contiene enlaces a sitios Web tan interesantes como Hotmail gratuito, una página de Microsoft que ofrece correo Web gratis. Esta barra de herramientas aparece normalmente plegada, pero puedes hacer clic en el botón > > para desplegarla o, bien, hacer clic en ella y, cuando el puntero del ratón se convierta en una flecha de cuatro puntas, arrastrarla hacia abajo para que quede alineada debajo de la barra Direcciones.

Configuración

Para configurar Internet Explorer, tienes que hacer lo siguiente:

1. Hacer clic en **Herramientas** y seleccionar **Opciones de Internet** para abrir el cuadro de diálogo **Opciones de Internet** que contiene varias fichas y permite modificar las opciones predeterminadas.

La ficha General

La ficha **General** contiene varias opciones.

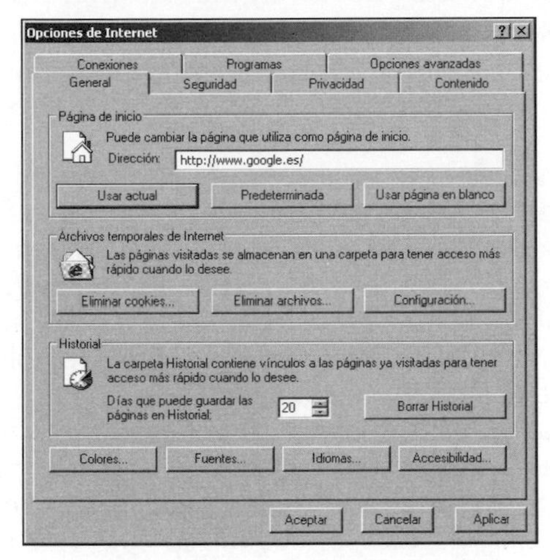

Figura 5.15. La ficha General.

- **Página de inicio**. Ésta es la página a la que el navegador se conecta al iniciar la sesión en Internet. Puedes escribir aquí la dirección que más te interese, por ejemplo, si estás siguiendo un curso en línea, puedes escribir la dirección del centro de estudios. Otra idea es poner como página de inicio el buscador o portal preferido, por ejemplo, Google o Terra. Si te has comprado un PC con Windows, es evidente que tu página de inicio será la página de Microsoft en Internet. Es decir, cada vez que te conectes a la Red, aparecerá la página de Microsoft. Desde ahí, puedes escribir la dirección de la página que desees para desplazarte a ella. Si has instalado Netscape Navigator, la página inicial a la que te conectarás cada vez que te enchufes a Internet será la página de Netscape que, por cierto, tiene un buscador bastante interesante.

La página de inicio se puede cambiar tantas veces como sea preciso. Puedes cambiarla escribiendo la dirección de la que quieras que sea tu nueva página de inicio o haciendo clic en el botón **Usar actual** cuando te encuentres en una página que te interese. La ficha General anota automáticamente la dirección de esa página.

Cuando navegues por los intrincados recovecos de la Red, encontrarás más de una vez una página que te pregunta si quieres convertirla en tu página de inicio. Si aceptas, la ficha **General** se modificará automáticamente con la nueva página, pero ya sabes que puedes cambiarla cuando quieras. Pero también hay virus perversos que te modifican la página de inicio para que, quieras o no, te dirijas a la suya cuando te conectes a Internet. Y no hay manera de cambiarlo, porque, cada vez que tú pones la página de inicio que te gusta, el malévolo virus vuelve a redirigirte a la suya. Y, para mayor pitorreo, cuando te conectas a Internet, lo primero que te encuentras es una página nueva, que no sabes de qué va ni por qué estás allí. La maldita página te presenta un aviso diciendo que tu ordenador está infectado con un virus y sçe ofrece a desinfectarlo.

Pues tú, ni caso. No te fíes. Lo mejor es que vayas a las páginas de Alerta Temprana y descargues un antivirus y un antiespía. Aprenderemos a descargarlos en el capítulo 8.

- Archivos temporales de Internet. Windows guarda en la carpeta Archivos temporales de Internet archivos con copia de las últimas páginas visitadas, para poder acceder a ellas con rapidez o revisarlas sin conectarte a la red, pulsando el botón **Historial**. Esta opción tiene tres botones:

- El botón **Eliminar cookies** borra todas las *cookies* de tu PC. ¿Recuerdas lo que hablamos de las *cookies* en el capítulo 1? Dijimos que son archivos de texto que te envían las páginas que visitas para que puedas navegar por ellas con mayor facilidad y se alojan en la ruta Disco local (C:)>Documents and Settings>tu nombre>Cookies.
- El botón **Eliminar archivos** borra los archivos temporales de Internet almacenados. Con ello, tendrás más espacio libre en tu disco duro, pero no podrás visitar las páginas de Internet a las que te has conectado previamente, sin conectarte de nuevo. Hazlo cuando tengas poco espacio en el disco duro o quieras borrar el rastro de tu paso por páginas vedadas.
- El botón **Configuración** sirve para configurar la manera en que Internet Explorer almacena los archivos temporales. Si haces clic en este botón, encontrarás un nuevo cuadro de diálogo con varios botones. Uno de ellos se llama **Ver archivos**. Si haces clic en él, irás a la zona del Explorador de Windows donde se almacenan estos archivos, cuya ruta, por cierto, aparece también en este segundo cuadro de diálogo: Disco local (C:)>Documents and Settings>tu nombre>Archivos temporales de Internet.

Internet Explorer puede actualizar las páginas Web cuya copia tengas guardada en la carpeta de archivos temporales. Por ejemplo, si estás trabajando con una página determinada y ésta cambia, cuando te conectes a Internet, Internet Explorer localizará esa modificación y actualizará la copia de tu carpeta. Para ello, tienes que pulsar el botón **Configuración** de la ficha **General** y

activar el botón de opción correspondiente en la sección Comprobar si hay nuevas versiones de las páginas guardadas. Verás que hay cuatro botones para comprobarlo automáticamente, cuando visites la página, cuando te conectes a Internet, etc. Esto es interesante si estás haciendo un curso, si te has apuntado a un congreso virtual o algo similar que requiera conocer con exactitud la última versión de las páginas Web que guardas.

- Historial. Windows establece vínculos con las páginas visitadas, para acceder a ellas sin conexión. Lo hemos visto cuando hemos hablado de la Barra del explorador y de la ventana Historial de Internet Explorer. El botón **Borrar historial** elimina esos vínculos. Es útil cuando te conectas a lugares misteriosos y ocultos y no quieres que luego venga el siguiente usuario del ordenador, haga clic en el botón **Historial** y se entere de tus visitas.

La ficha Conexiones

Esta ficha la hemos configurado en el capítulo 3, cuando hemos creado conexiones con el Asistente para conexión nueva. Si no te acuerdas, vuelve por allí y recuerda que así es como debe estar la ficha de tu navegador, a menos que tengas ADSL, en cuyo caso, esta ficha estará vacía.

La ficha Seguridad

La ficha Seguridad sirve para señalar distintos niveles de seguridad a las páginas Web. Agregar un nivel de seguridad a una página Web significa que no te fías de ella y que no te fías de los contenidos que puedas descargar de ella. Lo lógico sería que, si no te fías de un entorno, ni siquiera te arrimases a él.

- Pues eso, no sé que hacemos aquí arrimados a usté aguantándole la brasa.

- ¡Ay! ¡Pues yo me arrimaría sin pensarlo a la peligrosa Mari Puri!

Hay veces en que uno no se fía de una página simplemente porque no la conoce, pero tiene interés por asomarse a ella. Si haces clic en el botón **Nivel predeterminado**, podrás ver un control deslizante que puedes mover arriba o abajo para aumentar o disminuir el nivel de seguridad, que va desde alta a baja, pasando por media alta y media baja. A medida que mueves el control, el cuadro de diálogo te va informando de las características de seguridad que asignas a los lugares que visites. Como verás, en la ventana superior del cuadro de diálogo, la primera opción es Internet y eso significa que el nivel de seguridad se lo vas a asignar a todas las páginas de Internet que visites.

Puedes utilizarlo mientras visitas lugares peligrosos y después reducir de nuevo el nivel de seguridad a media, por ejemplo, cuando compras en una tienda que no tiene dispositivos de seguridad o cuando vas a descargar un programa de un sitio Web que no es conocido. En tales casos, puedes definir un nivel de seguridad mediano, para que Internet Explorer te pregunte siempre antes de ejecutar una acción que pueda no ser segura. El nivel bajo es igual que el mediano, pero Internet Explorer no te pregunta. En cuanto al nivel alto es, evidentemente, el más seguro, pero te da una lata increíble cuando pretendes entrar en páginas que Internet Explorer desconoce. La opción predeterminada es Media, así que, mejor, déjala como está.

También puedes agregar páginas Web a las opciones Sitios de confianza y Sitios restringidos. Si haces clic en la primera y luego pulsas el botón **Nivel predeterminado**, verás que la seguridad es Baja. Sin embargo, si haces clic en Sitios restringidos y después pulsas el botón **Nivel predeterminado**, verás que la seguridad es Alta. Para agregar sitios Web a estas opciones, haz lo siguiente:

1. Haz clic en la opción Sitios de confianza para incluir, por ejemplo, a una tienda que te ofrezca garantías o a una página que conozcas bien.

2. Haz clic en el botón **Sitios**.
3. Escribe la dirección de esa página en la casilla Agregar este sitio Web a la zona.
4. Para borrar una dirección de los sitios de confianza, selecciónalo en este cuadro de diálogo y luego haz clic en el botón **Quitar**.

Lo mismo puedes hacer para incluir páginas poco fiables en los Sitios restringidos.

La ficha Privacidad

La ficha Privacidad se parece a Seguridad, pero sólo en lo que se refiere a las *cookies*. El control deslizante te permite bloquear las *cookies* de terceros, es decir, las que te puedan enviar las páginas Web que visites.

Pero, si las bloqueas y no permites que los sitios visitados te envíen *cookies*, te puedes encontrar con algunos chascos. Por ejemplo, si te vas a suscribir a un boletín de noticias o a un periódico gratuito, verás que algunas veces no te permiten suscribirte precisamente por no admitir *cookies*. Hay tiendas, creo que Amazon es una de ellas, que no te permiten comprar si no admites *cookies*.

En estos casos, puedes mover hacia abajo el control deslizante, para permitir las *cookies* y, si se te antoja no mantenerlas, las borras después y en paz. Para eso está el botón **Eliminar cookies** que hemos visto hace un momento.

- Y... ¿para eliminar palizas, pelmazos y latazos?

La ficha Contenido

Esta ficha permite configurar Internet Explorer para proteger a los niños de contenidos indeseables. Para acceder al Asesor de contenido y configurarlo, hay que hacer clic en el botón **Habilitar**. Después hay que elegir un contenido en la lista y mover el control deslizante de 0 a 4.

Pero no es demasiado fiable, porque puede negar el acceso a páginas que traten asuntos como El Lazarillo de Tormes, por aquello de la picaresca. Al fin y al cabo, el Asesor de contenido no es un señor, sino un programa.

La ficha Programas

La ficha **Programas** indica los programas predeterminados para trabajar con el correo electrónico, crear páginas Web, celebrar videoconferencias, etc. Si tienes más de uno, podrás seleccionar un programa diferente en la lista desplegable. Si solamente tienes Internet Explorer, los programas predeterminados serán los que este navegador incorpora: Outlook Express, NetMeeting, FrontPage, etc.

La ficha Opciones avanzadas

Contiene opciones para configurar Internet Explorer en ciertas áreas. Casi al final de la ficha, a la que puedes acceder arrastrando hacia abajo el botón de desplazamiento, se encuentra la zona **Multimedia**. En ella encontrarás varias casillas de verificación (aparecen en la figura 5.16) que te permiten activar o desactivar las imágenes, los vídeos y otros formatos multimedia.

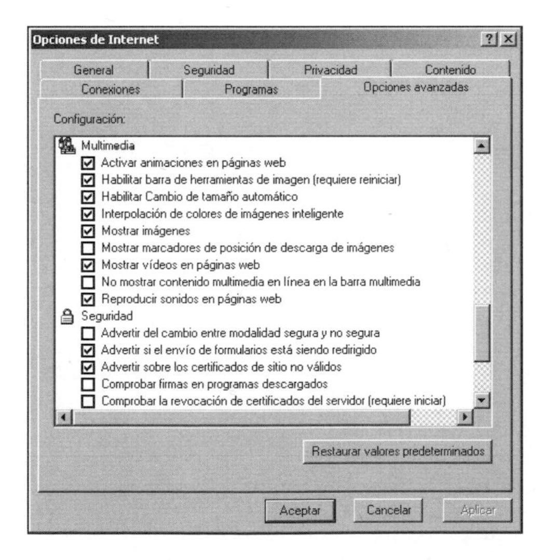

Figura 5.16. Las opciones multimedia.

Si desactivas las casillas de verificación correspondientes, verás las páginas Web sin imágenes o vídeo, pero el acceso será mucho más rápido, porque algunas imágenes y las animaciones tardan mucho en descargarse, sobre todo si no dispones de una conexión rápida, como ADSL o cable. Si las activas, verás las páginas Web con todo su esplendor y animación, pero tendrás que cargarte de paciencia en algunos casos. Resulta útil desactivar la vista de animación e imágenes cuando solamente te interesa ver un texto y tienes poco tiempo.

Capítulo 6
Lo que Romerales se encontró en Internet

MONACO: SELLO CONMEMORATIVO DEL PRIMER PORTÁTIL, LLAMADO TAPLASTO, CREADO POR JEAN LUC KRAJCHEP EN MONTECARLO.

Forges ©

Lo que Romerales encontró en Internet más vale no contarlo, porque, de contarlo, es posible que el número ya exiguo de internautas disminuyera de forma alarmante. No vamos, por tanto, a narrar lo que el sufrido Romerales encontró, ni mucho menos con lo que se tropezó en su temerosa singladura, sino más bien lo que, en su versión excelsa del supersabio Megatorpe, explicó a los admirados oyentes. Admirados, aunque, como ya venimos diciendo en los capítulos anteriores, también algo amoscados.

Vamos a practicar

Para que no te hagas un lío a la hora de buscar en Internet, lo mejor será hacer primero un intento, practicar un rato con las idas y venidas y después hablaremos de los buscadores, aprenderemos a buscar y, naturalmente, buscaremos.

- Usté sí que nos está buscando las cosquillas desde hace un montón de capítulos.

¡Megarritual!

1. Haz doble clic en el icono de la conexión, el que aparece en el Escritorio.
2. Escribe la contraseña en el cuadro de diálogo **Conectar con**. Si haces clic en la casilla de verificación **Guardar contraseña**, no tendrás que escribirla todas las veces.
3. Haz clic en el botón **Conectar**.
4. Observa la barra de tareas de Windows. Si te conectas vía módem, en el extremo derecho verás el icono de conexión.
5. Una vez en Internet y, si aún no lo has hecho, pon en marcha Internet Explorer haciendo doble clic en el acceso directo del Escritorio. Quien dice Internet Explorer dice Netscape, Opera, Mozilla o el navegador que tengas.

6. Tu navegador te conectará a la página que hayas definido como página inicial. Una vez en ella, ya puedes liarte a escribir direcciones en la barra Direcciones para empezar tus visitas.

La información está organizada en Internet

En Internet, la información está organizada en categorías. Esas categorías, a su vez, se dividen en subcategorías. Y, en esas subcategorías, está ordenada alfabéticamente por documentos, páginas Web, servidores, es decir, por alojamientos.

El trabajo de catalogar, organizar y estructurar la información para que la encontremos fácilmente lo realizan los motores de búsqueda, que son unos programas ávidos de conocimiento que recorren la red en busca de datos para colocar enlaces en los que los usuarios podamos hacer clic y desplazarnos directamente hasta la información deseada.

- Y... ¿la recorren como buitres o más bien como vampiros?

- ¿Qué diferencia hay?

- Mucha. Los buitres la recorrerían ávidos de carroña y, los vampiros, ávidos de sangre.

- Ni buitres, ni vampiros. La recorren como lo que son, robots entromboscópicos dotados de sensopinfostios para encipotamar los estratoferios.

- Vale, vale.

La información en Internet está, como ya hemos dicho, estructurada y organizada en las páginas y sitios Web. Los buscadores y portales tienen enlaces con esos sitios y páginas para servírnoslos ordenados y clasificados por categorías.

Ya sabes que, si tienes ADSL, te ahorras todo el trabajo anterior, porque tu ordenador estará conectado a Internet nada más ponerlo en marcha.

El árbol de categorías de la información

Yahoo es uno de los primeros directorios que se crearon cuando Internet empezó a funcionar y no había manera de localizar tanta información. Data de 1994 y su valor en Bolsa llegó a duplicar al de la General Motors. Últimamente ha caído bastante, pero sigue siendo uno de los mejores.

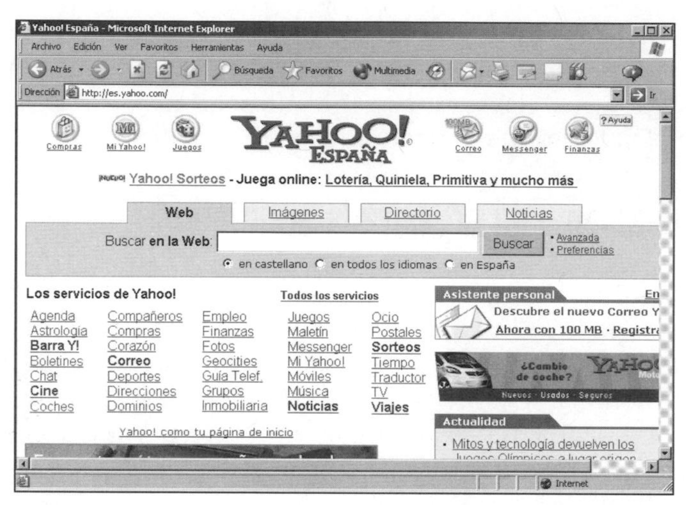

Figura 6.1. Yahoo de cintura para arriba.

Figura 6.2. Yahoo de cintura para abajo.

Además, lo vamos a utilizar para explicar lo que es el árbol de la información.

- A mí, la palabra "árbol" me sugiere una película estupenda.

- ¿Cuál?

- El árbol del ahorcado.

Estooo ...se llama árbol porque tiene un tronco, que es la información, que se despliega en ramas principales de información, como Arte y cultura, Ciencia y tecnología, etc., las cuales, a su vez, se despliegan en otras ramas secundarias. Hagamos una prueba.

1. Dirígete a Yahoo España en http://es.yahoo.com.
2. Observa la categoría Educación y formación. ¿Qué tal si buscamos un master? Verás que esta categoría tiene dos subcategorías, Primaria, Secundaria y Universidades. Lo suyo es hacer clic en esta última.

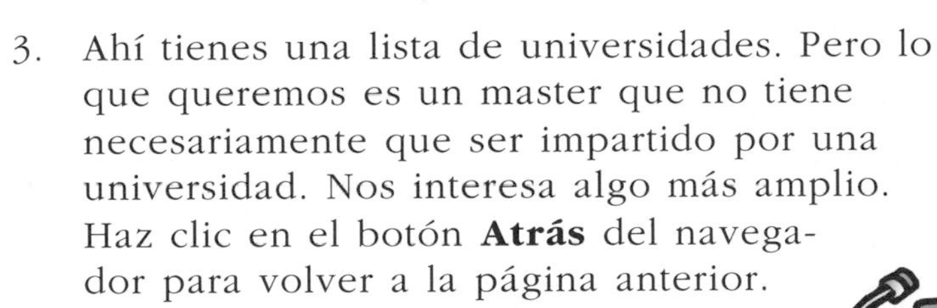

3. Ahí tienes una lista de universidades. Pero lo que queremos es un master que no tiene necesariamente que ser impartido por una universidad. Nos interesa algo más amplio. Haz clic en el botón **Atrás** del navegador para volver a la página anterior.

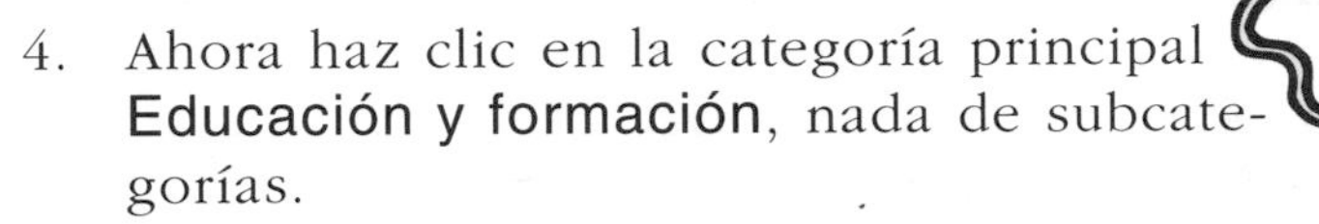

4. Ahora haz clic en la categoría principal Educación y formación, nada de subcategorías.
5. Esto ya está mejor, incluso aparece un enlace en el que Peláez habría hecho ya clic sin pensarlo ni un segundo: Educación para superdotados.
6. Pero como tú no eres un fantasma como Peláez, observa la página. Al principio, tienes un enlace que se llama Sólo sitios de España. Si estuvieras buscando un master presencial, vale, pero como vamos a localizar uno en línea, no hace falta. Si no haces clic en ese enlace, Yahoo te seguirá ofreciendo información de todo el mundo. También puedes ordenar la información Por culturas o grupos, Por materia o Por país. Fíjate en los tres enlaces que lo indican.

7. Sigamos descendiendo en el árbol de la información. Ahora puedes hacer clic en **Educación superior**.

8. Ahora puedes probar **Educación a distancia**. También hay un enlace que te puede interesar, **Directorios y guías**. Pruébalo.

9. Fíjate. Lo que buscábamos. Uno de los enlaces más visitados es el que aparece el primero de la lista. **Tu Master**. Corre, haz clic antes de que te lo quiten.

Los más visitados

- Tu Master - Relación de masters y cursos de postgrado existentes en el mercado español y latino americano.

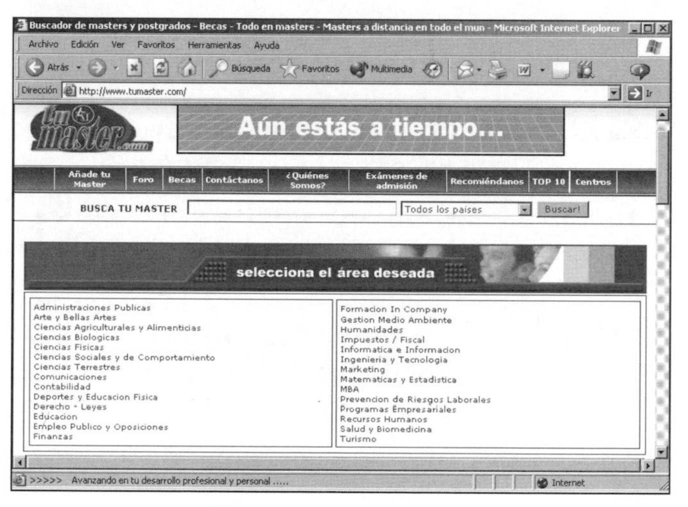

Figura 6.3. Tu Master.

Los portales que no tienen puertas

Hemos visto en el ejemplo anterior una forma de buscar en Internet, recorriendo el árbol de categorías hacia abajo y hacia arriba. Para llegar a nuestro destino final (por ahora) que ha sido Tu Master, hemos descendido de la categoría principal a las subcategorías y en una ocasión hemos dado marcha atrás, ascendiendo. Si te fijas en Yahoo, cuando te mueves por el árbol de las categorías de la información, aparece una indicación del camino que llevas recorrido. Si quieres verla, haz clic en el botón **Atrás** de navegador, para pasar de la página de Tu Master a la de los directorios y las guías, que es la anterior.

Educación superior > Directorios y guías
Directorio > Educación y formación > Educación superior > **Directorios y guías**

Un portal es un sitio Web que ofrece acceso a cualquier recurso imaginable, como noticias, tiendas, cotizaciones de Bolsa, información meteorológica, agencias de viajes, *chats*, foros de debate, etc. Los portales ofrecen la información organizada por categorías y tienen incorporados motores de búsqueda que permiten localizar la información mediante palabras clave.

Los portales atraen a los visitantes con ofertas de servicios y recursos gratuitos; la afluencia de visitantes significa posibilidades de insertar publicidad y cuantas más posibilidades tenga un portal, más pagan los anunciantes. Es el mismo caso que los periódicos. A mayor tirada, más caros cuestan los anuncios. Por otro lado, cuanto mayor sea la popularidad de un portal, mayor será su cuota de mercado y, con ello, su cotización en la Bolsa. Otro negocio son los acuerdos que los portales establecen con las tiendas y organizaciones comerciales que insertan en ellos sus enlaces, recibiendo porcentajes de las ventas que a través de ellos se producen.

Para conocer el número de visitas que reciben, los administradores de los portales insertan dispositivos llamados contadores de visitas o libros de visitas, que efectúan el recuento de las conexiones establecidas. Hay empresas en Internet que ofrecen programas para elaborar estadísticas acerca de la frecuencia y procedencia de los visitantes. Creo que Peláez aseguró un día que su página Web personal había recibido tantos miles de millones de visitas que alguien echó la cuenta y no hay suficientes habitantes en el mundo, ni aunque repitieran visita varias veces.

Observa la ruta de los enlaces que has seguido. De **Educación superior** has ido a parar a **Directorios y guías**. Si ahora quieres dar marcha atrás, fíjate que hay enlaces que te conducirán a la etapa que quieras: **Directorio**, **Educación y formación**, **Educación superior**, **Directorios y guías**. Puedes hacer clic y ascender en el árbol.

- Ya me está cargando con tanto ascender y descender por el árbol. ¿Se cree que soy un mono?

- No, un mongo.

- Y eso ¿qué es?

- Mírelo en el diccionario.

Como verás, Yahoo se ha molestado en organizar para ti la información que hay en Internet y en ofrecértela de manera estructurada para que puedas localizar lo que deseas siguiendo un orden lógico. Esta búsqueda paso a paso es una búsqueda secuencial, es decir, una etapa detrás de otra.

Lo que hace un portal como Yahoo es poner en marcha un motor de búsquedas que recorre todos los documentos que encuentra en la Web y los organiza por temas, por orden alfabético, por palabras clave o por el criterio que le haya encargado el programador.

Ya ordenados, puedes verlos en la página principal del portal. Cada categoría se divide en subcategorías y así se llega a la información básica. Así es como funciona el árbol de categorías en que los portales tienen organizada la información. Cualquier cosa que quieras buscar, se encontrará clasificada en la categoría correspondiente. Eso sí. No esperes que todos los portales clasifiquen la información con los mismos criterios, porque algunos incluyen cosas en categorías totalmente diferentes a otros, pero con el ejemplo que hemos visto, creo que te puedes aclarar.

- A usté sí que le aclararía yo.

- ¿Qué? ¿La voz? La verdad es que estoy algo ronco de tanto hablar.

- No, la sangrrrre.

Estooo... Los portales de Internet no tienen puertas, son como los arcos romanos que daban acceso a las ciudades.

Detrás de cada arco uno podía encontrar maravillas. Detrás de cada portal de Internet, puedes encontrarte un mundo.

- Un mundo de espanto y amenazaaaa.

- ¿Se quiere callar? Su aullido espeluzna.

Ese mundo lo obtiene el portal de los recursos a los que se conecta. Por eso hay tantas cosas en un portal de Internet. Servicios, canales, noticias, tiendas, horóscopos, información meteorológica, correo, callejeros, la oferta es inacabable. Los portales tienen convenios y contratos con otros portales o con sitios Web que ofrecen productos y servicios, para dirigir al visitante a los lugares que le interesen.

Si quieres saberlo todo sobre portales y buscadores de Internet y sobre la manera de buscar cualquier cosa en Internet, hazte con el excelente libro de esta misma colección *Aprende a buscar en Internet*.

Por ejemplo, un portal te puede poner en contacto con una agencia de viajes, solamente con un enlace que diga Viajes o Turismo. También te puede enviar de un salto a una empresa de trabajo en línea, solamente con un enlace que diga Empleo, Bolsa de trabajo o algo parecido. Los portales son gratuitos porque cobran a los publicistas, a las empresas de servicios con las que enlazan y a otros sitios con los que contratan ofertas al internauta, por ejemplo, tiendas, agencias inmobiliarias, juegos, etc.

Observa los servicios que ofrece el portal Yahoo. Hay de casi todo. Sólo tienes que pulsar un enlace y te encontrarás un mundo nuevo. Por ejemplo, ¿quieres ir de compras? Haz clic en el enlace Compras de Yahoo.

Compras

Encontrarás un nuevo directorio organizado con su árbol de categorías, pero únicamente para el tema que has elegido, compras. ¿Quieres comprar una peli para probar?

1. Haz clic en el enlace Cine en DVD.

Cine en DVD
Clásicos, Comedia, Drama, Musicales,...

Ahí tienes el primer grupo de tiendas. En primer lugar, hay un buscador que te permite localizar una peli por su título, por el nombre de algún actor o por el precio máximo que pagarías por ella. Eso es una búsqueda directa.

Pero si miras más abajo, verás que hay algunas tiendas bien descritas, todas están en España, se especifica la forma de pago que admiten y, si quieres saber más cosas sobre una tienda, sólo tienes que hacer clic en el enlace de la derecha Ver +. También puedes localizar más tiendas si haces clic en el enlace de abajo, el que indica Puedes ver 12 tiendas más en esta categoría.

2. Prueba a hacer clic en Ver + de la tienda que quieras. Por ejemplo, ésa que se llama OfertaDVD.com.
3. Se abre una nueva ventana de Internet Explorer. Si no se abre del todo, haz clic en el botón **Restaurar**. De los tres botoncitos que hay en la esquina superior derecha del navegador, es el del centro.

¡Megarritual!

4. Ahí tienes un montón de cosas. En la parte superior hay enlaces para Superofertas, Segunda mano, Novedades. Los DVD de segunda mano pueden ser baratísimos. ¿Y si fisgamos a ver lo que hay? Haz clic.

5. Si no te convence ninguno, haz clic en **Siguiente**.

Siguiente> >>

6. Sigue pasando páginas hasta que encuentres alguna película que te guste.

Observa que todas indican el año, el director, los intérpretes y el precio. Si haces clic en la carátula de una película, puedes ver más información. Recuerda que siempre puedes buscar directamente una peli utilizando la casilla **Búsqueda avanzada**, que aparece al final de la página.

Si no te gusta ninguna de segunda mano, también puedes elegir una nueva. En la parte izquierda de la página hay una barra de enlaces con todos los géneros, así como DVD de música o de importación.

1. Haz clic en un género, por ejemplo, **Música**.
2. Ve pasando página. Observa los precios y fíjate que algunas tienen garantía de recompra y que indican el precio de recompra. Si no quieres quedarte con ella, puedes revenderla. Si no la has visto, te recomiendo Hair.
3. Cuando te guste una, haz clic en **Añadir a la cesta.**

4. Si quieres comprar más, haz clic en **Continuar comprando**.
5. Observa tu pedido. Cada película que compres mostrará el formato, las unidades, el precio y un enlace que se llama **Quitar** para retirar el artículo de tu carro de la compra.

Cuando quieras formalizar tu pedido, haz lo siguiente:

1. Observa que tu cesta de la compra aparece en la esquina superior izquierda.

2. Si haces clic en **Editar**, puedes ver y modificar tu pedido.

Cuando quieras volver del carro de la compra a la página en la que te encontrabas, haz clic en la flecha abajo del botón Atrás y selecciona Oferta DVD: películas musicales o películas de segunda mano o lo que estuvieras viendo. Después, observa que está indicado el número de página, por ejemplo, 7 de 23. Así puedes avanzar a la 8 o retroceder a la 6 o pulsar el número de página que quieras para evitar repasar otra vez las páginas una a una.

3. Si lo que quieres es formalizar la compra, haz clic en Fin pedido.
4. Todavía podrás modificar tu compra o seguir comprando. Si ya has acabado, haz clic en la opción de envío que te interese, Correo Certificado o Servicio Urgente.
5. Haz clic en Fin pedido.
6. Escribe tu nombre y tus datos en el formulario que aparece a continuación. Escribe la contraseña que quieras en la casilla Crear contraseña. Observa que hay que repetirla. Es para comprobar que no te has equivocado. La contraseña te servirá para ver y modificar tu pedido después.
7. Haz clic en Acepto la política de privacidad de OfertaDVD. Como tienes que activar la casilla de verificación para poder comprar, es mejor que la leas antes. Ahí te cuenta lo que va a hacer con tus datos y las *cookies* que te va a enviar.
8. Si estás conforme, haz clic en Continuar. No olvides hacer clic en la casilla de verificación de la política de privacidad.
9. Ahí tienes las formas de pago y envío. Puedes pagar contra reembolso, aunque cueste un euro y pico más, pero evitas dar tu número de tarjeta de crédito, si te da picores escribirlo. También puedes pagar por transferencia, que es lo más cómodo del mundo, sobre todo si tu banco te ha dado acceso a tu cuenta en línea y puedes enviarla directamente desde el ordenador. En este caso, haz clic en Ver nuestros datos bancarios.
10. Haz clic en Imprimir en la ventana que muestra los datos bancarios. Cuando aparezca el cuadro de diálogo Imprimir, haz clic en el botón **Imprimir**.

El formulario de la izquierda que contiene sólo tu identificación y tu contraseña es para usuarios ya registrados, es decir, para ti, la próxima vez que vengas a comprar a esta tienda o cuando quieras toquetear tu pedido.

11. Si quieres pagar con VISA, rellena los datos. Observa que en la parte superior hay un texto que afirma que estás en una zona segura protegida por SSL y certificada por Verisign.
12. Haz clic en Verisign y lee el certificado digital que ACE ha concedido a la empresa que te vende los DVD.

La mayoría de las empresas que venden por Internet de forma seria, como la que acabamos de visitar, te envían después un mensaje a tu buzón de correo electrónico para darte las gracias, la bienvenida, para informarte de la entrega y, a veces, para darte un código de acceso con el que puedes manipular tu pedido o tus datos. Por ejemplo, antes de que te lo envíen puedes cambiar algo.

ACE es la Agencia de Certificación Electrónica (ACE), que se encuentra en: http://www.ace.es. Muchos sitios Web como éste utilizan un protocolo de seguridad SSL (algo así como capa de zócalo seguro). Reconocerás que te encuentras en un sitio seguro cuando veas a la derecha de la barra de estado del navegador un icono en forma de candado. Si le aproximas el puntero del ratón, aparecerá una información de pantalla amarilla indicando SSL. Cuando te encuentras en la página de OfertasDVD puedes ver el candado en la barra de estado de Internet Explorer.

Clases de portales

Los portales que hemos visto hasta ahora, como Terra y Yahoo, son portales generales, es decir, contienen información de todas clases. Pero hay otros portales que están especializados en un tipo de información, en un tema, y son ideales para localizar información específica sobre ese tema.

Como ejemplo, recuerda el portal al que llegamos al final del árbol de jerarquías de Yahoo, Tu Master.

Observa que tiene también la información estructurada por categorías, como Yahoo, sólo que, en el caso de Tu Master, toda la información se refiere a master. Si haces clic en un tema, por ejemplo, Impuestos/Fiscal, irás a parar a una página que contiene diversos programas master en esa especialidad. Si eliges uno, por ejemplo, Impuestos Sociedades, verás una página repleta de centros, programas, países modalidades, pero todos relacionados con los impuestos de sociedades.

Como éste, hay portales especializados en cualquier cosa que se te ocurra. Deportes, Medicina, Gastronomía, Historia, Cine, Política, Compras, Subastas, Inmobiliarias, etc.

Y ¿cómo se buscan?

Buscadores de portales

No es por insistir, pero todos esos portales y muchos más, los encontrarás en el anteriormente citado y nunca bien ponderado libro de esta misma colección *Aprende a buscar en Internet*.

Elemental, los portales se buscan utilizando unas herramientas llamadas buscadores de portales. Por ejemplo, Portales, que se encuentra en la dirección:

http://www.portales.miportal.es

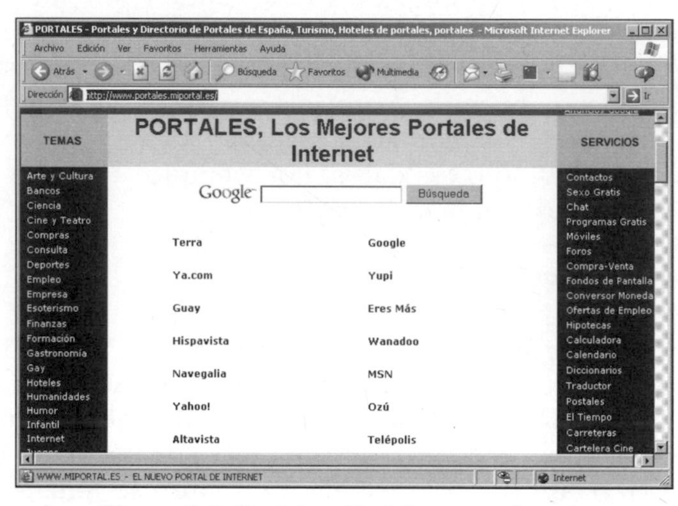

Figura 6.4. Portales. Portales a punta pala.

Los buscadores que todo lo buscan

Y ¿lo encuentran?

- Según.
- ¿Según qué?
- Más bien según quién.
- Entonces, ¿según quién?
- Según quien ¿qué?
- Que según quién.
- ¿Qué?
- ¿Quién?
- Pero, ¿se quieren callar?

En Internet hay dos tipos de buscadores. Unos son como Yahoo, que presentan la información organizada por categorías, para que hagamos clic y saltemos de vínculo en vínculo por las ramas del árbol, como Tarzán, Jane y Chita juntos.

Los otros, los que vamos a ver a continuación, presentan una casilla de búsquedas en la que hay que escribir una o varias palabras llamadas palabras clave, para indicar al buscador que localice la información que nos interesa.

Entonces, el buscador nos ofrece la lista de documentos que contengan las palabras clave. Y tenemos que hacer clic en los enlaces de esos documentos para obtener la información directamente.

Los motores de búsqueda son programas robots llamados *spiders* (arañas); otros se llaman *crawlers* (arrastre por orugas). Estos bichos recorren Internet mirando y remirando las páginas y saltando de vínculo en vínculo en busca de información. Todo lo que encuentran y les parece relevante lo van añadiendo a una base de datos que tienen ya preparada para recopilar datos y más datos.

Hay buscadores, como Google, que exploran la Web y almacenan en la memoria *caché* una copia de seguridad de las páginas localizadas, de forma que el usuario puede ver cómo era la página cuando el buscador la captó. La copia que el buscador guarda en la caché es la que recoge información importante, porque los buscadores no se quedan con copias y enlaces de todas las páginas Web que encuentran, sino de las que ofrecen alguna información que vaya a interesar a los visitantes.

Por su parte, los creadores de páginas Web, las crean con el objetivo de que vaya la gente a visitarlas, aunque siempre hay quien crea páginas por el gusto de crearlas y las cuelga por ahí, en cualquier servidor gratuito, sin pretender que los demás vayamos a fisgar lo que dice. Pero no es lo normal. Lo normal es que las páginas anuncien, vendan, ofrezcan o exhiban algo. O que se limiten a contar experiencias, conocimientos y vivencias personales, pero para que alguien las lea.

- Sobre todo, si es Peláez quien escribe.

Entonces, al crear una página Web, el creador la da de alta en todos los buscadores posibles, para que estos lleven sus datos a sus bases de datos y, cuando alguien busque algo contenido en esa página, el buscador le ponga en contacto con ella.

Figura 6.5. Con motivo de las olimpiadas, Google aparecía olímpico perdido.

Cuando busques algo en Google, observa que los resultados ofrecen, además del vínculo en el que hacer clic para acceder a la página Web que sea, dos enlaces:

- **En caché**. Aquí encontrarás la información que Google guardó la primera vez que la encontró. Es útil si, por ejemplo, al hacer clic en el enlace para ir a la página Web, ésta no aparece porque se ha muerto o se ha ido a otro lado. La información en *caché* te puede orientar, pero ten en cuenta que es información obsoleta. Si buscas algo histórico, da igual, pero si necesitas datos actuales, no te fíes de los contenidos en *caché*.

- **Páginas similares**. Te presenta direcciones de varias páginas Web del mismo nombre o nombre parecido al de la página que ha publicado la información.

En caché - Páginas similares

Creo que Google es el mejor buscador que hay ahora en Internet. Puede que otras personas piensen de otra manera o que les parezca que los hay mejores. Pero creo que estarás de acuerdo en que el mejor programa es el que uno conoce y maneja mejor, así que vamos a aprender a buscar en Internet utilizando Google. Su dirección es:

http://www.google.es

Cuando busques información, ten en cuenta que los buscadores tienen una versión internacional y otra para cada país. Por ejemplo, cuando trabajamos en este libro con Google y Yahoo, lo hacemos con su versión para España y eso facilita mucho las búsquedas de información española o situada en servidores españoles. Sin embargo, si quieres localizar información de los Estados Unidos, es mejor que utilices la versión internacional del buscador, por ejemplo, **http://www.yahoo.com** o **http://www.google.com**. Parece que es lo mismo, pero no lo es. Lo mismo pasa con Lycos, Altavista y todos los buscadores *made in USA*.

Las palabras clave

Las palabras clave son las que el buscador entiende, las que va a localizar en su base de datos y tras las cuales debe encontrarse la información que necesitas.

- Por ejemplo, "silenciar" "pelmazos."
- Por ejemplo, "repetir" "clase."
- ¡No! ¡Eso noooo!

Éstas son la reglas para escribir palabras clave:

Cuantas más palabras clave incluyas en una búsqueda, tanto más restringidos y precisos serán los resultados. Si escribes turismo rural santander playa julio encontrarás muchas menos ofertas que si solamente escribes turismo rural santander, pero serán mucho más precisas y referidas a lugares de playa para el mes de julio, si es eso lo que andas buscando.

- No necesitan mayúsculas. Los buscadores como Google ignoran las mayúsculas y buscan igualmente si escribes burgos o si escribes Burgos.
- No necesitan acentos. Los buscadores hacen caso omiso de los acentos, así que te puedes ahorrar consultar el diccionario ortográfico.
- Se utilizan completas. Si te has acostumbrado a que tu procesador de textos busque aeronáutico cuando escribes aero, olvídate. El buscador buscará aero. Si quieres que busque aeronáutico, tendrás que escribir la palabra completa aeronautico. Sin acento, recuerda.
- No incluyen partículas como preposiciones, artículos, conjunciones, etc. Si escribes portales de turismo, el buscador se comportará igual que si escribes portales turismo. Te ahorras la preposición. Si quieres buscar una preposición o un artículo, tendrás que tratarlo como si fuera una palabra clave y escribirlo con el signo +. Por ejemplo, si escribes +de+turismo, encontrarás varios millones de páginas Web que contienen la palabra de y la palabra turismo.

Cuanto más precisas sean las palabras clave que utilices, más posibilidades hay de que encuentres lo que buscas. Por ejemplo, si quieres buscar entradas para el cine y escribes eso, entradas cine, el buscador localizará cientos de miles de páginas Web donde se vendan entradas de cine. Piensa que también hay cines en Barranquilla, en la Patagonia, en Cancún y en Punta Umbría y a lo mejor tú lo que quieres son entradas para un cine de la ciudad en la que vives. Además de todo eso, el buscador localizará páginas Web que cuenten lo caras que están hoy en día las entradas para ir al cine y que hay cines para los que no hay manera de conseguir entradas porque Peláez las ha acaparado todas para el negocio de la reventa. Es decir, el buscador encontrará todos los documentos de la Web que mencionen la palabra entradas y la palabra cine.

- Pues usté se parece a un actor de cine.
- ¿Cuál? Me han dicho que me parezco a...
- La mona Chita.
- ¡Qué va! La mula Francis.
- ¡Dita sa! ¡Piqué!

Un ejemplo

Vamos a hacer la prueba:

1. Escribe http://www.google.es en la casilla Dirección de tu navegador y haz clic en el botón **Ir**.
2. Ahí tienes a Google. Luego analizaremos sus posibilidades. De momento, escribe entradas cine en la casilla de búsquedas.
3. Ahora puedes hacer clic en el botón **Búsqueda en Google**. Pero observa que tienes ya posibilidades de restringir la búsqueda. Haz clic en el botón de opción Páginas de España. Por lo menos, no saldrán los cines de América.
4. A mí me han salido 70.900 resultados. Y ¿a ti?

Vamos a restringir la búsqueda.

- Y ¿no se podría de paso restringir la longitud de la paliza, digo de la clase?

1. Haz clic en la barra de desplazamiento derecha y muévela hacia abajo hasta el final de la página.
2. Haz clic en un enlace que se llama Restringir la búsqueda a los resultados. Lo próximo que escribas en la casilla de búsquedas, se localizará exclusivamente en páginas Web que contengan ya las palabras entradas y cine.

3. En la nueva casilla que aparece, escribe el nombre de tu ciudad, por ejemplo, **bilbao**.

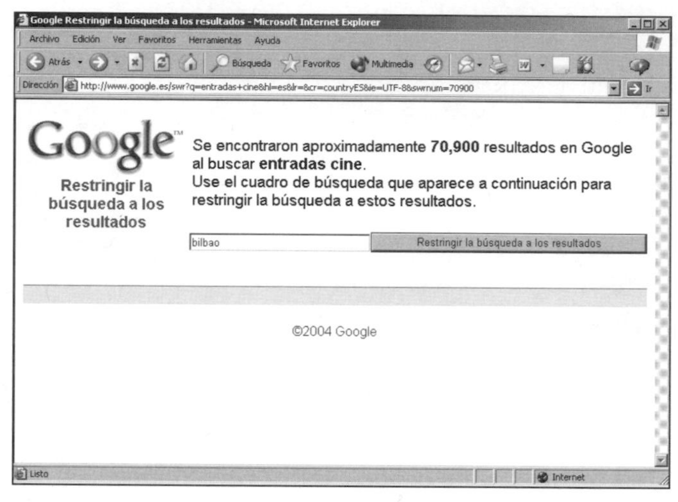

Figura 6.6. Búsqueda restringida en Google.

4. Haz clic en el botón largo.
5. Ahora los resultados son menos de la mitad de la mitad. Tres mil y pico.

Los operadores lógicos

En el ejemplo anterior, hemos pedido a Google que buscara información utilizando tres palabras clave:

- entradas
- cine
- bilbao

Si Google no fuera tan listo como es, (un pelín más de lo que dice ser Peláez y varios millones de veces más de lo que es en realidad), hubiera buscado páginas Web que mencionaran la palabra **entradas** o que mencionaran la palabra **cine** o que mencionaran la palabra **bilbao**.

El resultado hubiera sido inconmensurable.
- Inconmensurable es la longitud de su rollo.

Los operadores lógicos también se llaman operadores booleanos, por su aplicación al álgebra de Boole, un matemático del XIX que aplicó la lógica aristotélica a las operaciones matemáticas y creó un sistema de lógica simbólica muy sencillo y práctico, que luego utilizaron los ordenadores para averiguar si un proceso deductivo es verdadero o falso. Y para otras cosas. Lo que importa es que sepas que cuando encuentres una referencia a la lógica booleana o a los operadores booleanos, se trata de los que vamos a ver a continuación (y algún otro que no veremos para no complicarnos la vida).

Y

Google ha utilizado, sin decírtelo para no abrumarte, un operador lógico: Y. Es decir, ha buscado páginas Web que contuvieran la palabra **entradas** y la palabra **cine** y la palabra **bilbao**. Y es el operador lógico de la suma, por eso, los buscadores admiten el signo + (más) para localizar páginas que contengan varias palabras. En este caso, escribir **entradas, cine, bilbao** equivale a escribir **+entradas +cine +bilbao**, porque Google, como Terra, Yahoo, Ozú y muchos otros buscadores, supone que has escrito + cuando escribes más de una palabra en su casilla de búsquedas. Observa que el signo + va unido y precede a cada palabra a incluir.

También hay buscadores internacionales que admiten solamente el operador en inglés AND.

Google es un buscador tan potente, que lo utilizan muchos otros buscadores y portales. Por ejemplo, el españolísimo portal Ozú, que encontrarás en http://www.ozu.es, emplea Google como motor de búsquedas.

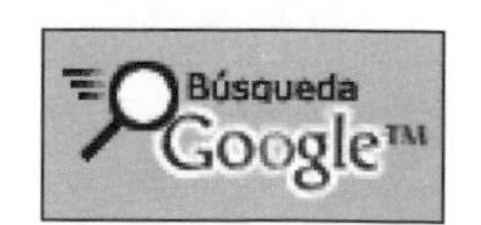

O

Otro de los operadores que se utilizan en las búsquedas es O, al que los angloparlantes llaman OR y que equivale a multiplicar.

Google interpreta que queremos poner la Y o el + cuando escribimos varias palabras en su casilla de búsquedas. Y de

Has visto que hay que utilizar OR, + y – con Google, pero que otros buscadores requieren operadores en inglés, en castellano o en lo que sea. Cuando trabajes con un buscador, antes de lanzarte a localizar páginas, echa un vistazo a la ayuda, que todos la tienen. Así podrás saber qué operadores utiliza.

ahí no le saca nadie, porque listo es, sí, pero también es más terco que una mula. Pero, si en realidad hubiésemos querido que buscase todos los documentos que contuvieran la palabra entradas, más todos los que contuvieran la palabra cine, más todos los que contuvieran la palabra bilbao, hubiéramos tenido que escribir lo siguiente:

Entradas OR cine OR bilbao.

Haz la prueba y verás:

1 Escribe Entradas OR cine OR bilbao en la casilla de búsquedas. Ponemos la versión inglesa de los operadores porque Google, aunque está en español, es angloparlante en el fondo.

2 Haz clic en el botón de opción Páginas de España.

3. Haz clic en el botón **Búsqueda en Google**.

A mí me salen 1.420.000 resultados. ¿A ti?

- Varios miles de millones.

- A usté no le he preguntado, que usté sólo sabe perturbar la paz de la clase.

NO

El tercer operador es NO, al que los angloparlantes llaman NOT y que equivale a restar, al signo -.

Supón que queramos buscar todos los sitios Web que vendan entradas en Bilbao, pero que no sean de cine, es decir, que sean de conciertos, de teatro, de cualquier cosa, menos de cine.

Habrá que decirle a Google que busque documentos en los que aparezca la palabra entradas Y la palabra bilbao pero que NO aparezca la palabra cine.

Prueba a escribir en la casilla de búsquedas: entradas bilbao -cine. Observa que el signo - va unido y precede a la palabra a excluir.

A mí me salen 7.340 resultados con entradas para el circo, para un balneario, para el Guggenheim, para la tira de sitios y otras que, aunque no vendan entradas, mencionan la palabra entradas y la palabra bilbao, como que no hay entradas en Bilbao pero las hay en noséдónde.

Cada buscador tiene sus trucos

Cuando un buscador no encuentre un tema o un recurso, no hay que desesperarse. Ten en cuenta lo siguiente:

- Considera si el buscador es adecuado. Para localizar recursos situados en España, es mejor emplear un buscador español: por ejemplo, Atapuerca aparece en pocos buscadores extranjeros, es mejor buscarlo en Ozú o Terra. Si quieres buscar información de la Patagonia, es mejor que utilices un buscador argentino o chileno. ¿Que no sabes dónde encontrar buscadores argentinos o chilenos? Luego lo veremos. Paciencia.
- Hay que buscar por diferentes vías. No todos los buscadores tienen indexados todos los recursos. Es mejor probar con más de uno. Para eso son útiles los superbuscadores. Luego hablaremos de ellos.
- Hay que probar con distintas palabras clave. Por ejemplo, para buscar entradas para los toros, puedes probar entradas toros, venta entradas toros, entradas espectáculos,
- Ten en cuenta el idioma. Si quieres encontrar algo en un país de lengua inglesa o francesa, es mejor que lo escribas respectivamente en inglés o en francés además de utilizar un buscador de ese país o un buscador internacional. Si escribes la palabra en español, solamente la encontrarás si hay una página Web traducida al español que trate de lo que buscas. Piensa que no todos los sitios Web tienen una versión en inglés, por mucho que el

Si lo que quieres es pasártelo realmente bien con el traductor de Altavista o el de cualquier otro buscador, prueba a traducir al inglés expresiones del mus, como "la mano de un niño," "a la mano con un pimiento" o "¿cuántos me quitas?"

inglés sea la primera lengua de la Web. Encontrarás sitios en francés, en catalán, en holandés, en alemán, en chino, en ruso, en japonés, en hebreo o en lo que sea, que no tienen versión en otro idioma.

Hay buscadores, como Altavista, que ofrecen una casilla de traducción que permite traducir de un idioma a otro una palabra determinada, de manera que se pueda buscar fácilmente en motores de búsqueda de otras lenguas. Por ejemplo, para traducir "colegio mayor" al inglés, hay que hacer lo siguiente:

1. Dirígete a Altavista, en **http://es.altavista.com**.
2. Haz clic en la herramienta **Traducir**, situada bajo la casilla de búsquedas.
3. Escribe **colegio mayor.**
4. Despliega la lista de idiomas y selecciona **Español a inglés**.
5. Haz clic en el botón **Traducir**.

6. Si quieres buscar esas palabras, haz clic en el botón **Busque este texto en la web**.

Búsqueda avanzada

Además de la casilla de búsquedas y del botón **Buscar**, los buscadores incorporan métodos para restringir las búsquedas y evitar resultados excesivos, como hemos visto en Google que tiene los tres botones de opción siguientes:

- La Web. Para buscar en toda la Red.
- Páginas en español. Para buscar páginas en español en cualquier lugar del mundo.

- Páginas de España. Para buscar páginas situadas en servidores españoles.

Además, ya hemos probado el enlace Restringir la búsqueda a los resultados. También puedes ver un botón llamado **Voy a tener suerte**, que te conduce a una página específica con la información que buscas, mientras que el botón **Buscar en Google** te presenta un montón de páginas.

Haz la prueba:

1. Escribe entradas bilbao cine en la casilla de búsquedas de Google.
2. Haz clic en **Voy a tener suerte**.
3. Fíjate. Cartelera Cinerama, con los cines de Bilbao.

El enlace Búsqueda avanzada, que aparece junto a la casilla de búsquedas, facilita el uso de operadores lógicos. Google ofrece casillas en las que escribir palabras clave para localizar la frase exacta, todas las palabras, alguna de las palabras o sin esa palabra. En otros buscadores, esta opción se llama Búsqueda fácil, pero básicamente funciona de la misma manera. No olvides que hay muchos buscadores y portales que emplean el motor de Google.

Fray ejemplo es el mejor predicador

¡Megarritual!

Vamos a buscar algo complicadillo. Por ejemplo, queremos ir al cine y estamos en Madrid. Vamos a buscar una peli con Google, por ejemplo, *Yo robot*.

- Eso, usté robot y yo me largo.

1. Ve a la página inicial de Google. Ya sabes, http://www.google.es.
2. Haz clic en Búsqueda avanzada.
3. Como conoces la frase completa y exacta, la cosa es fácil. Escribe yo robot, sin molestarte en poner

mayúsculas, en la casilla **con la frase exacta** de la **Búsqueda avanzada** de Google.

4. Haz clic en el botón **Búsqueda en Google**.

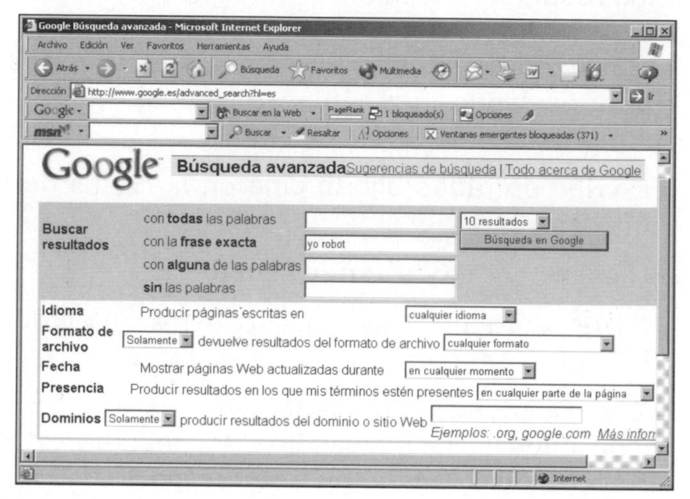

Figura 6.7. La búsqueda avanzada de Google. Una pasada.

Cuando aparezcan los resultados, encontrarás la frase que has escrito, "yo robot", entrecomillada en la casilla principal de búsquedas de Google. Al decirle que buscara la frase exacta, él mismo le ha puesto las comillas, que indican que hay que buscar la frase completa, tal cual está escrita.

Observa la cantidad de resultados que te presenta Google. Ahora sólo tienes que hacer clic en el que más te guste.

Ahora buscaremos algo más difícil todavía. Uno de los deportes más divertidos es el patinaje sobre hielo. Supón que vas de viaje a Granada y quieres aprovechar para pasar un rato agradable dándole a ese deporte.

Esta vez no conoces la frase completa, porque a saber cómo vienen anunciadas las pistas de hielo de Granada. Lo que sí está claro es que hay tres palabras que tienen que figurar en la búsqueda sí o sí.

1. Escribe patinar hielo granada en la casilla con todas las palabras de la Búsqueda avanzada de Google.
2. Haz clic en el botón **Búsqueda en Google**.
3. Cuando aparezcan los resultados, encontrarás las palabras clave, patinar hielo granada, tal cual, en la casilla principal de búsquedas de Google.

Tienes una semanita de vacaciones y la quieres dedicar a un deporte de riesgo. ¿Puenting o rafting? ¡Qué más da! El caso es pasarlo en grande. Pues nada, es cuestión de poner a Google a buscar ofertas para cualquiera de los dos deportes. Eso sí, que no sea en un país extranjero, porque una semana no da para mucho.

1. Como te da igual puenting que rafting, escribe puenting rafting en la casilla con alguna de las palabras de la Búsqueda avanzada de Google.
2. Haz clic en la lista desplegable Idioma y selecciona español.
3. Otra cosa que te interesa es que la oferta sea reciente, no vaya a ser que encuentres algo muy atractivo para el verano de 1996. Haz clic en la lista desplegable Fecha y selecciona en los últimos tres meses.
4. Haz clic en el botón **Búsqueda en Google**.
5. Cuando aparezcan los resultados, encontrarás las palabras clave, puenting OR rafting, en la casilla principal de búsquedas de Google. Al decirle que buscara alguna de esas dos palabras, ha colocado él solo el operador OR.

Lo último y lo más difícil. Ahora quieres hacer un recorrido por el Camino de Santiago, pero alojándote en albergues y posadas, que son más típicos y económicos que los hoteles. ¡Ah! Y quieres hacer el viaje en bicicleta, con otros peregrinos ciclistas.

Esta vez, la cosa es más complicada. Veámoslo casilla a casilla:

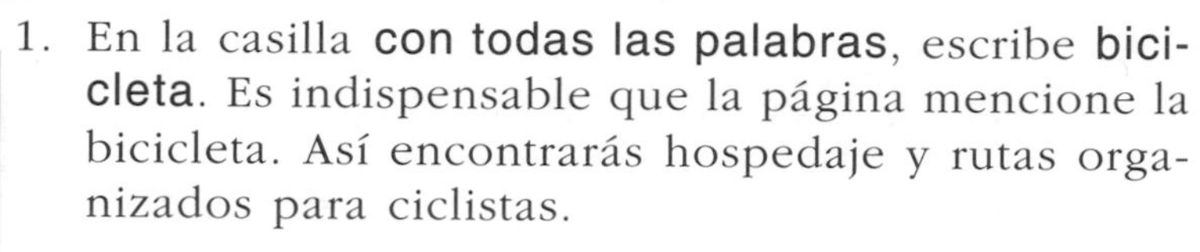

1. En la casilla **con todas las palabras**, escribe **bicicleta**. Es indispensable que la página mencione la bicicleta. Así encontrarás hospedaje y rutas organizados para ciclistas.
2. En la casilla **con la frase exacta**, escribe **camino de santiago**. Eso sí que está claro. El Camino de Santiago se llama así y de ninguna otra manera.
3. En la casilla **con alguna de las palabras**, escribe **albergue posada**. Así encontrarás ese tipo de alojamientos.
4. En la casilla **sin las palabras**, escribe **hotel**, para que no aparezcan páginas que anuncien u ofrezcan hoteles en el Camino de Santiago.
5. En la lista desplegable **Idioma**, deja seleccionada la opción **cualquier idioma**. Encontrarás muchas páginas Web en gallego, pero también las hay en muchos otros idiomas, destinadas a turistas de otros países. El Camino de Santiago es largo e internacional. Y empieza en Francia, que por algo lo inventó un abad francés, san Hugo de Cluny.
6. Haz clic en el botón **Búsqueda en Google**.
7. Cuando aparezcan los resultados, encontrarás las palabras clave escritas de la siguiente manera: **bicicleta albergue OR posada "camino de santiago" –hotel**. Google ha colocado los operadores lógicos por ti. ¿A que es listo?

Las comillas

Cada buscador utiliza sus operadores y sus métodos de búsqueda avanzada, aunque todos tienen bastante en común. Lo que sí parece común para todos los buscadores es escribir entre comillas las expresiones exactas a localizar. Eso es útil para encontrar documentos de los que conozcas una expresión incluida en el texto. El ejemplo más práctico es la letra de una canción.

Supón que quieres encontrar en Internet la letra de esa canción tan bonita cuyo título no recuerdas, pero sí sabes que dice "de piedra ha de ser la cama....."

Vamos a por la letra.

1. Ve a http://www.google.es.
2. Escribe "de piedra ha de ser la cama" en la casilla Búsqueda. No te olvides de las comillas.
3. Haz clic en el botón **Búsqueda en Google**.
4. Ahí tienes unos cuantos documentos que hablan de la letra de esa canción. Haz clic el que prefieras. Encontrarás la letra y, en algunos, la música.

Guarda e imprime la página, ahora que la has encontrado.

1. Haz clic en Archivo > Guardar como.
2. En el cuadro de diálogo Guardar página Web, selecciona la carpeta en que quieres guardarla. De forma predeterminada, Windows envía los documentos que guardes a la carpeta C:\Mis documentos.

   Si quieres, puedes cambiar el nombre del archivo para acordarte mejor. Haz clic en Nombre de archivo y escribe el nombre que quieras o deja el que está.
3. Comprueba que en Archivos de tipo está seleccionada la opción Página Web completa.
4. Haz clic en Guardar.

Cuando quieras abrir la página sin conexión a Internet, puedes hacer dos cosas:

Recuerda que Windows guarda las páginas Web en dos archivos, el documento HTLM y la carpeta con las imágenes, sonidos y demás. Si eliminas o trasladas el documento HTML, la carpeta con los contenidos irá detrás, pero si eliminas o trasladas la carpeta sola, el documento HTML no irá detrás y, además, quedará hecho una birria, sin imágenes ni marcos ni nada.

¡Megarritual!

- Hacer clic en el nombre del archivo guardado, localizándolo en Mi PC o en el Explorador de Windows.
- Utilizar el cuadro de diálogo Abrir, de la forma siguiente:

1. Abre Internet Explorer y selecciona Archivo> Abrir.
2. En el cuadro de diálogo Abrir, haz clic en **Examinar**.
3. En el cuadro de diálogo siguiente, selecciona el archivo de la página Web que has guardado. Si está en C:\Mis documentos, lo encontrarás en seguida, porque el cuadro de diálogo va en primer lugar a buscar allí.

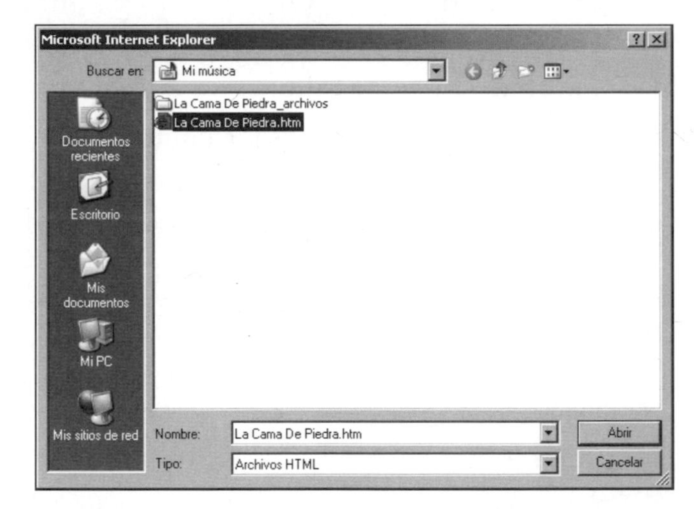

Figura 6.8. Observa los dos archivos que componen La cama de piedra.

4. Haz clic en **Abrir**.
5. Cuando toda la ruta de acceso al archivo aparezca en la casilla Abrir del cuadro de diálogo Abrir, haz clic en **Aceptar**.

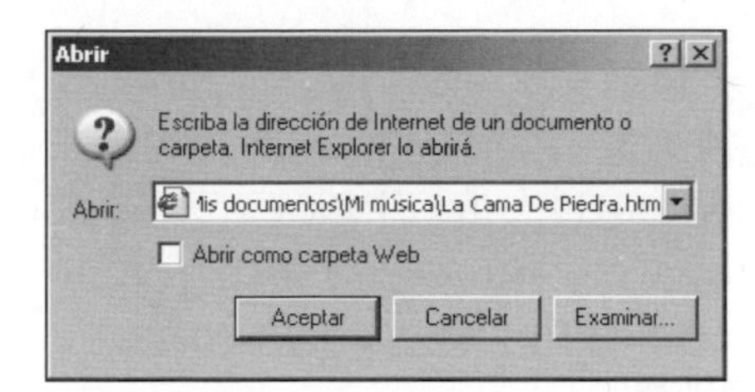

Figura 6.9. El cuadro de diálogo Abrir de Internet Explorer.

6. Observa que Internet Explorer mostrará en la barra Dirección la ruta en que esté almacenada la página, no la dirección de Internet.
7. También puedes imprimirla ahora sin necesidad de conectarte. Haz clic en Archivo>Imprimir.

Más cosas que buscar

Además de documentos, podemos encontrar en Internet muchas más cosas. Por ejemplo, podemos buscar imágenes, vídeos, música...

- Y ¿bozales?

- Muchos. Para la medida de usté.

- Sí, porque la de usté no la dan. Es infinita.

Si te fijas en la interfaz de Google, tiene varios enlaces encima de la casilla de búsquedas:

- La Web. Está seleccionada de antemano. Busca páginas Web, documentos alojados en servidores de la Web.
- Imágenes. Busca exclusivamente imágenes. Ahora buscaremos una. Un momento.
- Grupos. Busca grupos de discusión.
- Directorio. Ofrece la información organizada en forma de árbol de jerarquías, como el visto en Yahoo.
- News. Noticias y noticiarios a porrillo.

Las imágenes

Buscar imágenes con Google es de lo más fácil, a pesar de que Peláez se las da de que él es capaz de localizar muchas más que cualquiera en mucho menos tiempo.

- Será que sabe lo que hace.
- No como otros.
- Eso digo yo.
- Digo que otros no saben lo que hacen.
- Y otros no saben más que dar la brasa.

1. Dirígete a Google.
2. Haz clic en el enlace **Imágenes**.
3. Escribe **aurora boreal** en la casilla.
4. Haz clic en **Búsqueda en Google**.
5. ¡Fíjate qué pasada! Un montón de imágenes de auroras boreales. Haz clic en la primera de ellas.

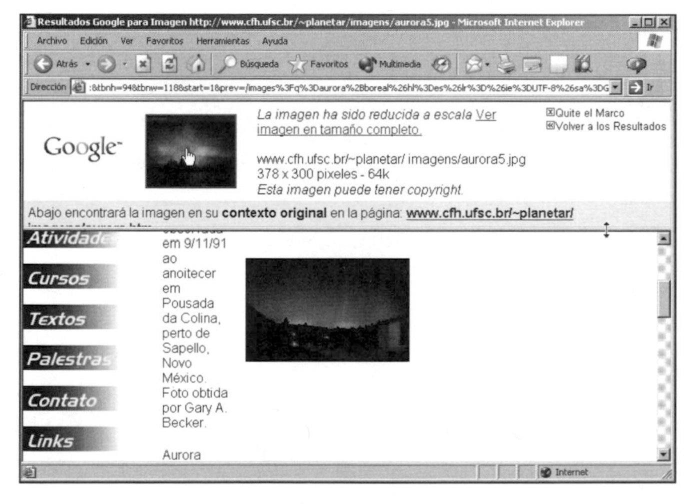

Figura 6.10. Será por auroras boreales.

- Si quieres ver la imagen en su tamaño real, haz clic sobre ella. Observa que el puntero del ratón se ha convertido en una mano, lo que indica que hay un vínculo debajo.

- Una vez que la veas de tamaño natural, recuerda que, en cuando acerques el puntero a la esquina superior izquierda, aparecerá una barra de herramientas con botones para guardar o imprimir la imagen.

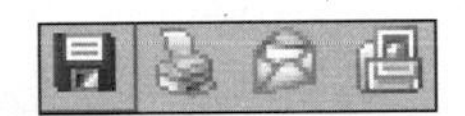

Si acercas el puntero del ratón a una imagen y no aparece la barra de herramientas para guardarla o imprimirla, puedes hacer clic sobre ella con el botón derecho del ratón. Aparecerá un menú contextual en el que podrás elegir **Guardar imagen como** o **Imprimir imagen**, entre otras opciones, como enviarla por correo electrónico a Peláez para que se ponga amarillo de la envidia.

Si no consigues que aparezca la barra de herramientas ni el menú contextual, puede ser que la imagen esté protegida contra copias e impresiones, que también las hay. Sin ir más lejos, el sobrino de una cuñada de mi consuegro político conoce a uno que creo que protege todo lo que publica.

- A la derecha de la imagen (antes de agrandarla, claro, que ¿cómo vuelves? Pulsa el botón **Atrás** del navegador), hay dos pequeños enlaces. Uno dice Quite el marco. Si haces clic en él, desaparece el marco superior de la página y queda solamente la parte inferior, que es la página original donde se encuentran ésa y otras imágenes.
- El otro enlace dice Volver a los Resultados y hace eso, volver a los resultados de Google en la búsqueda de imágenes de auroras boreales. Así puedes ver otra.
- La barra de separación del marco se puede mover. Si acercas a ella el puntero del ratón, se con-

vertirá en una flecha de dos puntas. Estirando hacia arriba o hacia abajo, el marco se contrae o se amplía.

Algunas imágenes de auroras boreales se pueden ver a lo bestia. Por ejemplo, si vuelves a los resultados de Google, prueba a hacer clic en el imagen **bg14aur28-b.jpg**. Si las cosas no han cambiado desde que yo escribo hasta que tú lees, es la tercera imagen. Es una aurora fotografiada el 20 de noviembre de 2003 en Tübingen, Alemania.

Figura 6.11. Ahí está. Doña Aurora en persona.

¡Megarritual!

1. Si acercas el puntero a la imagen, verás que se convierte en una mano.
2. Haz clic para ampliarla.
3. Haz clic en Quite el marco.
4. Observa que, si acercas el puntero a la esquina inferior derecha de la imagen, aparece el botón Expandir a tamaño normal.

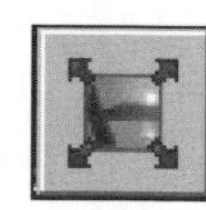

5. No te lo pierdas. Haz clic en él.

Puedes guardarla e imprimirla si tienes impresora a color.

Noticias frescas

Si buscas noticias, haz lo siguiente:

1. Dirígete a Google.
2. Haz clic en el enlace News.
   - Si quieres leer alguna de las noticias que Google te presenta, haz clic en ella para acceder al texto completo. No te quedes a medias.
   - En cada noticia que leas, encontrarás un cuadro de servicios que te permite enviar la noticia a alguien por correo electrónico para que se entere, imprimirla, escribir al periódico digital que la publica o ir a la noticia anterior o a la siguiente.

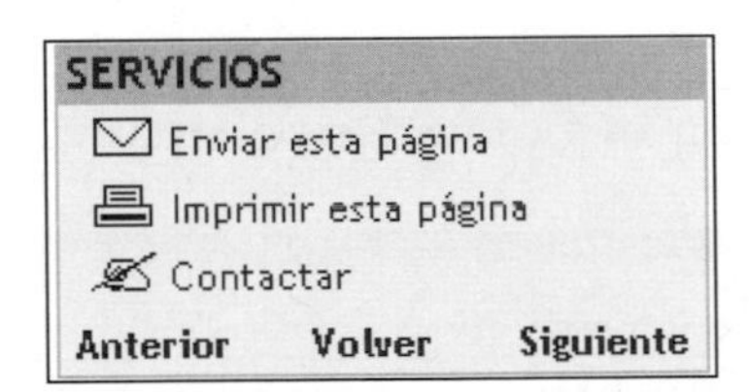

   - Si quieres buscar una noticia, escribe las palabras clave en la casilla de búsquedas. Por ejemplo, si quieres saber sobre Carlos Sainz, escribe su nombre con minúsculas y sin acento en la casilla y luego haz clic en el botón **Buscar en News**. Obtendrás noticias sobre nuestro corredor. Dale recuerdos, por cierto.

Música, vídeo, de todo

No paramos de hablar de Google y de cantar sus alabanzas, pero no es el único buscador capaz de localizarlo todo.

Por ejemplo, Altavista y Lycos tienen dispositivos especiales para buscar música y películas. Se encuentran respectivamente en:

http://es.altavista.com

http://www.lycos.es

Para buscar archivos de sonido en Altavista, haz lo siguiente:

Si de verdad quieres buscar música gratis, es recomendable que pongas la palabra en inglés, *free*. Encontrarás muchos más archivos musicales gratis que si lo pones en español. Escribiéndolo en español, yo he encontrado mil y pico direcciones, pero, en inglés, cerca de sesenta y dos mil.

1. Dirígete raudo y veloz a http://es.altavista.com
2. Haz clic en Mp3/Audio.
3. Ahí tienes una serie de casillas de verificación con los distintos formatos de archivos de sonido que se pueden encontrar en la Red. Si dejas todas las casillas activadas, Altavista buscará archivos de sonido en todos los formatos posibles. Si quieres, por ejemplo, buscar solamente Mp3, desactiva todas las casillas excepto MP3.
4. Si sabes el título de lo que buscas, escríbelo en la casilla de búsquedas. Yo he escrito la palabra gratis. Ya sabes. P.S.C.
5. Haz clic en el botón **Encontrar**.

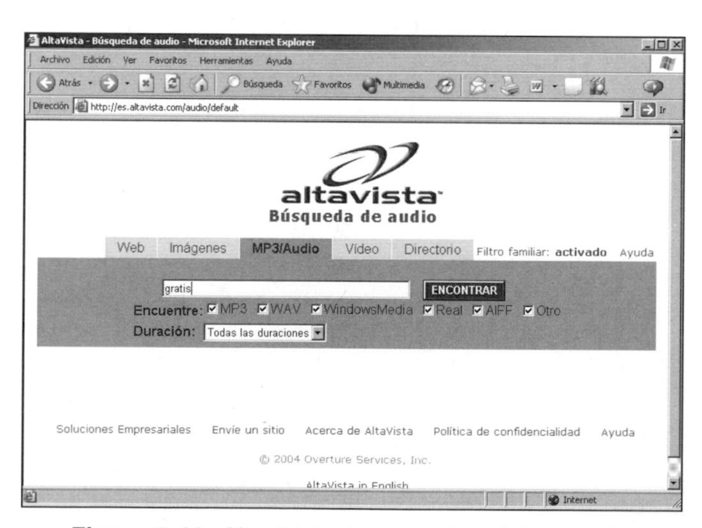

Figura 6.12. Altavista a la caza de música gratis.

- ¿Qué es P.S.C.? ¿Algo así como *Peer Search Code*?
- No señor, Por Si Cuela.

> Ten cuidado con las cosas gratis que te bajas de Internet. Si no conoces la página de origen, te pueden colar un virus, un marcador de teléfono o instalarte un programa espía o, sin ser espía, algún otro programa que no te haga falta, que, además, no sepas utilizar y que, para terminar de jorobar, te ralentice el ordenador y te lo deje hecho una piltrafa.
>
> Si se te aparece un cuadro de aviso diciendo que te va a instalar esto o aquello, di que no. Si insiste, haz clic en el botón **Cerrar**, el que tiene forma de aspa, pero no del cuadro de aviso, sino del mismo Internet Explorer o del navegador que utilices. Con eso ahuyentarás al espíritu maligno y a la Santa Compaña en pleno. Luego lo vuelves a poner en marcha y en paz.

Buscar vídeos es parecido. Vamos a probar con Lycos:

1. Dirígete a **http://www.lycos.es**.
2. Observa que Lycos tiene también botones de opción para buscar noticias o imágenes, así como un enlace que se llama **Busca imágenes**. Pero ahora vamos a buscar vídeos. Haz clic en **Búsqueda avanzada**.

   Búsq. Avánzada

3. Haz clic en el botón de opción **Videos**.

Puedes utilizar la casilla de búsquedas para escribir el nombre del vídeo que quieras buscar. También puedes emplear la búsqueda avanzada como hemos hecho con Google. Por ejemplo, para localizar un vídeo de Madonna, escribe **Madonna** en la casilla **Buscar**. Si conoces el título o parte del título, ponlo en **Los resultados deben contener**. Observa que hay una lista desplegable que te permite elegir **La palabra** o **La frase**. Eso te permite escribir una frase entera, por ejemplo, el título del vídeo.

4. Haz clic en el botón **Go**.

Busca y controla con el navegador

Internet Explorer tiene un buscador incorporado. Para buscar una información con Internet Explorer, haz lo siguiente. Supón que quieres averiguar qué es eso del Meridiano de Tenerife, que suena bastante bien y puede proporcionarte un conocimiento con el que presumir un rato con el sabiondo de turno y dejar K.O. al mismísimo Peláez.

1. Haz clic en el botón **Búsqueda** de Internet Explorer.
2. En la casilla Buscar páginas que contengan, escribe "meridiano de tenerife".
3. Haz clic en **Buscar**.

Hemos puesto "meridiano de tenerife" en la casilla de búsquedas, para localizar textos que traten sobre ese meridiano. Si pones meridiano tenerife o meridiano de tenerife, es decir, sin las comillas y sin la preposición "de", el buscador de Internet Explorer localizará textos que hablen de meridianos y textos que hablen de Tenerife. O sea, un montón.

Buscadores de buscadores

Hemos visto que hay distintos tipos de buscadores.

- Lo que hemos visto es que usté no se calla ni a la de tres.

Pero ahora debería de venir la pregunta del millón: ¿Cómo encontrar esos buscadores?

Pues eso, con un buscador de buscadores.

- Y, ¿cómo metería usté cuatro elefantes dentro de un seiscientos?

- Dos delante y dos detrás, a ver si cree que me va a pillar.

- Vale. Y ¿cómo metería usté cuatro jirafas?

- Igual. Dos delante y dos detrás.

- ¡Ya! ¡Sin sacar los elefantes primero! ¡Cómo que iban a caber!

- Podrían llevarlas en brazos, digo yo.

El mejor buscador de buscadores en español que palpita por estos pagos es, sin duda, Buscopio. Se encuentra en:

http://www.buscopio.net

No te molestes en buscar información en Buscopio. Si quieres encontrar el teléfono de tu prima Gumersinda, no lo vas a encontrar. Lo que sí vas a encontrar van a ser buscadores de números de teléfono y en alguno de ellos vas a localizar a tu prima.

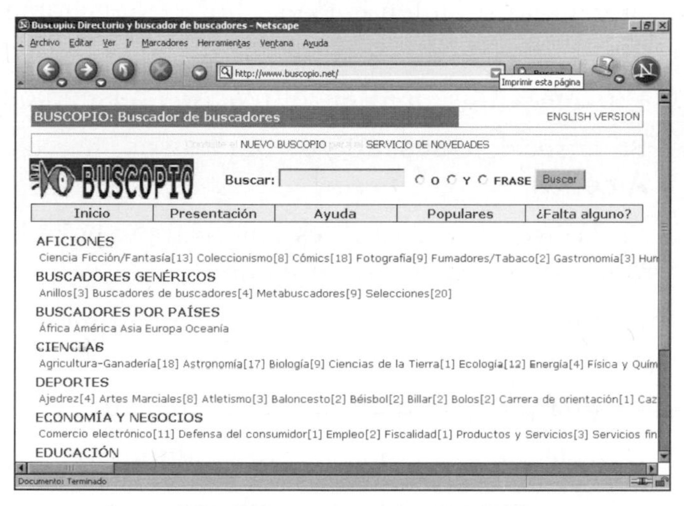

Figura 6.13. Buscopio. Ahí está.

Buscopio tiene la información estructurada por temas, como la de Yahoo, sólo que, en vez de páginas Web, imágenes, vídeos y demás, lo que localiza son buscadores. Si haces clic en el enlace **Nuevo Buscopio**, podrás acceder al directorio que recoge todos los buscadores por categorías.

Vamos a buscar el teléfono de tu prima.

- Una de las cosas que puedes hacer es escribir la palabra o palabras clave, por ejemplo, **telefonos**, en la casilla de búsquedas y hacer clic en el botón **Buscar**. Observa que también puedes incluir operadores lógicos. En esto, Buscopio se comporta como Google, sólo que, en vez de localizar páginas Web que contengan la palabra **telefonos**, presenta buscadores, portales o guías que contengan teléfonos.

- La otra cosa que puedes hacer es utilizar el árbol de jerarquías, como hicimos con Yahoo. Depende de lo que tengas que buscar.

Por ejemplo, ¿recuerdas que antes hemos dicho que para localizar información de la Patagonia lo mejor es utilizar un buscador argentino o chileno? Pues ahora es el momento de encontrarlo.

1. Dirígete a Buscopio en http://www.buscopio.net.
2. En la sección Buscadores por países, haz clic en América.
3. En la lista de buscadores americanos, haz clic en Chile o en Argentina, tú verás.
4. En Chile, haz clic en el buscador que quieras, por ejemplo, Busca Chile.
5. Escribe patagonia en la casilla Buscar.
6. Haz clic en el botón con forma de lupa.

Para localizar el teléfono de tu prima, haz lo siguiente:

1. Escribe telefonos en la casilla Buscar.
2. Haz clic en el botón **Buscar**.

Si buscas teléfonos después de haber buscado otra cosa, por ejemplo, buscadores chilenos, observa que, junto a la casilla **Buscar**, hay una lista desplegable que tiene seleccionada la opción **En este tema**. Eso significa que lo próximo que busque lo buscará dentro de lo ya buscado. No es un trabalenguas.

Si has buscado buscadores chilenos y ahora quieres encontrar teléfonos, Buscopio buscará teléfonos dentro de los buscadores chilenos localizados. Es igual que la búsqueda restringida que vimos con Google. Para evitar esto, haz clic en la lista desplegable y selecciona **En todo**.

Observa que el primer enlace que parece a la hora de buscar teléfonos es:

http://www.paginasmarillas.es

¡La Guía Telefónica en línea! Se acabaron los inmensos mamotretos de papel biblia rodando por toda la casa. ¡Albricias! ¡La Guía Telefónica está en Internet! Se acabó el pasar páginas y páginas.

- Y su interminable rollo, ¿cuándo se acaba? ¿cuándo?

1. Haz clic enseguida en el enlace PaginasAmarillas.es.
2. Como lo que quieres es el teléfono de un particular, haz clic en Páginas Blancas.

3. Ahí tienes las páginas blancas *online*. Escribe el nombre, el apellido y todos los datos que conozcas.
4. La provincia no tienes que escribirla, sino elegirla en la lista desplegable.
5. Haz clic en Buscar.

Los superbuscadores, que también los hay

Los buscadores hacen un trabajo parecido al de los bibliotecarios, que organizan los libros y documentos de la inmensa biblioteca que es Internet, para que tú y yo podamos localizarlos. Pero ya hemos dicho que no todos los buscadores tienen indexada toda la información y que muchas veces hay que probar con más de uno. Y eso es un tostón y una pérdida de tiempo porque hay que ir a un buscador, buscar la información, ir luego a otro, buscarla, aburrirse al ver que no la localiza, probar con otro, ir al buscador de buscadores para buscar un buscador que busque lo que hay que buscar y probar otra vez, porque puede pasar que el buscador buscado por el buscador de buscadores no busque lo que buscamos o que lo busque y no lo encuentre.

- Y es que, busque lo que busque no busca lo que busca.

- Pero busca lo que busca, busque lo que busque.

- Es cierto que buscando lo que busca buscaría lo que buscara.

- A menos que buscase lo que buscase para buscar lo que busca.

- Busque, busque y rebusque, que buscando se rebusca y recontrabusca.

- Ya son mayorcitos, ¿no ?

Para solucionar el asunto, Internet dispone de superbuscadores, multibuscadores o metabuscadores, capaces de buscar con varios buscadores a la vez. Son unos inteligentísimos robots, mejor dicho *knowbots*, que son robots de conocimiento, tan listos como Peláez.

- Entonces no son tan listos.

Lo son, porque, al igual que Peláez, recogen la petición del cliente y, en vez de ponerse a trabajar y a buscar, le largan el muerto a media docena de pringaos que son los que se ponen a buscar como locos.

Por ejemplo, IxQuick pone en marcha a 15 buscadores a la vez cuando alguien le plantea una pregunta.

Un ejemplo

Vamos a poner a prueba la capacidad de búsqueda de IxQuick que, aunque parezca mentira con ese nombre, está en español.

Ve a Google, ya sabes http://www.google.es.

1. Escribe superferolimitiflautico en la casilla de búsquedas.

2. Haz clic en **Búsqueda**.
3. Ni *flowers*. Dice que la búsqueda no ha tenido resultados, que compruebes que lo has escrito bien, etc. Vamos, disculpas.

Tanto la casilla de búsquedas de los buscadores como la barra de direcciones de los navegadores admiten el truco de copiar y pegar que habrás practicado más de una vez con tu procesador de textos. Cuando tengas que escribir una dirección larga en la casilla de dirección o, como en este caso, tengas que escribir una palabra kilométrica en la casilla de búsquedas, basta con que la escribas una vez. Cuando la tengas escrita por primera vez, la seleccionas con el ratón y luego pulsas **Control-C** para copiarla al Portapapeles de Windows. Después haces clic en la casilla de búsquedas del buscador siguiente y pulsas **Control-V** para pegarla. Cada vez que abras un nuevo buscador, puedes pegarla igualmente. Ya sabes que el Portapapeles de Windows no se vacía hasta que copies otra cosa o hasta que salgas de Windows.

Ahora ve a Terra, http://www.terra.es.

1. Pega superferolimitiflautico en la casilla de búsquedas.
2. Haz clic en **Buscar**.
3. Para nada. El mismo rollo que Google y consejos para que busques mejor.

Prueba con Lycos, http://www.lycos.es.

1. Pega superferolimitiflautico en la casilla de búsquedas.
2. Haz clic en **Go**.
3. ¡Milagro! ¡Lycos ha encontrado un resultado!

Prueba con Altavista, http://es.altavista.com.

1. Pega superferolimitiflautico en la casilla de búsquedas.

2. Haz clic en **Encontrar**.
3. ¡Otra vez! ¡Altavista ha encontrado el mismo resultado que encontró Lycos!

Prueba con Yahoo, http://es.yahoo.com.

1. Pega superferolimitiflautico en la casilla de búsquedas.
2. Haz clic en **Buscar**.
3. ¡El mismo! ¡Yahoo ha localizado el mismo resultado!

Ahora, prueba con IxQuick, http://ixquick.com/esp.

1. Pega superferolimitiflautico en la casilla de búsquedas.
2. Haz clic en **Buscador**.
3. Esto ya es otra cosa. IxQuick ha localizado 10 resultados.

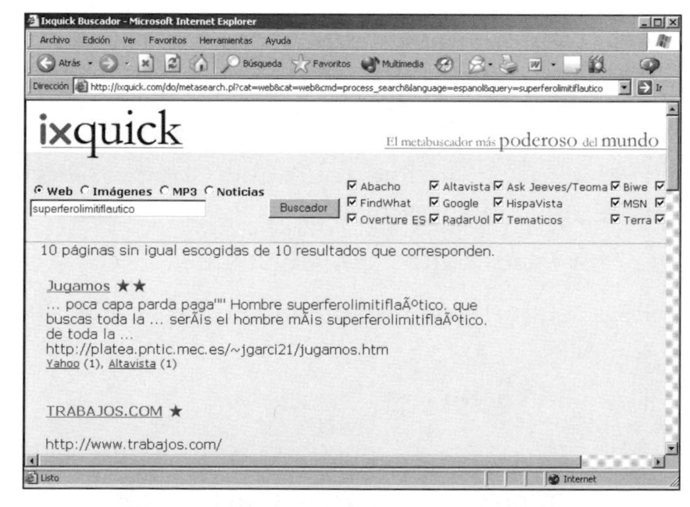

Figura 6.14. Los resultados de IxQuick.

Capítulo 7
"Romerales, tiene usté un e-mail..."

ESPAÑA: SELLO CONMEMORATIVO DEL PRIMER E-MAIL ENVIADO POR INTERNET, EN LA PENÍNSULA IBÉRICA

Hoy en día, quien no tiene un e-mail no es nadie, vamos, casi nadie. Ya han quedado atrás los tiempos en que se decía que quien no sale en la televisión no existe, tiempos que se declararon de exacerbado ateísmo, puesto que Dios no sale en la televisión. Han quedado atrás para dar paso a una nueva era. Ya no estamos en la Era del Conocimiento, sino en la Era de las Comunicaciones. Y, lo mismo que en la Era del Conocimiento quien no salía en la televisión no existía, porque no le conocía ni su abuela, en la Era de las Comunicaciones, quien no tiene un e-mail no es nadie, porque no se comunica ni con su perro.

Un e-mail no es más que un mensaje recibido por correo electrónico, pero, como en inglés se dice *electronic mail* y como ya dijimos que casi todo lo que pulula por la Red es e-algo, pues el correo no iba a ser menos y es eso, e-mail.

Hubo una época en que alguien lo quiso españolizar y le llamó emilio. Entonces los emilios iban y venían por los servidores de correo, pero la moda pasó y ahora se llama email, sin más, incluso lo he visto escrito por ahí como *emei*.

Pues bien, el primer día de su vida en que Cosme Romerales escuchó de los dulces labios de Mari Puri la fausta noticia,

\- Romerales, tiene usté un emei.

El mundo se convirtió en serrín.

No vayamos a pensar que Romerales sabía lo que es un e-mail ni un emei ni nada de eso, pero había visto una película en la que dos ligan por Internet y el hecho de tener un e-mail le sonaba a ligue hecho y consolidado. Y, en labios de la maciza Mari Puri, ¿qué otra cosa podía significar sino que la puerta estaba, por fin, si no abierta, al menos entreabierta?

Tan grande fue el chasco que se llevó Romerales cuando la bella, en lugar de conducirle de la mano a la intimidad de su sancta sanctorum le condujo hasta el ordenador de la sala grande y allí apuntó con el adorable dedito índice bien tieso a la pantalla, mostrando la bandeja de Outlook Express, que sin duda hubiera perecido en medio de roncos estertores, si no hubiera acudido una vez más al quite su doble, el que nada ignora, el que nada teme y el que de nada se asombra, el excelso Megatorpe quien, ratón en ristre, pronto se hizo con el misterioso asunto y así lo comunicó a los una vez más absortos oficinistas, con la excepción ya conocida del engreído Peláez que, como siempre, aseguró conocer todos estos intríngulis desde chaval.

El correo electrónico

El correo electrónico permite enviar mensajes con suma rapidez, por lo que ha revolucionado los medios de comunicación habituales tanto entre empresas como entre particulares, relegando a un segundo lugar sistemas tan arraigados y populares como el correo postal o el fax. Cada usuario dispone de una dirección de correo electrónico y de un buzón virtual en el que recibe los mensajes.

Es un sistema de comunicación con una característica que lo distingue de otros sistemas de comunicación de Internet y de otras redes y es que no necesita que los ordenadores que se comunican estén conectados entre sí. En eso se parece al correo postal. Dos personas pueden enviarse cartas, postales, telegramas y hasta paquetes bomba por correo postal sin necesidad de estar conectadas a ningún sitio, porque para eso están la oficina de Correos, el cartero y el buzón.

El trasiego del correo electrónico

Los mensajes se elaboran con un programa de correo electrónico, como Outlook Express. Se envían desde el PC al servidor de salida (SMTP), que, a su vez, los envía al servidor de entrada (POP) de destino, donde quedan en el buzón a la espera de que el destinatario los recoja. Recoger y enviar mensajes de un buzón de correo electrónico es algo tan simple como pulsar un botón del programa de correo. El servidor de entrada puede, según la configuración, guardar siempre una copia de los mensajes recibidos por el usuario, de manera que, si uno se pierde o destruye, se puede recuperar la copia.

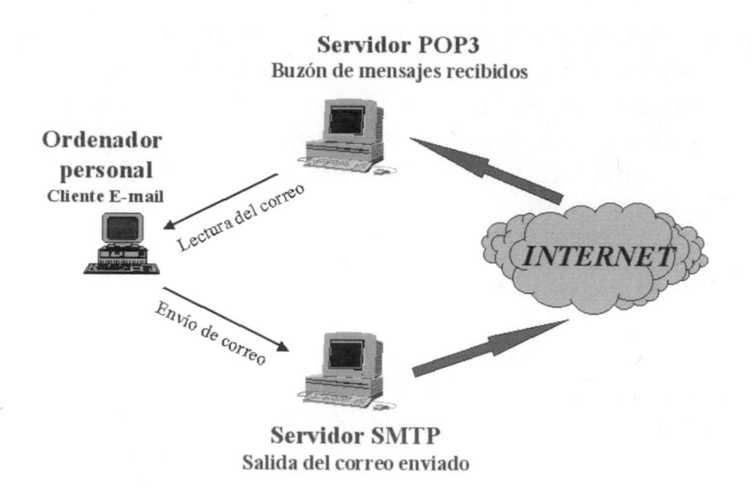

Figura 7.1. El trasiego del correo electrónico.

Los protocolos

El correo electrónico en Internet utiliza el protocolo SMTP (Protocolo simple de transmisión de correo) que se ha adoptado como el principal estándar y hace compatibles los diferentes sistemas de correo de las distintas empresas. Otra norma utilizada en Internet son los agentes MIME, que permiten enviar todo tipo de archivos (incluso multimedia) mediante correo electrónico. El servidor emplea un protocolo de oficina de correos (POP) para la recepción de mensajes.

- Y ¿el protocolo de retransmisión de rebuznos incontrolados?

- El PRRI, a ver si cree que me va a pillar.

Las direcciones de correo electrónico

Las direcciones de correo electrónico se componen del nombre de usuario, la arroba de separación, el dominio o nombre del servidor en que se alojan y la extensión. Por ejemplo, la dirección cromerales@wanadoo.es indica que el usuario se llama Romerales de apellido, su nombre empieza por C y utiliza el servidor Wanadoo que está en España: c-romerales-@-wanadoo-.es

Las direcciones de correo electrónico se dividen en dos partes separadas (o unidas, como quieras verlo) por la arroba. Delante de la arroba está el nombre que identifica al usuario. Por ejemplo, cromerales es la identificación de Cosme Romerales, como también podría ser cosme_romerales, cosme.romerales o simplemente cosmeromerales; el caso es que no haya espacios en blanco. Luego viene la arroba. Y después, el nombre del dominio, por ejemplo, telefonica.net o wanadoo.es o hotmail.com.

Así cosme.romerales@wanadoo.es es una dirección que indica a los servidores el lugar preciso al que han de enviar tu mensaje ¿has probado a enviarle uno? Lo enviarán al dominio wanadoo.es donde se hará llegar al buzón de Cosme.romerales. Que luego Romerales lo recoja y conteste, ya es otra cosa. Todo depende de que el mensaje proceda de las lindas manos de Mari Puri, que son como dos ramitos de jacintos o de las manazas de Peláez, que son como dos manojos de rábanos gordos.

Servidores y clientes

Además de servidores de correo entrante y saliente, hay clientes que piden, solicitan y demandan. Esos clientes son los programas de correo electrónico, como Outlook, Netscape Mail o Eudora. Son necesarios para que el ordenador del remitente pueda identificarse ante el servidor de salida y para que el ordenador del destinatario se identifique también ante el servidor de entrada. Igual que hacen los clientes y servidores para pedir y servir páginas Web.

- Muy buenas, soy Outlook Express, el programa cliente por excelencia del magnífico Megatorpe.

- Por mí, como si es usté Landrú. Yo estoy aquí puesto por el Ayuntamiento.

- Pero ¿no es usté el servidor de Wanadoo?

- Pa lo que guste mandar.

- Pues eso, que vengo del ordenador del excérrimo Megatorpe. Que me dé usté los mensajes que tenga para él.

- Tiene cuarto y mitá. Veamos, 3 mensajes, 56 virus, un gusano, 2 revistas, 98 latas de carne de cerdo...

- ¿Cómo que latas de carne de cerdo? ¿Desde cuándo se envían latas por correo electrónico?

- Pues aquí lo dice bien claro: cerdo enlatado marca *Spam*.

Outlook o cualquiera que sea tu programa de correo electrónico es el cliente que se dirige al servidor de correo entrante para reclamarle los mensajes que hayan llegado a tu nombre. Se los carga a la espalda y los deposita en tu bandeja de correo entrante. Luego, eres tú quien tiene que decidir si los abres, los lees, los guardas, los borras o los reenvías a otros usuarios.

Por ejemplo, en la figura 7.2 puedes ver la bandeja de entrada de Outlook Express atiborrada de mensajes. Pero no todos son eso, mensajes y no todos son para que los leas o los guardes.

Algunos servidores de correo entrante no admiten archivos de determinado tipo por seguridad o por normas. Por ejemplo, si es el servidor de una empresa, puede que no permita que su personal reciba cierta clase de archivos porque los considere *spam*, esos mensajes de correo no deseado de que hablamos en el capítulo 3, los que se denominan con la marca de cerdo enlatado.

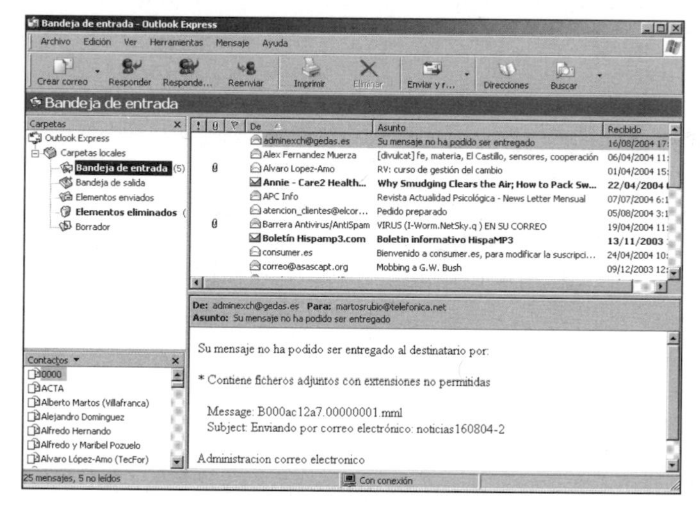

Figura 7.2. La bandeja repleta de mensajes, virus, *spam*, revistas y de todo.

El primero es un aviso de que tu servidor de correo saliente no ha conseguido entregar un mensaje que enviaste, porque, al parecer, llevaba adjunto un archivo que el servidor de correo entrante de tu destinatario ha considerado peligroso y se ha negado a recibirlo. Puede que tú le enviases un simple archivo con una foto y que el otro tenga instrucciones severísimas para no admitir imágenes. Eso no lo sabrás mientras no te comuniques con el destinatario y le preguntes cuáles son las limitaciones de su sistema de correos.

También puede haber mensajes que no tengas ganas de abrir, porque huelan a pelmazo a larga distancia.

- Seguro que son de usté.
- Es que no pierden ocasión de vituperar.
- Ni usté de dar la turrada.

Como verás, es lo mismo que el correo postal. El remitente envía su mensaje, el servidor de salida lo entrega al servidor de entrada del destinatario y el servidor de entrada lo coloca en la bandeja de entrada del programa cliente del destinatario, igual que el cartero o el mensajero te dejan en el buzón una carta, un papel o un folleto publicitario. Luego, el destinatario lo lee, lo guarda o lo tira.

Aquí hay una pequeña diferencia. El cartero o el mensajero te dejan en tu buzón de correo postal lo que traigan sin que tú hagas nada especial, mientras que el servidor de correo entrante solamente deposita los mensajes en la bandeja del programa cliente cuando el usuario hace clic en un botón para recibir correo o cuando tiene configurado ese programa para que lo reciba automáticamente nada más conectarse a Internet. En todo caso, para recibir correo en tu buzón electrónico tienes que conectarte, mientras que, para recibir correo postal en tu buzón postal, no tienes que hacer nada.

- Sí, tener un buzón.
- Ya le digo. Y existir.
- Claro, porque los muertos no reciben correo.
- Ni los sinbuzón.
- Sabia conclusión, a fe mía.

Los mensajes

Los mensajes entrantes son los que entran en tu bandeja de correo electrónico.

- ¡Chapeau! ¿Se ha graduado en Oxford o en la Sorbonne?

- En Transilvania ¿pasa algo?

- No, era un decir.

Cuando te conectas a Internet, pones en marcha tu programa de correo electrónico y le dices que empiece a recoger mensajes de tu servidor de correo entrante, hay una serie de señales que te advierten de la entrada:

- Un icono en la barra de tareas de Windows, en forma de sobre.

- Un aviso en la barra de estado de tu programa de correo, indicando que se está recibiendo un mensaje. Observa que Outlook suele incluir otro aviso que indica "Con conexión", para que sepas que la conexión con Internet funciona.

- Un número que aparece junto a tu bandeja de entrada y que se va incrementando a medida que van llegando mensajes.

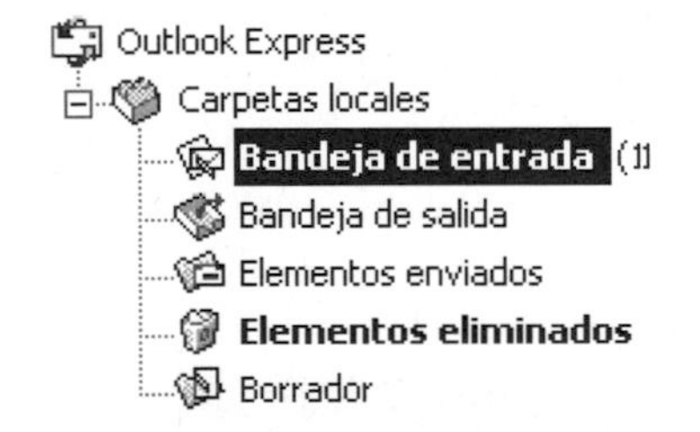

Entre los mensajes entrantes puedes tener virus, *spam* u otros mensajes no deseados, como, por ejemplo, algún embolao de los que suele largar Peláez. Si quieres evitar seguir recibiendo mensajes de un remitente peligroso o pelmazo, haz lo siguiente:

1. Pon en marcha Outlook Express o el programa que utilices. No hace falta que te conectes a Internet.

2. Selecciona el mensaje desagradable, peligroso, antipático o indeseable.
3. Haz clic en **Mensaje>Bloquear remitente**. No volverás a recibir mensajes de ese remitente.

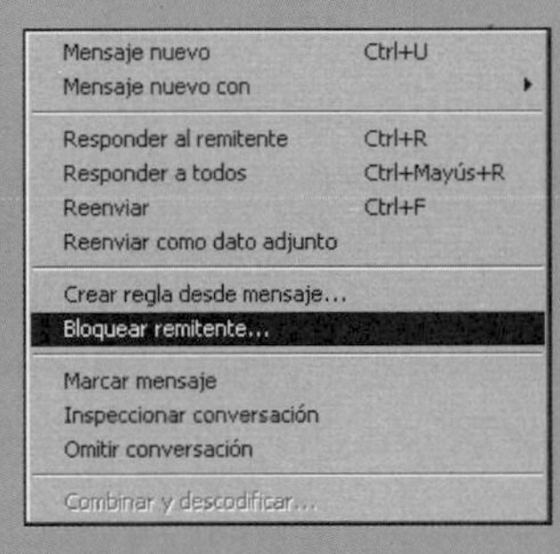

Figura 7.3. Un pelmazo menos.

Los mensajes salientes son los que tú redactas y envías a los destinatarios de tu libreta de direcciones o a quien te da la gana, porque no es imprescindible que un destinatario aparezca en la libreta para enviarle un mensaje.

Cuando el mensaje no llega

Cuando el mensaje no llega a su destino pueden haber sucedido varias cosas:

- Que el destinatario lo haya recogido y no te conteste. En tal caso, te quedarás con la duda de si no lo ha leído, si lo ha leído y no te ha contestado, si lo ha borrado sin leerlo, si está de vacaciones hasta la consumación de los tiempos, si le ha dado un ataque de risa al enterarse de que pretendes cobrarle una vieja deuda y se encuentra en un estado de hilaridad paroxística que le impide responder.
- Que el destinatario no lo haya recogido porque no esté, porque no le dé la gana, porque se le

haya olvidado, porque no sepa utilizar el correo electrónico... en fin. Tampoco lo sabrás. En el caso anterior y en éste es como si envías una carta por correo y no te contestan ni te llega devuelta. Adivina.

- Que la dirección que figuraba en tu mensaje no sea correcta por estar mal redactada o porque el servidor de correo entrante no tenga esa dirección en su lista de direcciones de correo electrónico. En tal caso, recibirás un mensaje de un tal Mail Administrator, que no es un señor con gorra, sino un programa que te avisa del incidente. Te llegará probablemente en inglés, que es el idioma oficial para la Informática. Lo mejor es que pruebes a enviar el mensaje de nuevo o que intentes localizar al destinatario por otro camino para ver si ha cambiado de dirección.

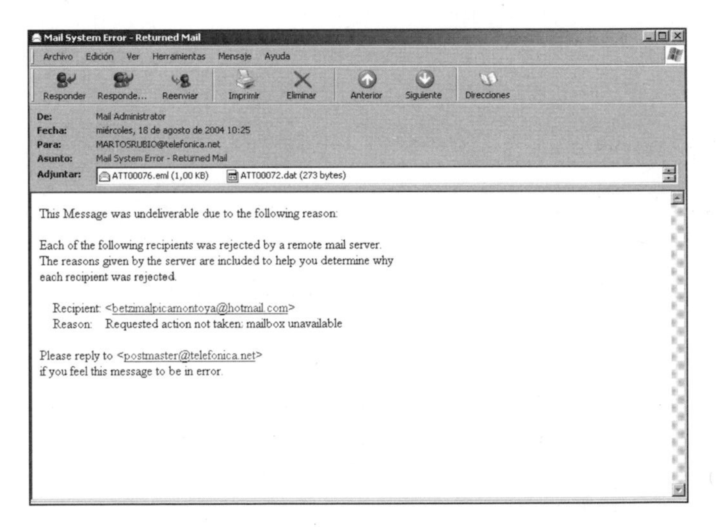

Figura 7.4. Un mensaje no recibido.

- Que el servidor de correo entrante (POP o IMAP) no estuviera en funcionamiento cuando el de correo saliente (SMTP) le hizo llegar tu mensaje.

En ese caso, también recibirás un mensaje del *Mail Administrator* advirtiéndote de ello. También conviene que pruebes de nuevo, porque podría tratarse de una avería o desconexión temporal.

- Que el servidor de correo entrante haya recibido el mensaje pero indique error. Eso puede significar que tu mensaje llegue al destinatario en malas condiciones o que no llegue. Lo mejor es que vuelvas a enviarlo.

Lo más fácil es que tu proveedor de servicios de Internet te entregue un CD-ROM que se instale más o menos automáticamente y que, sin que te des ni cuenta, configure Internet Explorer y Outlook Express con los datos necesarios para que funcionen correctamente. Pero aun así, debe facilitarte los datos que indicamos, por si viene Peláez y te desconfigura el programa. Y a ver cómo lo configuras luego si no tienes los datos.

Los programas de correo electrónico

Los programas de correo electrónico son similares en cuanto a su configuración y empleo, por lo que veremos Outlook Express versión 6 a fondo.

Datos del proveedor

Sea cual sea el programa de correo electrónico que utilices, recuerda que tu proveedor de servicios de Internet deberá facilitarte una serie de datos:

- Y ¿si en lugar de facilitármelos me los dificulta?

- Entonces no hay duda de que, en lugar de contratar servicios de Internet con un IP, ha caído usté en las garras del proceloso Peláez.

Tu proveedor debe facilitarte:

- Tu dirección de correo electrónico, por ejemplo, cromerales@wanadoo.es
- El nombre de tu cuenta de correo electrónico, que no es lo mismo que la dirección, por ejemplo, cromerales$wanadoo.
- Tu nombre de usuario para esta cuenta, por ejemplo, cromerales@wanadoo
- Tu contraseña, por ejemplo, cosmepringao

- El nombre del servidor de correo entrante, por ejemplo, SMTP.wanadoo.es
- El nombre del servidor de correo saliente, por ejemplo, POP.wanadoo.es

Outlook Express

La dirección oficial de Internet Explorer y Outlook Express en español en Internet, de la que se pueden descargar conjunta y gratuitamente, es: http:/www.microsoft.com/windows/ie_intl/es

Outlook Express viene con Internet Explorer. Como Internet Explorer viene con Windows, cuando instalas Windows se instalan ambos. Después de la instalación, encontrarás en el Escritorio un icono de acceso directo a Outlook Express y otro, más pequeñito, en la barra de herramientas **Inicio rápido**. También lo encontrarás en el menú **Inicio** de Windows.

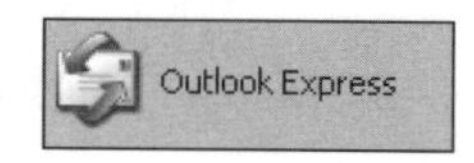

Cualquiera de ellos pone en marcha Outlook. Una vez en funcionamiento, puedes configurarlo para que trabaje como tú quieras y no como a él le dé la gana.

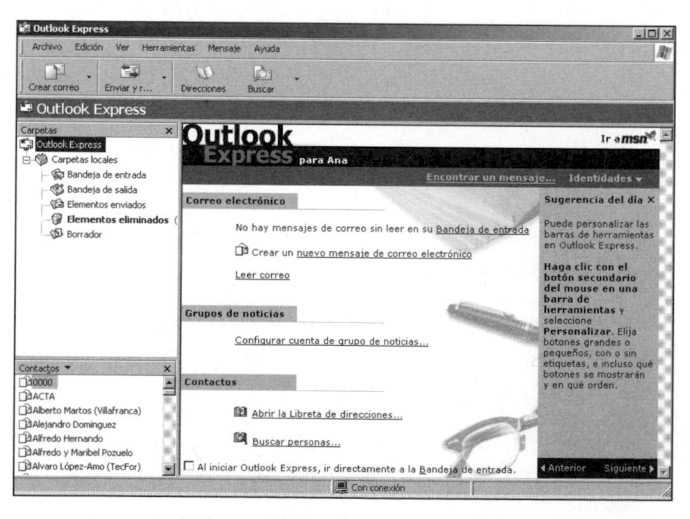

Figura 7.5. Outlook Express

La interfaz de Outlook Express tiene los elementos siguientes:

- La barra de título. Está situada en la parte superior de la ventana y muestra la bandeja o elemento activo. En la figura no hay elemento activo alguno porque aún no hemos hecho clic en ninguna bandeja.
- La barra de menú, con menús desplegables para las opciones del programa.
- La barra de herramientas con botones equivalentes a opciones de menú.
- La barra de carpetas. Se encuentra a la izquierda y muestra las carpetas disponibles. Son las siguientes:
  - **Carpetas locales**. Contiene las cinco carpetas o bandejas que vamos a ver y usar más adelante.
  - **Lista de contactos**. La lista de direcciones de la libreta.

La barra de menú

Outlook Express tiene los menús siguientes. Veremos una sinopsis, pero lo mejor es que los despliegues y vayas probando las opciones.

- **Archivo**. Tiene opciones para guardar los mensajes, trabajar sin conexión (como Internet Explorer) y para importar y exportar datos de la Libreta de direcciones.
- **Edición**. Tiene opciones para copiar contenidos del mensaje, buscar mensajes o eliminar el mensaje seleccionado.
- **Ver**. Tiene opciones para personalizar el aspecto de las carpetas.

- **Herramientas**. Tiene opciones para configurar Outlook y las cuentas de correo..
- **Mensaje**. Tiene opciones para gestionar los mensajes. Ya hemos visto antes la manera de bloquear un remitente y librarnos *per omnia saecula saeculorum* de algún palizas.
- **Ayuda**. La opción **Contenido e índice** da acceso al cuadro de diálogo **Ayuda de Outlook Express**.

La barra de herramientas

La barra de herramientas tiene los botones siguientes:

- **Crear correo**. Sirve para crear un nuevo mensaje. Tiene una flecha que despliega un menú en el que seleccionar el papel tapiz o fondo para el nuevo mensaje. Los hay realmente horteras y otros discretitos. Personalmente, opino que los mensajes son para escribir texto y no para poner fondos con dibujos y bobadas que a veces dificultan al destinatario leer lo que interesa, pero, en fin, cada uno es cada uno y tiene sus cadaunadas. Para iniciar un mensaje sin fondos, haz clic en el centro del botón, no en la flecha.

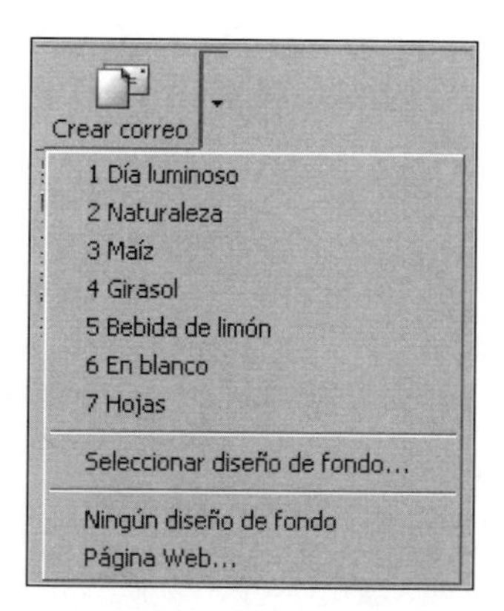

Figura 7.6. El menú del botón Crear correo.

- **Enviar y recibir**. Si haces clic en el botón, Outlook empezará a enviar al servidor de correo saliente todos los mensajes que tengas en tu bandeja de salida y, de paso, a solicitar al servidor de correo entrante que le entregue los mensajes que haya para ti. No creas, hay veces que hasta se pone gallito cuando el otro se muestra remiso. Si haces clic en la flecha, se desplegará un menú, en el que puedes seleccionar Enviar y recibir todo, Enviar todo o Recibir todo. Si no eliges ninguna opción, Outlook envía y recibe todo. Es un currante.
- **Direcciones**. Abre la Libreta de direcciones que luego veremos. Este botón no tiene menú.
- **Buscar**. Si haces clic en el botón, aparece el cuadro de diálogo Buscar mensaje que veremos después. Si haces clic en la flecha, se despliega un menú en el que puedes seleccionar buscar un mensaje o Buscar personas. Pero no te creas que puedes buscar personas como en la guía telefónica, como hicimos en un capítulo anterior, sino solamente en tu Libreta de direcciones

La ayuda

La ayuda de Outlook tiene las mismas fichas que vimos en la ayuda de Internet Explorer:

- Contenido. Presenta todos los contenidos de Outlook. Haz clic en uno de los libros para ir desplegando los contenidos y llegar al que te interese. Por ejemplo, si tienes problemas con el envío de mensajes, empieza por hacer clic en Crear y enviar mensajes de correo electrónico.
- Índice. Escribe la palabra clave que quieras localizar, por ejemplo, enviar, y haz clic en **Mostrar**.

- Búsqueda. Si no encuentras la palabra en la ficha Índice, prueba en Búsqueda. Índice busca las palabras que inicien un tema. Búsqueda localiza palabras del interior del tema. Cuando hayas escrito la palabra que quieres localizar, haz clic en **Enumerar temas**. Elige después el tema y haz clic en el botón **Mostrar**.

La Libreta de direcciones

Antes de escribir un mensaje, conviene aprender a utilizar la Libreta de direcciones, porque te puedes ahorrar el trabajo de escribir la dirección de los destinatarios en tus mensajes de correo. Para llenar de datos tu Libreta, haz lo siguiente:

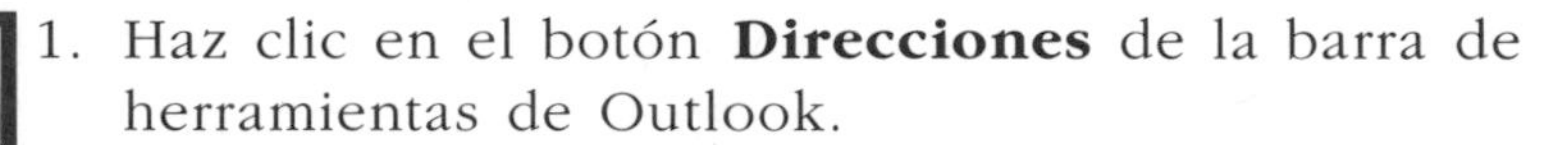

1. Haz clic en el botón **Direcciones** de la barra de herramientas de Outlook.
2. Haz clic en el botón **Nuevo** y selecciona Nuevo contacto en el menú desplegable.
3. Escribe el nombre en la casilla Primer nombre y los apellidos en Segundo nombre y Apellido. El segundo nombre es cosa de los americanos.
4. Escribe el sobrenombre en la casilla Sobrenombre. Es el nombre de batalla que te servirá para recordar a esa persona.
5. Haz clic en la lista desplegable Mostrar y elige si prefieres que se vea el sobrenombre o el nombre y los apellidos.
6. Escribe la dirección en la casilla Direcciones de correo electrónico. Ya sabes, ésa que lleva una arroba en el centro.
7. Haz clic en **Agregar**. La dirección pasará automáticamente a la casilla de abajo.
8. Haz clic en **Aceptar**.

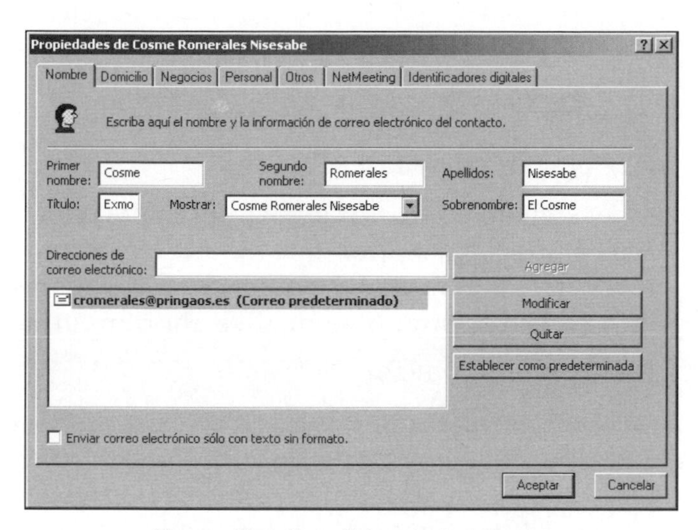

Figura 7.7. Una ficha de la Libreta.

Si te equivocas, haz clic en el botón **Modificar**. Si quieres borrar la dirección, haz clic en el botón **Quitar**.

Es importante que tomes precauciones para no perder la Libreta de direcciones. Si cambias de ordenador, si se te descarajilla el disco duro, si te entra un virus fragoroso, etc., puedes perder las direcciones de todos tus contactos, incluidos amiguetes, ligues y demás. Puedes salvaguardarla haciendo lo siguiente:

1. Haz clic en Archivo>Exportar>Libreta de direcciones.
2. En el cuadro de diálogo Herramienta para exportar la Libreta de direcciones, selecciona Archivo de texto (valores separados por comas). Este formato te permitirá después importar tu libreta en otros programas de correo electrónico, como Netscape Correo.
3. Haz clic en **Exportar**.
4. En el cuadro de diálogo Exportar a CSV, haz clic en el botón **Examinar**.

5. En el cuadro de diálogo **Guardar como**, selecciona la carpeta en la que quieres guardarla y dale un nombre. Lo mejor es llamarla **Libreta**.
6. Haz clic en **Guardar**.
7. En el siguiente cuadro de diálogo **Exportar a CSV**, selecciona los campos que quieres exportar. Selecciona los que tengas rellenos, aunque los vacíos no se exportan y te puedes ahorrar el trabajo.
8. Haz clic en **Finalizar**.

Si te ocurre una desgracia gorda con el ordenador, por ejemplo, llega un virus feroz y te deja el disco duro como un campo de sal, que es un símil típico bíblico, podrás recuperar los datos de tu Libreta, importándolos. También puedes importarlos en Netscape Correo o cualquier otro programa de correo electrónico que tengas y, además, puedes abrir el archivo de direcciones con Excel.

- Para abrir el archivo, localízalo con el Explorador de Windows y haz doble clic sobre él. Se llamará **Libreta.csv** si es que le has llamado Libreta, claro.

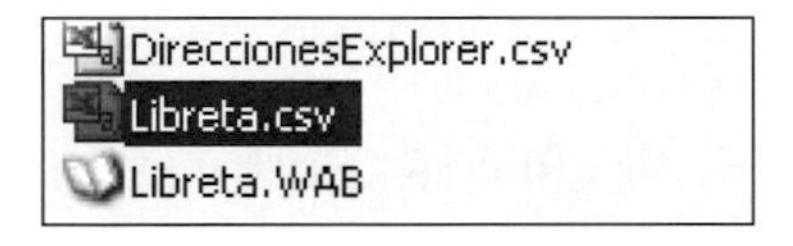

- Para importar de nuevo la Libreta en Outlook, haz clic en **Archivo>Importar>Libreta de direcciones**,

La cuenta de correo

Antes, había que configurar las cuentas de correo electrónico a pelo, pero, ahora, Windows XP ofrece un asistente para configurarlas con la gorra. Si ya tienes todos los datos de tu proveedor de Internet, tienes que hacer lo siguiente:

¡Megarritual!

1. Haz clic en el menú Inicio.
2. Haz clic en el icono de Outlook Express, en la parte superior del menú. Si accedes a ese icono sin tener configurada una cuenta de correo electrónico, se pondrá en marcha el Asistente, que ya sabes que no es un señor con bigote, sino un programa que te facilita el trabajo.
3. En el primer cuadro, escribe un nombre para la cuenta, que no es el que te haya dado tu proveedor, sino un nombre particular que la distinga de otras cuentas, un nombre que te sirva para acordarte de para qué usas la cuenta. Si solamente tienes una cuenta de correo electrónico, no te rompas la cabeza, escribe tu nombre y en paz. El cuadro de texto indica Nombre para mostrar. Algo así hemos hecho con los nombres de las conexiones en el capítulo 3. Haz clic en el botón **Siguiente**.
4. Ahora tienes que escribir la dirección de correo electrónico, la convenida con tu proveedor de servicios de Internet. Conviene que la cuenta de correo electrónico sea fácil de recordar para ti y para tus corresponsales, para que ellos sepan que eres tú quien les escribe cuando les llegue un mensaje tuyo y para que tú no te hagas líos y no necesites llevarla apuntada. Haz clic en **Siguiente**.
5. El siguiente cuadro contiene cuadros de texto en los que hay que escribir los nombres de los servidores POP y SMTP facilitados por el proveedor de servicios de Internet. Haz clic en **Siguiente**.
6. En el siguiente cuadro, escribe el nombre de la cuenta. No te confundas con la dirección de correo electrónico, que no es lo mismo. Para que las

distingas, recuerda que la dirección de correo electrónico termina por .es, .com. .net o punto algo, mientras que el nombre de la cuenta no lleva terminación. Después tienes que escribir la contraseña. Haz clic en el botón **Siguiente**.

7. Haz clic en **Finalizar** para abrir Outlook Express. ¿Has visto qué fácil?

Agrega una segunda cuenta

Si eres rico y dispones de más de una cuenta, puedes hacer lo siguiente:

1. Abre la ventana de Outlook Express haciendo clic en el icono del Escritorio, el de la barra Inicio rápido o en el del menú Inicio.
2. Haz clic en el menú Herramientas>Cuentas y selecciona la ficha Correo.
3. Haz clic en el botón **Agregar** y selecciona Correo.
4. En Nombre para mostrar escribe el nombre de la nueva cuenta, un nombre que la distinga de la anterior. Haz clic en **Siguiente**.
5. Escribe la dirección de la nueva cuenta y haz clic en **Siguiente**.
6. Escribe los nombres de los servidores POP y SMTP y haz clic en **Siguiente**.
7. Escribe el nombre de la cuenta y la contraseña y haz clic en **Siguiente**.
8. Haz clic en **Finalizar** y luego en **Cerrar** para cerrar el cuadro de diálogo.

Como ahora tienes dos cuentas de correo electrónico, puedes enviar los mensajes indistintamente desde una u otra. Ten en cuenta que Outlook envía los mensajes desde la cuenta de correo establecida como predeterminada. Para cambiarla, haz clic en el menú Herramientas>Cuentas, selecciona la ficha Correo, haz clic en la nueva cuenta y luego en el botón **Establecer como predeterminada**.

- Y ¿ya está?
- Ya está.
- Así, tan fácil, tan cómodo, tan sencillo...
- Tan simple, tan accesible...
- Tan lógico, tan útil...
- Tan sorprendentemente razonado, universal y metódico.
- Sí, tan extremada y laudablemente inteligible.
- Mucha guasita, ¿eh?

Modificar y borrar las cuentas

A veces es necesario modificar algo en una cuenta de correo electrónico e, incluso, si las cosas se ponen feas, borrarla. Si tienes que cambiar datos en una cuenta, haz lo siguiente:

1. Haz clic en el menú Herramientas>Cuentas y selecciona la ficha Correo.
2. Haz clic la cuenta que quieras modificar.
3. Ahora, haz clic en el botón **Propiedades**.

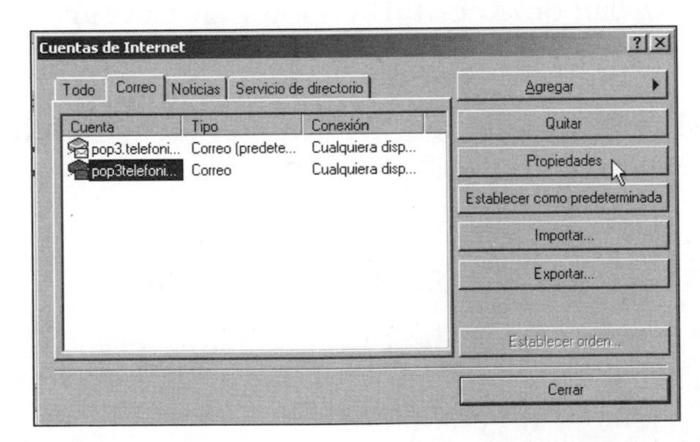

Figura 7.8. El cuadro de diálogo Cuentas de Internet y el botón Propiedades.

4. El cuadro de diálogo Propiedades tiene varias fichas:

   - General. Puedes modificar el nombre de la cuenta, el nombre de usuario y la dirección de correo electrónico.
   - Servidores. Puedes modificar el nombre de los servidores de correo, ya sabes, el POP y el SMTP. Si has escrito mal, por ejemplo, algún dato, aquí puedes rectificarlo.
   - Conexión. Ahí aparece el nombre de la conexión a Internet. Normalmente, la casilla de verificación Conectar siempre con esta cuenta mediante debe estar desactivada, porque no conviene que Outlook se ocupe de conectar con Internet. Es mejor que te conectes tú haciendo doble clic en la conexión que creaste y que luego pongas Outlook en marcha y le mandes recoger los mensajes. Debes mandarle tú a él, no él a ti. Te recuerdo la rebelión de las máquinas de *2001, Una Odisea del Espacio*, *The Matrix*, *Metropoli*, etc.

5. Haz clic en **Aceptar** y luego en **Cerrar**.

Si quieres borrar una cuenta de correo, haz lo siguiente:

1. Haz clic en el menú Herramientas>Cuentas y selecciona la ficha Correo.
2. Haz clic la cuenta.
3. Ahora, haz clic en el botón **Quitar**.

Ahora vamos a hacer una prueba para ver si la configuración de la cuenta es correcta y si todo funciona.

- ¡Ay! ¡Tiemblo de emoción!
- ¿Todavía les dura el humorrrrr?
- No, el tembleque.

- El tembleque se les va a cronificar cuando les diga que voy a alargar la clase. Me acabo de acordar de que no les he explicado las bandejas de Outlook ni la forma de configurarlo.

- ¡Piedad!

Vamos a configurar Outlook antes de que se desmande

Como la mayoría de los programas modernos, Outlook es un mandón de cuidado y, si te dejas, hace lo que quiere, como quiere y cuando quiere. Pero ya hemos quedado en que a los programas informáticos y a los animales salvajes hay que demostrarles quién manda. Por eso, lo mejor es configurarlo a tu gusto para que haga lo que tú quieras y no lo que quiera él.

No creas que se trata de cabezonería. Es que los programas americanos, como vienen preparados para trabajar directamente con Internet, te dan un tostón horrible intentando conectarse, recuperar mensajes o localizar cosas que maldita la falta que te hacen.

Outlook tiene un cuadro de diálogo **Opciones** al que se accede pulsando **Herramientas>Opciones**. Este cuadro de diálogo tiene un montón de fichas. Veremos las que conviene retocar, pero antes, hay que poner a Outlook en modo de trabajo sin conexión, haciendo clic en **Archivo>Trabajar sin conexión**:

- **General**. Si quieres controlar tú cuándo envías y recibes los mensajes, desactiva las casillas de verificación **Enviar y recibir mensajes al inicio** y **Comprobar mensajes nuevos cada**. Si tienes conexión continua a Internet, ADSL o algo así, puedes dejarlas activadas, pero si es un módem, te dará la lata cuando abras Outlook sin conexión.

- **Enviar**. Desactiva la casilla de verificación **Enviar mensajes inmediatamente**, si prefieres enviarlos tú con el botón **Enviar y recibir todo**. La casilla de verificación **Agregar a la Libreta de direcciones a las personas a las que responda** es un arma de doble filo. Por un lado, está muy bien que incluya en tu Libreta a todos los destinatarios a los que contestes, pero, por otro, te puede añadir destinatarios que no te interese conservar en la Libreta y, además, si tienes un destinatario que se llame Fulgencio Ruiz de la Amatista y te llega un mensaje suyo en el que indique Fulge R. Amatista, te lo volverá a incluir en la Libreta, porque para Outlook es un individuo diferente, con lo que tendrás duplicados a un montón de destinatarios. Para más follón, te los ordenará por el segundo apellido, porque los americanos no tienen segundo apellido y Outlook no se entera. Y, una vez que tu Libreta sea kilométrica, tendrás más dificultades para localizar a la gente a la que enviar mensajes. Así que es mejor que tú pulses la opción **Agregar remitente a la Libreta** cuando quieras y no cuando quiera Outlook.

- **Conexión**. Ojo a esta ficha. Hay una casilla de verificación que se llama **Colgar después de enviar y recibir**. Suele estar desactivada. Si la activas, Outlook colgará el teléfono (si te conectas vía módem) después de recibir los mensajes y se cortará la conexión a Internet. Esta casilla es útil si tienes que enviar y recibir la tira de mensajes y no quieres seguir en conexión después.
- **Ortografía**. Si la ortografía no es tu fuerte, puedes activar la casilla de verificación **Comprobar siempre la ortografía antes de enviar**. Suele estar desactivada, pero la puedes activar tú cuando escribas un mensaje y tengas dudas, haciendo clic en un botón que veremos después.
- **Firmas**. Puedes incluir tu firma digitalizada. Firma en un papel y escanea tu firma, dándole un nom-

bre de archivo. En esta ficha de Outlook, haz clic en Nueva, luego en el botón de opción Archivo. Cuando se active el botón **Examinar**, haz clic para localizar el archivo con tu firma. Cuando aparezca la ruta de acceso en la casilla Archivo, haz clic en **Aceptar**. Después, cuando escribas un mensaje, puedes insertar tu firma haciendo clic en Insertar>Firma o en el botón **Firmar**.

La bandeja de entrada de Outlook

Los mensajes recibidos aparecen en la bandeja de entrada de Outlook Express, a la que llegan desde el servidor POP cuando haces clic en el botón **Enviar y recibir**.

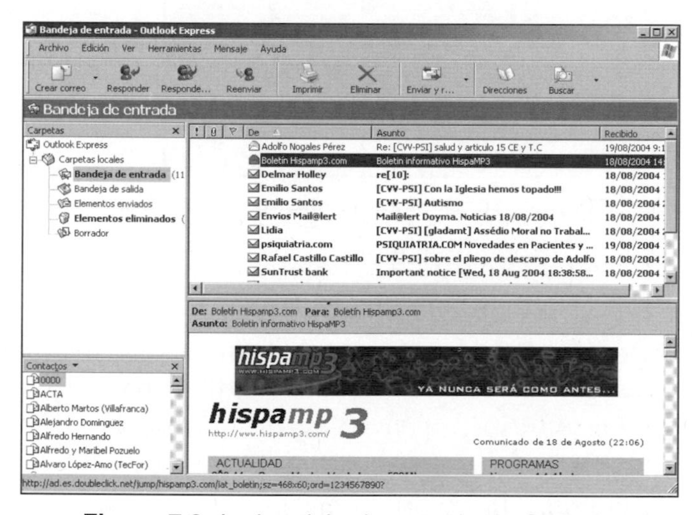

Figura 7.9. La bandeja de entrada de Outlook.

En esta bandeja puedes hacer clic en un mensaje para seleccionarlo y luego hacer clic en el botón que desees. Otra manera de actuar sobre un mensaje es hacer clic en él con el botón derecho del ratón y seleccionar una opción en el menú contextual.

El menú contextual que aparece al hacer clic con el botón derecho del ratón sobre un mensaje de la bandeja de entrada, tiene opciones para abrirlo, para imprimirlo, para contestar, para enviarlo a otra bandeja, etc. El primer grupo de opciones de este menú es idéntico a los botones de la barra de herramientas que vamos a ver a continuación, pero hay cuatro opciones, situadas al final del menú, que son importantes:

Observa que Outlook Express es la mar de juguetón y unas veces dice bandejas y, otras veces, carpetas. Pero son lo mismo. La Bandeja de entrada es una carpeta, la Bandeja de salida es otra carpeta. Al fin y al cabo, todas son carpetas, pero las verás denominar con los dos nombres.

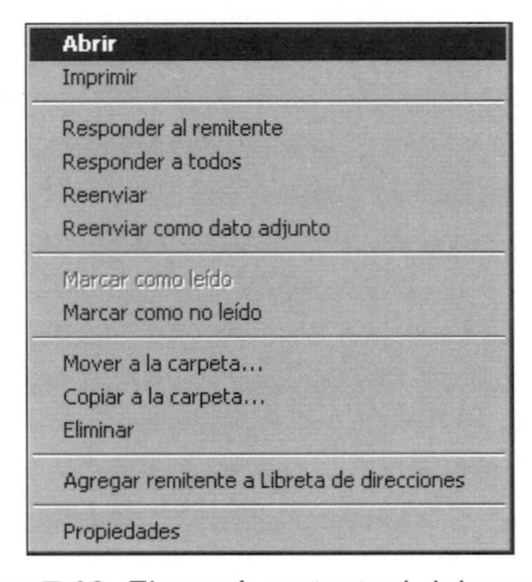

Figura 7.10. El menú contextual del mensaje.

- **Mover a la carpeta**. Te permite intercambiar mensajes de una bandeja a otra.
- **Copiar a la carpeta**. Te permite copiar los mensajes de una bandeja a otra. A diferencia de la opción anterior, el mensaje no se mueve, sino que Outlook coloca una copia en la otra bandeja.
- **Eliminar**. Borra el mensaje seleccionado. Es importante saber que los mensajes que se borran en las bandejas de Outlook van a parar a otra bandeja que se llama **Elementos eliminados**. Si eliges esta opción al seleccionar un mensaje que se encuentre ya en esa bandeja, se borrará para siempre jamás.
- **Agregar remitente a la Libreta de direcciones**. Esta opción es muy útil, porque puedes añadir a tu

Libreta de direcciones los datos del remitente de un mensaje, sin necesidad de escribirlos tú, aunque conviene que le eches un vistazo por si los escribe de alguna forma rara. ¿Qué sabe Outlook de escribir nombres humanos?

La bandeja de entrada tiene también una barra de herramientas con los botones siguientes de izquierda a derecha. Para aplicar las acciones de los botones, tienes que seleccionar un mensaje en una de las bandejas, haciendo clic en él.

- **Crear correo**. Ya lo hemos visto antes. Sirve para eso, para crear mensajes.
- **Responder**. Sirve para responder al remitente. Es muy útil para contestar a un mensaje sin molestarte en empezar un correo nuevo ni buscar las señas del remitente. Púlsalo cuando quieras contestar a alguien directamente sobre un asunto. Escribe siempre en la parte superior, encima de la marca "Original Message", para que el destinatario vea enseguida tu respuesta. El mensaje que él te envió quedará debajo. Así podréis mantener toda la historia. Al seleccionar un mensaje y hacer clic en el botón **Responder**, queda en la forma que ves en la figura. El cursor parpadea en la parte superior izquierda, que es donde tienes que empezar a escribir.
- **Responder a todos**. Sirve para contestar a un mensaje que ha sido enviado a varios destinatarios, entre los que te encuentras tú. Por lo demás, es igual que el anterior.
- **Reenviar**. Sirve para reenviar un mensaje recibido a un destinatario diferente del remitente. Es útil para enviar a alguien el mensaje que te ha enviado otro alguien y decirle: observa, lo que me ha enviado Fulano.

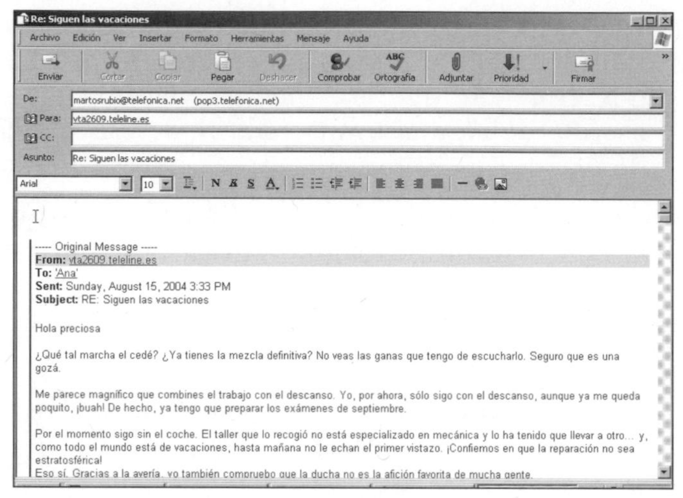

Figura 7.11. Responde al mensaje, para que te responda y vuelvas a responder.

- **Imprimir**. Imprime el mensaje seleccionado. Abre el cuadro de diálogo Imprimir para que selecciones los parámetros necesarios. Normalmente no hay que seleccionar nada.
- **Eliminar**. Borra el mensaje seleccionado.
- **Enviar y recibir**. Es el que tienes que pulsar para enviar los mensajes que tengas en la bandeja de salida y recoger los que tenga el servidor para ti.
- **Direcciones**. Abre la Libreta de direcciones. Ya lo hemos visto antes.
- **Buscar**. También lo hemos visto.

La bandeja de salida

Outlook envía los mensajes que se encuentren en esta bandeja. Para poner un mensaje en ella, redáctalo y haz clic en el botón **Enviar**. Luego veremos este botón y la forma de redactar los mensajes.

Elementos enviados

Outlook envía a esta bandeja una copia de todos los mensajes que envíes. Así podrás recuperarlos si necesitas alguno.

El contenido de esta bandeja, igual que el de las restantes, se puede ordenar por los distintos campos que la componen. Observa que, en la parte superior, aparecen los nombres de lo campos, que son los siguientes:

- **Para**. El nombre del destinatario al que has enviado tu mensaje. Observa que aparecerá el nombre que tú hayas indicado en la Libreta de direcciones.
- **Asunto**. Todos los mensajes llevan un asunto, para saber de qué van, aunque hay gente perezosa que no lo pone.
- **Enviado el**. Nos muestra la fecha en la que enviaste el mensaje.
- **Cuenta**. La cuenta desde la que lo enviaste.
- Las dos señales del principio contienen sendas marcas de prioridad o de archivos adjuntos al mensaje.

Si quieres ordenar la bandeja, por ejemplo, por fechas de envío, haz doble clic en la cabecera, donde dice **Enviado el**. Si haces doble clic de nuevo en el mismo sitio, se ordena de forma ascendente. Observa que junto a **Recibido** o junto a **Enviado el** hay un triángulo que apunta hacia arriba o hacia abajo según estén ordenados los mensajes de forma ascendente o descendente.

Elementos eliminados

Cuando haces clic en un mensaje y luego pulsas la tecla **Supr** o el botón **Eliminar**, Outlook no borra el mensaje. Y no lo hace por desobediencia, sino por orden de Windows, que no borra los archivos a la primera, sino que los envía a la

Papelera de reciclaje, de donde se pueden recuperar. Si borras un mensaje de esta carpeta es como si borraras un archivo de la Papelera de reciclaje. Se elimina definitivamente.

Los mensajes de esta bandeja se pueden recuperar. Si has borrado uno y te hace falta, cosa que suele suceder con frecuencia, localízalo en esta bandeja, haz clic sobre él con el botón derecho y elige **Mover a la carpeta** en el menú contextual. Después, haz clic en **Bandeja de entrada** y ya está.

Borrador

Se utiliza para escribir mensajes, ya que se pueden dejar a medias y terminar de escribirlos más tarde, sin que se borren. Si tienes que escribir un mensaje largo con muchas cosas, es mejor que lo redactes desde esta carpeta, para que Outlook no te lo borre si te equivocas a la mitad o para que no lo envíe antes de terminarlo.

La prueba de fuego

Para enviarte mensajes a ti mismo, puedes incluirte en la Libreta de direcciones como un usuario más. Si tienes problemas para identificarte, puedes llamarte Yo. No falla.

La prueba de fuego para comprobar que todo funciona es enviarte un mensaje a ti mismo.

- O sea, a usté.
- No, a mí, no, a usté.
- Querrá decir a usté.
- No señor, a usté.
- ¿A usté o a usté?
- Pero ¿es que no va a haber manera de seguir?
- Más quisiéramos que no la hubiera.

Para redactar un mensaje, hay que hacer lo siguiente:

1. Pon en marcha Outlook Express.
2. Haz clic en **Borrador**. Si escribes tus mensajes en esta bandeja, no se borrarán aunque los dejes a medias ni correrás el peligro de enviarlos al destinatario antes de tiempo. Si no seleccionas esta carpeta antes de escribir el mensaje, Outlook lo escribirá en la bandeja de salida.

¡Megarritual!

3. Haz clic en el botón **Crear correo**. Si te empeñas, selecciona un papel tapiz.
4. En la ventana **Mensaje nuevo**, pulsa el botón **Para:**.
5. Cuando se abra la Libreta de direcciones, haz clic en el nombre del destinatario, que aparecerá ordenado alfabéticamente en la lista **Nombre**. Si te has llamado Yo, tu nombre aparecerá en la **Y**.
6. Pulsa el botón **Para**, de forma que el nombre del destinatario (el tuyo) pase al campo **Para:**
7. Si quieres que alguien reciba una copia de tu mensaje, selecciona el nombre y haz clic en **CC**. Si quieres que reciba una copia, pero que los demás destinatarios no se enteren, haz clic en **CCO**, que significa "copia oculta".
8. Si no tienes la dirección en la Libreta, no hay más remedio que escribirla en el campo **Para**.
9. Haz clic en el botón **Aceptar**. La ventana de Outlook mostrará el nombre del destinatario (el tuyo) en el campo **Para:** y la cuenta de correo electrónico del usuario (la tuya) en el campo **De:**
10. Pulsa **Asunto** y escribe la referencia del mensaje, por ejemplo, "Para mí, ¿pasa algo?."
11. Haz clic en la ventana en blanco y escribe el texto del mensaje.
12. Si has generado una firma, cuando llegues al final del mensaje, haz clic en el botón **Firmar**.

Si quieres aprovechar para enviarte algo, por ejemplo, una imagen, haz lo siguiente:

1. Haz clic en el botón **Adjuntar**.
2. Para buscar el archivo a adjuntar, haz clic en la lista desplegable Buscar en: del cuadro de diálogo Insertar datos adjuntos.
3. Selecciona el archivo a adjuntar y pulsa el botón **Adjuntar**.
4. Una vez el mensaje completo con el archivo adjunto, pulsa el botón **Enviar**.
5. Cuando hagas clic en **Enviar**, ya sea desde la carpeta Borrador o desde la Bandeja de salida, volverás a ver los botones de antes. Para enviar el mensaje y recibirlo (por algo es para ti), haz clic en el botón **Enviar y recibir**.

Cuando envíes un archivo adjunto, asegúrate de que tu destinatario dispone del programa necesario para leerlo. Si le envías, por ejemplo, un texto con formato PDF y no dispone de Adobe Acrobat, no lo podrá abrir. Si le envías una imagen de CorelDRAW con el formato específico de Corel, es posible que tampoco.

Observa que, cuando estás redactando el mensaje, la ventana tiene botones diferentes. Veamos algunos de ellos:

- **Enviar**. Ya lo has visto. Aunque parezca imposible, sirve para enviar el mensaje a la Bandeja de salida.
- **Cortar**, **Copiar** y **Pegar**. Sirven para lo mismo que los botones de tu procesador de textos. Puedes seleccionar un trozo de texto del mensaje o una imagen y luego pulsar uno de estos botones para cortarlo o copiarlo al Portapapeles de Windows y así podrás pegarlo en otra parte del mismo mensaje o a un mensaje distinto. O a un

documento de Word o donde quieras, porque ya sabes que el Portapapeles de Windows te lo guarda hasta que copies otra cosa o hasta que apagues el ordenador. En la figura aparecen desactivados porque no hay ningún texto seleccionado para copiar o cortar.

- **Deshacer**. Muy útil para meteduras de pata. Haciendo clic en él puedes deshacer lo último que hayas hecho, como borrar, escribir, formatear, etc. Si lo que has hecho es irreversible, no lo deshace ni este botón ni nadie. Por ejemplo, Peláez le puso un día la zancadilla al director creyendo que era Romerales el que venía por el pasillo. Por mucho que le dio al botón **Deshacer**, la cosa resultó irremediable..
- **Ortografía**. Igualito que el verificador ortográfico de tu procesador de textos. Te controla las "h," las "b," los acentos y, si no tienes faltas, los errores tipográficos. Es lo mismo, pero queda más fino.
- **Adjuntar**. Ya lo has visto. Puedes adjuntar archivos a los mensajes.

Los mensajes que no llegan al buzón de destino son devueltos por el servidor de salida y vuelven al buzón del remitente con un mensaje en inglés que indica *Undelivered Mail Returned to Sender* o bien *Returned mail: User unknown*. De no ser así, el mensaje ha llegado a su destino, aunque eso no garantiza que el destinatario lo haya recuperado de su buzón.

Para asegurarte de que un mensaje llega a su destino y de que el destinatario lo lee, haz clic en **Crear correo>Herramientas** y selecciona **Solicitar confirmación de lectura**. Ya puedes escribir y enviar tu mensaje con la seguridad de que te vas a enterar de si el destinatario lo ha leído o no. Con las mismas, puede que recibas algún mensaje con esta condición, es decir, que, cuando lo vayas a leer, aparezca un cuadro diciendo que el remitente desea que le confirmes la lectura.

Envía y recibe mensajes a toda pastilla

Ya hemos hecho una prueba y hemos visto que todo ha funcionado. Si no has conseguido enviar o recibir el mensaje, puede deberse a lo siguiente:

- Que no te hayas conectado a Internet. Revisa la conexión y observa si la barra de tareas de Windows muestra el icono de la conexión, como vimos en el capítulo 3. Si no te puedes conectar, habla con tu proveedor de servicios de Internet. Ahora es cuando vas a ver si funciona o no. Debe atenderte por teléfono y explicarte lo que sucede y cómo solucionarlo. Supón que has contratado un proveedor que sólo funciona en línea y cuando le llamas para pedirle auxilio, escuchas un mensaje telefónico que te dice amablemente que accedas a la página Web tal y tal y que allí encontrarás ayuda o bien que le envíes un mensaje por correo electrónico. Parece pitorreo, ¿verdad? Pues juro que a mí me ha pasado.
- Que no hayas configurado bien tu cuenta de correo electrónico. Repasa los datos de las fichas en los menús Herramientas>Cuentas y Herramientas>Opciones y contrástalos con los que te ha facilitado tu proveedor.
- Que el servidor de correo racanee o le haya entrado el garrotillo. Mira a ver si la barra de estado de Outlook presenta el icono que indica "Con conexión." Llama a tu proveedor si no entran y salen los mensajes. Puede que la conexión con Internet funcione perfectamente, pero que el servidor de correo esté con la gripe.

Si tienes que enviar un mensaje muy largo muy largo, en vez de escribirlo en Outlook, que es un tostón y luego se lee fatal, escríbelo en Word, WordPad o el procesador de textos que uses, guárdalo y luego envíalo como archivo adjunto a un mensaje. El destinatario te lo agradecerá. Prueba a enviarte a ti mismo un mensaje largo y el mismo mensaje como archivo adjunto en un documento de WordPad. Verás qué diferencia a la hora de leerlo.

Si todo funciona como debe, recuerda todo lo que puedes hacer con los mensajes que recibas:

1. Haz clic en la Bandeja de entrada.
2. Haz clic en el botón **Enviar y recibir todo**.
3. Espera pacientemente a que se descarguen todos los mensajes.
4. Haz doble clic en el que quieras leer.
5. Si trae un archivo adjunto, haz doble clic en él para abrirlo o guardarlo en tu disco duro. Verás que aparece un mensaje que te ofrece esas opciones.

El menú Formato de la ventana del mensaje tiene opciones para formatear el texto y dejarlo bastante majo. También puedes utilizar los botones de la barra de herramientas Formato que aparece sobre la ventana del mensaje, debajo de Asunto. Pero insisto en que es mejor enviarlo como documento adjunto. Comprobarás que es más fácil guardarlo e imprimirlo después.

Después de leerlo, puedes hacer una de estas cosas:

- Borrarlo. Haz clic en el botón **Eliminar**. Si te arrepientes, lo localizarás en la bandeja Elementos eliminados. También puedes guardar el archivo adjunto que traiga y eliminar el mensaje después.
- Eliminar al remitente de tu esfera de remitentes. Haz clic en Mensaje>Bloquear remitente. Nunca volverás a recibir mensajes de esa persona. Los que te envíe, quedarán almacenados en tu servidor de correo entrante. Podrás recuperarlos o borrarlos utilizando la modalidad de correo Web, que veremos más adelante.
- Contestar. Haz clic en el botón **Responder**, escribe tu respuesta en la parte superior y haz clic en el botón **Enviar**.

- Enviárselo a otra persona para que se entere de lo que te escriben. Supón que te escribe la Schiffer y quieres enviar el mensaje a un amigo para que vea lo que es bueno. Haz clic en **Reenviar**, indica la dirección del nuevo destinatario, escribe lo que quieras y haz clic en **Enviar**.

- Imprimirlo. Haz clic en el botón **Imprimir**.

- Guardarlo en una carpeta. Haz clic en Archivo> Guardar como y selecciona la carpeta.
- Dejarlo para después sin que se mezcle con los demás mensajes. Haz clic en Edición>Mover a la carpeta y crea una carpeta que se llame Recibidos sin contestar, haciendo clic en el botón **Nueva carpeta**.
- Si no tienes almacenada en tu Libreta de direcciones la dirección del remitente, puedes guardarla de forma automática haciendo clic en la opción Herramientas>Agregar remitente a la Libreta de direcciones.

Organiza los mensajes

Los mensajes recibidos se pueden guardar en una carpeta del disco duro o de un disco o memoria extraíble haciendo clic en Archivo y luego en Guardar como, localizando la carpeta correspondiente con el botón **Examinar**.

- Conviene que la bandeja de entrada esté limpia de mensajes recibidos, para evitar mezclarlos con los que llegan.
- Para mover un mensaje o copiarlo a otra carpeta hay que hacer clic en él con el botón derecho del ratón y seleccionar Mover a la carpeta, Copiar a la carpeta o Eliminar en el menú contextual.

- Los cuadros de diálogo que se abren al seleccionar las opciones anteriores, permiten crear nuevas carpetas haciendo clic en el botón **Nueva carpeta**. Luego crearemos una.

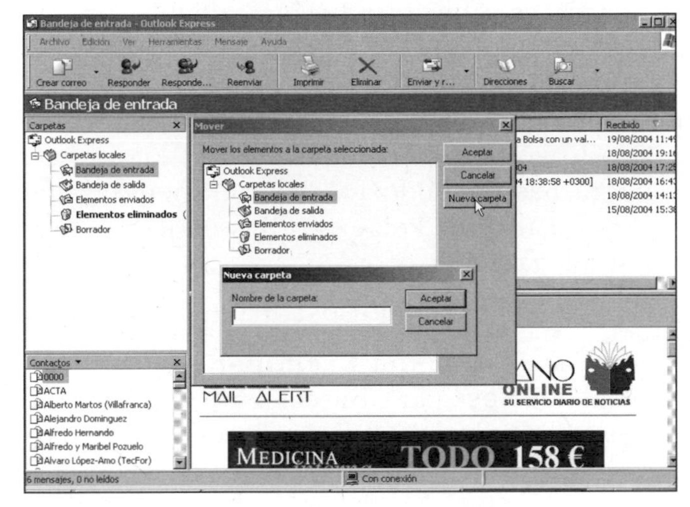

Figura 7.12. El cuadro de diálogo para mover, copiar o crear.

Los mensajes no tienen por qué estar hechos un revoltillo en cualquier bandeja. Eso está bien en una oficina siniestra, como era la de Romerales antes de que Internet irrumpiera en su vida y en su burocracia. Pero, una vez que todo es digital, electrónico, virtual y computerizado, merece la pena poner orden. Puedes no solamente guardar los mensajes en la carpeta que quieras, sino también crear carpetas nuevas. Es muy fácil:

1. Haz clic con el botón derecho en Carpetas locales.
2. Selecciona Nueva carpeta en el menú contextual.
3. En el cuadro de diálogo Crear carpeta, escribe el nombre, por ejemplo, Mensajes siniestros.
4. Haz clic en **Aceptar**. La carpeta aparecerá en la lista de carpetas locales.

Busca los mensajes, no dejes que se te pierdan

Supongamos que Peláez te ha enviado un mensaje de tipo tenebroso-avieso, con un contenido típico suyo. Tú no te acuerdas ni de cuándo te lo envió ni de cuál era el remitente que figuraba, porque ya sabes que Peláez se oculta tras diferentes identidades para poder hacer la pascua al vecindario sin temor a las represalias. De lo único que te acuerdas es de una frase que contenía el mensaje y que, al leerla, se te heló el corazón: "No lo voy a repetir dos veces."

Pues ahora has decidido localizar el mensaje, leerlo, imprimirlo y restregárselo a Peláez por las narices para que sepa con quién se juega los cuartos.

¡Megarritual!

1. Haz clic en Edición>Buscar y luego Mensaje.
2. Haz clic en el botón **Examinar** y selecciona Carpetas locales, para buscar en todas las carpetas, porque no te acuerdas de dónde lo guardaste.
3. Haz clic en **Aceptar**.
4. Deja en blanco las casillas De, Para y Asunto.
5. En el campo Mensaje escribe la frase de la que te acuerdas: No lo voy a repetir dos veces.
6. Pulsa el botón **Buscar ahora**.
7. Si las conocieras, también podrías seleccionar la fecha, el emisor o el asunto. Pero ya hemos quedado en que únicamente recuerdas esa frase que te estrujó el corazón como una garra peluda.
8. El cuadro de diálogo Buscar mensaje desplegará una especie de faldellín donde Outlook te presentará los mensajes localizados que coincidan con los criterios de búsqueda.
9. Haz clic con el botón derecho del ratón en el mensaje.

10. Selecciona **Mover a la carpeta** en el menú contextual.
11. En el cuadro de diálogo **Mover**, selecciona la carpeta de destino: **Mensajes siniestros**.
12. Haz clic en **Aceptar**.
13. Haz doble clic sobre el mensaje para abrirlo y luego selecciona **Archivo>Imprimir**.
14. Ya puedes ir a refregárselo a Peláez por la cara.

El correo Web

El correo Web es el correo Web.

- Ya le digo.
- Seguro, yo creo que es más bien como el correo Web.
- Pues yo apostaría a que se parece más al correo Web.
- A ver.
- Como si lo hubiese sabido desde siempre.
- Ya le cuento, por ósmosis.
- Si lo que esperan es que me aburra y me vaya, están frescos. Tengo cuerda para varios capítulos más.

El correo Web consiste en recuperar los mensajes en la página Web del proveedor, pulsando un enlace llamado **Correo, Mi correo** o **Ver correo**. Mediante una contraseña, se accede al buzón donde se pueden leer y responder o escribir nuevos mensajes. Pero todo el trabajo se hace en línea, a diferencia de la modalidad anterior, en que se escriben y preparan los mensajes sin necesidad de conexión.

El correo Web se controla y maneja desde la página Web del proveedor, así que no necesitas andar configurando Outlook ni Netscape ni Eudora. Basta con el navegador.

Puedes utilizar el correo Web con tu proveedor de Internet

Si tienes una cuenta de correo electrónico, puedes utilizar el correo Web de ese mismo proveedor. Es decir, si estás fuera de tu casa y necesitas recoger o enviar mensajes, haz lo siguiente:

1. Conéctate a la página Web de tu proveedor.
2. Haz clic en Correo. En algún sitio estará.
3. Escribe tu nombre de usuario y tu contraseña. Son los mismos que utilizas para el correo electrónico.
4. Haz clic en Entrar o en un enlace que invite a entrar, que alguno tiene que haber.
5. Ahora puedes leer tus mensajes, borrarlos, redactar otros nuevos, etc. Es el momento para aprovechar y eliminar los mensajes del pelmazo al que has bloqueado el acceso a tu ordenador.

Hotmail

Hotmail es uno de los sistemas de correo Web más utilizados. Es gratuito y, además, cede un buzón bastante gordo, lo que te permite recibir archivos grandes, como imágenes. Pero tiene una contrapartida y es que, sin pasas 30 días sin utilizar el correo porque te vas de vacaciones o por lo que sea, tu buzón se desactiva y, si algún remitente te quiere enviar un mensaje, el servidor se lo devuelve diciendo que verdes las han segado y que no hay manera de entregar ese mensaje. Tu remitente tiene que esperar a que tú vuelvas a activar tu cuenta de correo.

Si quieres darte de alta en Hotmail, haz lo siguiente:

1. Dirígete a http://www.msn.es.
2. Haz clic en el enlace Hotmail.
3. Haz clic en Todo acerca de Hotmail para enterarte bien de todo.
4. Haz clic en Nuevo registro de cuenta.
5. Rellena el formulario y haz clic en **Aceptar**. Como tienes que indicar tu fecha de nacimiento, puedes aprovechar para quitarte años.

Lo de quitarte años no es una tontería, luego te servirá cuando chatees con Windows Messenger y aparezcas en escena como un pipiolo o una pipiola. Yo me quité en una ocasión 40 años y me salieron miles de ligues de todas partes del mundo.

> Según cómo te lo tomes, rellenar los dos mil formularios que presenta Passport, Hotmail, Msn o como se llame, puede ser un castigo bíblico o una diversión. Se parece a aquellos concursos de la tele en los que había que subirse a un andamio, cantar un fado, saltar una tapia y pelear con un toro bravo, pero al final te daban pasta a punta pala. Aquí no te dan un duro pero no veas la cantidad de filigranas que hay que hacer. Hay cosas que te recordarán las novelas de ciencia ficción. Por ejemplo, para distinguir al usuario-persona del usuario-robot, hay una prueba. Si la pasas, queda confirmado que eres humano o, al menos, humanoide, pero, si no la pasas, puedes ser un robot malévolo que pretenda darse de alta en Hotmail y aprovechar las ventajas del correo Web gratuito. La prueba consiste en escribir en una casilla los caracteres que aparecen distorsionados y retorcidos en un cuadro.

Ya está. Tu cuenta de correo Web con Hotmail tendrá el nombre de usuario que hayas indicado, la arroba y, finalmente, el dominio, que es hotmail.com. Por ejemplo, cosmeromerales@hotmail.com.

Ahora, cuando quieras leer o escribir mensajes, sólo tendrás que conectarte a Hotmail, bien en la dirección anterior o en:

http://www.hotmail.es

Escribe tu nombre de usuario y tu contraseña y haz clic en el botón **Iniciar sesión**. Si se te olvida la contraseña, siempre tendrás la posibilidad de hacer clic en un enlace llamado Recordar contraseña u Olvidó la contraseña?. Está en todos los sistemas y resulta la mar de útil.

Hotmail funciona prácticamente igual que Outlook Express (por algo es también de Microsoft). Recibirás los mensajes en la bandeja de entrada y podrás utilizar una Libreta de direcciones igualita a la de Outlook.

La primera vez que te conectes a tu nueva cuenta, Hotmail te ofrecerá, cucamente, un montón de gigas para tu buzón y otro cerro de utilidades. Pero son de pago. Si lo que quieres es tener una cuenta gratis, insiste en no pagar y busca un enlace que dice que, si lo que necesitas es una cuenta gratuita, que hagas clic en él. Pues eso.

A continuación verás un millón de ofrecimientos de boletines gratuitos que puedes recibir en tu buzón. Si te gusta alguno, activa la casilla de verificación correspondiente. Si no, pasa del tema y haz clic en **Continuar** que esto acaba algún día.

Si tienes un micrófono para tu ordenador, no te pierdas probar un chat de voz. Puedes encontrarlo en distintos portales, por ejemplo, en Ozú. Ve a http://www.ozu.es y haz clic en Chat de voz, en el epígrafe Comunidad.

El chateo fragoroso

Chatear es una palabra ya común en nuestro idioma, que procede del inglés *chat* que significa, como era de esperar, charla. Eso es chatear, charlar por medio de un artefacto electrónico, como el ordenata, el móvil o la consola.

Chatear no es más que comunicarse escribiendo en un teclado. Los mensajes aparecen en la pantalla del interlocutor, que responde dándole a la tecla con furia. Dado que la transmisión de mensajes se efectúa por paquetes, cada interlocutor del chat debe esperar a que el otro reciba el paquete entero del mensaje enviado y, después, a recibir él el paquete entero del mensaje de respuesta.

Para comunicarse con otra u otras personas, es necesario que todas se conecten al mismo canal de chat, que funciona como una sala en la que entran y salen contertulios, que pueden conversar en público o en privado. La conversación se lleva a cabo escribiendo en el teclado del ordenador, pero también hay chats de voz, en que la conversación se realiza con un micrófono conectado al ordenador y un programa de control de audio.

Los canales de chat se agrupan por intereses y, dentro de ellos, a veces por edades, nacionalidades, preferencias, etc.

Prácticamente todos los portales tienen su canal de chat al que se accede directamente pulsando un enlace o botón que se llama precisamente **Chat**. Algunos presentan la ventana del chat en la página inicial. Para probar, vamos a darnos un garbeo por Ya.com.

¡Megarritual!

1. Dirígete a http://www.ya.com/chats.html
2. Elige una comunidad de chat, por ejemplo, Inforchat.com. Haz clic en el botón **Entrar**.
3. Selecciona un canal, por ejemplo, Amigos.
4. Escribe tu *nick* en la casilla Elige un nick y empieza a chatear. La opción Nick registrado es de pago y te permite mantener tu apodo para que no te lo quite nadie. Por ejemplo, si ligas con el nombre de "Rodolfo el Magnífico," puede que llegue otro al día siguiente antes que tú al chat y entre con ese apodo, mangándote descaradamente los ligues. Si registras tu *nick*, no podrán quitártelo mientras pagues la cuota.
5. Después de escribir tu *nick*, haz clic en **Entrar**.
6. Observa en Usuarios la lista de personas (*nicks*) que se encuentran en el canal.
7. La conversación aparece en la ventana principal, junto con el *nick* del participante.
8. Lo primero, como en la vida real, es saludar a los reunidos en la sala. Luego puedes participar en una conversación o hacer clic en el nombre de un usuario para hablar con él en privado, es decir, en una ventana aparte. Para meter baza, escribe tu mensaje en la casilla Chat y pulsa **Intro**. Lo normal es que no te hagan ni caso, así que dirígete a alguien o da la nota. Igual que si estuvieras en un salón repleto de gente parlanchina.

Nick proviene de la palabra inglesa *nickname*, que significa apodo y es el apodo con el que entrarás en los canales de chat. El mío es Gaspar.

La mensajería instantánea mola más

El chat puede ser divertido o un tostón. Según se te dé. A veces pierdes la pista de tu interlocutor porque no paran de entrar mensajes. Para hablar en directo y sin interferencias, lo mejor es la mensajería instantánea. Si tienes una cámara Web o, lo que es lo mismo, una webcam, puedes verte las caras con tu interlocutor. Claro que siempre puedes apagar la cámara si te encuentras con alguien pofiadillo de cara.

La mensajería de Internet consiste en enviar y recibir mensajes directamente, en conversar en línea escribiendo o hablando con un micrófono y en recibir avisos instantáneos de los mensajes recibidos o de los interlocutores conectados. Todos los programas funcionan por el estilo.

Las webcams o videocámaras son cámaras digitales de pequeño tamaño que se conectan al ordenador para intercambiar vídeo a través de la Red. Actualmente son bastante asequibles, aunque, en las más baratas, la calidad de vídeo deja bastante que desear, pero si solamente se trata de jugar un poco con esto de las videoconferencias, puede ser suficiente. Si pretendes dar cursos a distancia, es mejor que te gastes las pelas. Pero si eres francamente feo como Peláez y tu objetivo es ligar en la Red, mejor es que aproveches las ofertas de webcams y te compres la más económica que encuentres. Siempre podrás echarle la culpa de tu aspecto.

Las ventajas de chatear con un programa de mensajería instantánea son varias:

- Puedes verle la cara a tu interlocutor, si tiene webcam. Si en vez de cara es una jeta, corta y navega, porque sin duda se trata de Peláez.
- La comunicación es instantánea, no hay que esperar a que llegue el bloque de palabras del interlocutor. Es como el teléfono.

- Existe la emoción de no saber con quién estás hablando. En el canal de chat, tu interlocutor se ha conectado al mismo canal que tú. En la mensajería instantánea, alguien asoma a tu ordenador y te enrollas sin más
- Los programas de mensajería instantánea permiten no solamente el chat de voz con un micrófono, sino la videoconferencia, el envío de archivos, jugar en línea y, si se trata de trabajo, mostrar datos, gráficos e informes en una pizarra virtual.

Windows Messenger

Windows Messenger viene integrado en Windows XP. Lo encontrarás en Inicio>Todos los programas>Windows Messenger.

Primero, tienes que crear una cuenta en la red Passport. Es muy sencillo.

1. Conéctate a Internet.
2. Haz clic en Inicio>Todos los programas> Windows Messenger. También puedes hacer doble clic en el icono que encontrarás en la barra de tareas de Windows. Si estás trabajando con Internet Explorer, para conectarte haz clic en Herramientas>Messenger.
3. En la ventana de Windows Messenger que aparece, haz clic en Haga clic aquí para iniciar sesión.
4. En la ventana siguiente, haz clic en Obtener una cuenta en .NET Passport. Es el enlace que aparece en la parte inferior de la ventana.
5. Cuando aparezca el Asistente, haz clic en el botón **Siguiente**.

6. Cuando te pregunte si dispones de una dirección de correo electrónico, activa el botón de opción Sí y pulsa **Siguiente**.
7. Escribe la dirección de correo electrónico y haz clic en **Siguiente**. Si tienes una cuenta con Hotmail, verás qué contento se pone el Asistente. Si no la tienes, puede que insista en que abras una. Es gratis y no tienes que hacer nada especial con ella.
8. Escribe la contraseña para la cuenta Passport. Activa la casilla de verificación Guardar mi cuenta Passport en mi cuenta de usuario Windows XP para no tener que escribirla cada vez y haz clic en **Siguiente**.
9. El siguiente cuadro solicita una pregunta secreta que el sistema planteará en el caso de olvidar la contraseña. Selecciona la pregunta, escribe la respuesta y haz clic en **Siguiente**.
10. En los siguientes cuadros tendrás que escribir tus datos de residencia y seleccionar la información personal que podrán ver los otros usuarios de Passport.
11. En el último cuadro, haz clic en **Finalizar**.

Ahora ya puedes iniciar la sesión cuando quieras, sólo tienes que seguir los siguientes pasos:

1. Conéctate a Internet.
2. Haz clic en Inicio>Todos los programas> Windows Messenger. También puedes hacer doble clic en el icono de la barra de tareas de Windows.
3. En la ventana de Windows Messenger que aparece, haz clic en Haga clic aquí para iniciar sesión.

La ventana de Windows Messenger tiene varios enlaces en la parte inferior:

- **Agregar un contacto**. Para completar tu lista de contactos con los que comunicarte a través de Windows Messenger.
- **Enviar mensaje instantáneo**. Para enviar un mensaje a alguien que esté conectado.
- **Enviar un archivo o una foto**. Igual, pero una foto o un archivo.
- **Ir a salones de chat**. Para dedicarte al chateo.
- **Iniciar una conversación de voz**. Puedes utilizarlo si tienes un micrófono conectado.
- Al hacer clic en **Más**, aparecen nuevos enlaces:
    - **Iniciar una conversación de vídeo**. Si tienes una webcam conectada, puedes conversar y verte con tu interlocutor. En principio, él te podrá ver a ti, tú le verás a él si tiene también cámara y se asoma a ella.
    - **Agregar un grupo**. Si tienes tantos contactos que puedes ordenarlos por grupos, esta opción te sirve para agregar un nuevo grupo.
    - **Enviar correo electrónico**. Puedes enviar mensajes de correo electrónico en vez de mensajes instantáneos, por ejemplo, a una persona que no se haya conectado.
    - **Solicitar asistencia remota**. Puedes pedir ayuda a alguno de tus contactos que esté conectado a la red de mensajería, para que te eche una mano si te lías con el programa.

Los contactos aparecen agrupados en **Conectados** y **No conectados**. Se puede enviar un mensaje instantáneo a los que estén conectados y dejar un mensaje a los no conectados.

Windows Messenger es una especie de Celestina en versión digital. Un buen día, te advierte de que alguien quiere formar parte de tu lista de contactos. Tú aceptas, es decir, te limitas a hacer clic en el botón Aceptar del aviso. Y él, ni corto ni perezoso, va y le dice a esa persona que quieres entablar conversación. La persona, naturalmente, acepta y te llama. Si te va bien la historia, te enrollas, pero, si no, fíjate qué compromiso.

- Para conversar en modo chat con un interlocutor que esté conectado, haz doble clic en su nombre y empieza a escribir en la ventana inferior. Después de escribir el texto, haz clic en el botón **Enviar**. La respuesta del interlocutor irá apareciendo en la ventana.
- Para añadir un contacto a la lista, haz clic en Agregar, selecciona la opción Por correo electrónico y escribe el correo electrónico del nuevo contacto y haz clic en **Finalizar**. Solamente puedes agregar a tu lista de contactos gente que tenga una cuenta en Passport. Si tu contacto no tiene cuenta Passport, el programa se ofrece finamente a enviarle un mensaje explicándole cómo darse de alta en Passport e instalar Windows Messenger para poder comunicarse contigo. Es un buen bromazo que puedes gastar.
- Para enviar y recibir mensajes, haz clic en Enviar mensaje instantáneo, escribe el texto en el cuadro de abajo y haz clic en el botón **Enviar**. Puedes incluir un emoticón, haciendo clic en el botón con cara amarilla o cambiar la letra haciendo clic en el botón con la A. Si quieres enviar el mensaje a alguien que no forme parte de tu lista de contactos, haz clic en la pestaña Otros. Recuerda que para enviar un mensaje instantáneo, la otra persona debe estar conectada, de lo contrario, no lo recibirá. Por eso se llama "instantáneo."
- Cuando se abra la ventana de conversación, puedes escribir tu mensaje o bien hacer clic en Invitar a alguien a esta conversación.
- Para enviar un archivo o una foto, tienes que hacer lo mismo que para enviar un mensaje instantáneo, sólo que haciendo clic previamente en Enviar un archivo o una foto. Obvio.

- Al recibir un archivo, aparecerá un mensaje diciendo quién lo envía y ofreciendo las opciones **Aceptar** o **Declinar**. Al hacer clic en **Aceptar** empezará la transferencia del archivo, pero antes el programa avisará de la posible existencia de virus. Si el emisor es de confianza, hay que hacer clic de nuevo en **Aceptar**.
- Si haces clic en **Ir a salones de chat**, te encontrarás una nueva gaita. Tienes que instalar un componente para el chateo. Por suerte, el mismo Messenger te lleva de la mano a una página Web en la que puedes obtener ese chisme.

1. En la página de Microsoft a la que Messenger te conduce, haz clic en el enlace **Haga clic aquí para descargar este complemento**.
2. Haz clic en **Descargar ahora**.
3. El proceso es el de siempre. Cuando termine la instalación, aparecerá un cuadro de diálogo informándote de lo bien que ha funcionado todo.
4. Ahora puedes ir a los salones de chat. La ventana de Messenger quedará minimizada en la parte superior de la pantalla. Si haces clic en ella podrás desplegarla y elegir otra opción.

Si intentas ponerte en comunicación con alguien que no esté en tu lista de contactos admitidos, Windows Messenger te advierte muy seriamente que probablemente no te conteste y se niegue a conversar contigo. Yo he probado a enviarme un mensaje a mí misma, a una dirección de correo electrónico distinta de Hotmail y me ha dicho que lo más seguro es que no conteste. O sea, que uno no puede ni hablar consigo mismo si no se incluye previamente en la lista de contactos admitidos.

Para cerrar Windows Messenger haz clic en **Archivo>Cerrar sesión**, y después en **Archivo>Salir**. De lo contrario, se queda conectado y te pega un susto si alguien asoma a tu pantalla sin esperarlo. Imagínate que es el espeluznante careto de Peláez.

Capítulo 8
Romerales o la avidez de la descarga

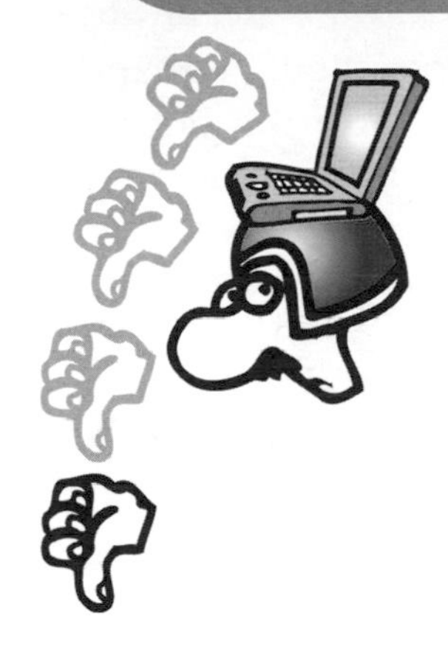

BURKiNA-FASO: SELLO CONMEMORATiVO DEL PRiMER ViRUS iNFORMÁTiCO CON SONiDO iNCORPORADO

Al principio, a Romerales no le pareció que Internet fuera un lugar de excesivo interés, pero, a medida que se fue habituando a toquetear aquí y allá, observó la existencia de unos botones llamados unas veces **Descargas** y otras ***Download***, lo que en la jerga internáutica resultó ser lo mismo, que llamaron su atención. Al hacer clic en uno de esos botones, se le llenaba a uno la casa de objetos, muchas veces, incluso gratis.

Lo de pillar cosas gratis pudo más que él y terminó por encendérsele una especie de furor que suscitó en él el ansia de descargar y descargar. Tanto fue así que llegó a abandonar sus obligaciones laborales y a dejar de lado los encargos y mandados de la oficina, para dedicar todo su tiempo a la descarga compulsiva.

Con el tiempo, su rostro adquirió un matiz mitad cetrino mitad amarilloverdoso, prueba fehaciente de que los productos virtuales de la Red habían oscurecido su capacidad de atención y se le había producido un estado semiconfusional con incrustaciones cíclicas que alternaban la exaltación eufórica con la falta total de ánimo y la disforia exacerbada.

Como siempre, fue una nueva metamorfosis la que le libró de caer tanto en las garras de la enfermedad mental obnubilatoria como en las listas del INEM, porque su jefe le pilló un día con las manos en la masa y los ojos intensamente fijos en el cuadro de diálogo Descargar, ávidos de recibir más y más objetos virtuales. Hay quien asegura que fue Peláez quien le vendió a las altas esferas, rabioso al ver que el bueno de Cosme arrinconaba los marrones y los "embolaos" para darse por completo a su obsesión por la descarga incesante.

Lo cierto es que no le costó el puesto gracias a su oportuna mutación en el invicto triunfador sobre el mundo virtual del silicio inteligente, el imponderable Megatorpe, quien supo alzarse magnánimo y sapientísimo ante los desorbitados ojos de los coleguillas y ante el mismísimo director, para deslumbrarles con su sapiencia infinita sobre los recovecos de las descargas en Internet.

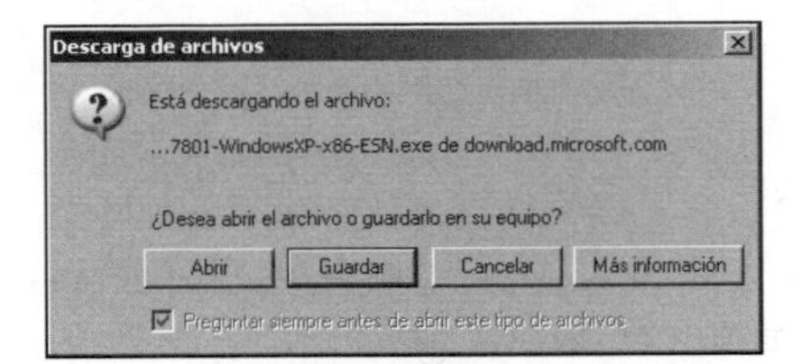

Figura 8.1. El cuadro de diálogo de las descargas. La obsesión de Romerales.

Revistas, periódicos y boletines

Existen numerosas revistas, periódicos y boletines a los que te puedes suscribir gratuitamente (algunos cobran). Los boletines y revistas no se descargan, sino que llegan a tu buzón de correo electrónico en forma de mensaje o en formato de documento pdf, como veremos después.

Algunas revistas o boletines precisan confirmar la suscripción. Por ejemplo, si te suscribes a *Noticias.com* (http://www.noticias.com), el servidor te envía un mensaje por correo electrónico para que confirmes la suscripción. En el mensaje hay un enlace que debes pulsar para confirmarla. Ese enlace te lleva a una página Web en la que puedes elegir la modalidad de suscripción, para recibir la revista diaria, semanal, quincenal o trimestral. Cuando elijas y hagas clic en el botón **Aceptar**, aparece un aviso para que sepas que tu suscripción es correcta.

La revista *Vistazo a la prensa* es un noticiario interesante al que te puedes suscribir de la forma siguiente:

1. Dirígete a http://www.vistazoalaprensa.com
2. Haz clic en el enlace Recibe nuestro boletín de prensa diariamente en tu correo.
3. Escribe tu dirección de correo electrónico y haz clic en OK en el cuadro siguiente. Observa que el mismo cuadro tiene un botón de opción que te permitirá anular la suscripción el día que lo desees.

4. El siguiente cuadro te advierte de que te han enviado un mensaje por correo electrónico con un enlace en el que debes hacer clic.

5. Pon en marcha tu programa de correo electrónico y recibirás el mensaje.

6. En el mensaje vienen dos enlaces. Uno de ellos te hará llegar el boletín de prensa en formato HTML, es decir, como si fuera una página Web. El otro, te lo enviará en formato txt, es decir, como texto corrido. El texto corrido ocupa menos espacio en el buzón, pero es más incómodo de leer. El formato HTML es una página Web con enlaces para profundizar en las noticias. Si tu buzón de correo te lo permite, elige **HTML**. Si eres un roña que solamente tiene un buzón raquítico o si recibes millones de cartas y fotos de tus admiradoras/es y no tienes espacio, elige **txt**.

7. Cuando hagas clic en el enlace elegido, verás un aviso confirmando tu suscripción.

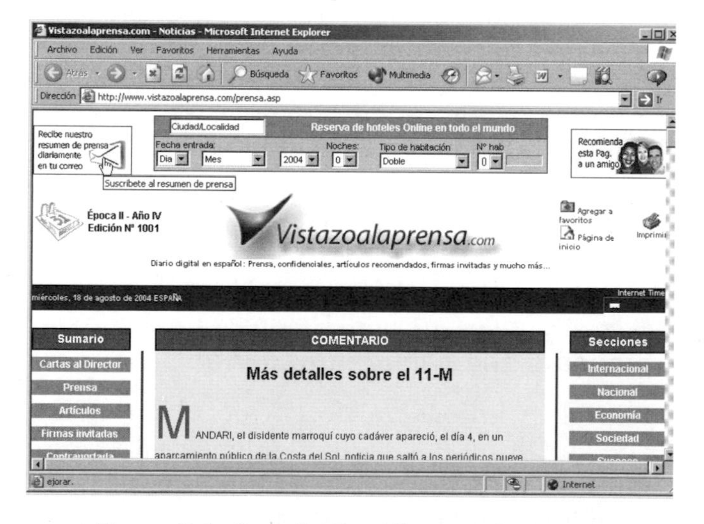

Figura 8.2. Suscríbete a Vistazo a la prensa.

Perlas musicales

Una de las cosas que más se descargan de Internet es música. Pero, igual que dijimos que las imágenes que circulan por la Red tienen que atenerse a unos formatos específicos, también la música debe cumplir ciertas normas.

Se llama audio digital al procesamiento digital de las señales de sonido, con vistas a su grabación y reproducción en sistemas informáticos.

Los archivos de sonido

Uno de los mayores intríngulis de la Red ha sido y sigue siendo encontrar algoritmos capaces de comprimir los archivos grandes, para poderlos transmitir de un ordenador a otro sin atascos, demoras ni grandes catástrofes. Ya hemos hablado anteriormente de la compresión de archivos de imagen. Pues lo mismo es aplicable a los archivos de sonido.

- Y ¿la compresión de cháchara interminables?

- En la tienda de al lado.

Vamos a descargar MP3

MP3 es el formato que más funciona en Internet, no solamente porque ocupa poco espacio y da buena calidad, sino porque existen multitud de programas para grabar, reproducir, convertir otro tipo de formatos, como WAV o MIDI a MP3.

¡Megarritual!

Si quieres música gratis sin trampas ni pirateos, puedes descargar unas cuantas perlas musicales de las que regalan los propios artistas para que nos animemos a comprar el disco entero.

1. Dirígete a http://music.download.com
2. En la zona izquierda de la página, un poco más abajo, verás un cuadro con dos pestañas:
   - Genres. Aquí puedes seleccionar la música por géneros.
   - Artists. Aquí puedes seleccionar la música por artistas.

3. De forma predeterminada, está seleccionada la primera pestaña. Selecciona un género musical, por ejemplo, **Blues**.
4. La pestaña **Genres** del cuadro, mostrará ahora diversos géneros de blues. A mí me tira eso de **Harmonica Blues**, así que yo voy a hacer clic. Tú haz lo que quieras.
5. Ahí lo tienes. Cada artista tiene varios epígrafes. Localiza el enlace **Go to songs** del artista que prefieras. Hay un tal Brother Bob que, además de blues con armónica, interpreta Gospel. Haz clic.

Go to songs >>

6. Ahora observa los archivos musicales que llevan el enlace **Download Mp3**. Todos ellos te permiten descargar gratuitamente una pista de un disco. Así podrás escucharlo tranquilamente y, si te gusta, comprar el disco completo.

DOWNLOAD MP3 (9.06 MB)

7. Observa que, junto al enlace, aparece el tamaño del archivo a descargar. Si tienes ADSL u otra conexión rápida, da lo mismo. Si te conectas con un módem, busca uno archivo que tenga menos de 2 MB o te pasarás el día descargándolo con el riesgo de que la descarga se caiga por el camino y te quedes sin tu música.
8. Aparece un cuadro de aviso que te pregunta si quieres abrir el archivo musical y escucharlo con el reproductor predeterminado que tengas en tu equipo (si tienes Windows XP, tendrás Media Player) o si prefieres guardar el archivo en un disco. Como lo que queremos es descargarlo,

elige **Guardar el archivo en disco** y haz clic en **Aceptar**. Recuerda elegir una carpeta en la que luego lo encuentres fácilmente, por ejemplo, **Mis documentos\Mi música**.

9. Ahora aparece otro cuadro que te indica el progreso de la descarga. Cuando termine, haz clic en **Abrir** para escucharlo.

10. Ahora que ya sabes, puedes seguir descargando música gratuita. Cuando tengas unas cuantas melodías, puedes copiarlas a un CD-ROM y obtener un disco de música interminable, porque los archivos Mp3 almacenan horas y horas de sonido. Si tienes un programa de grabación de discos, también podrás convertir los archivos Mp3 en pistas de CD y escuchar el disco en un reproductor de CD normal y corriente.

Si no tienes paciencia para descargar un archivo gordo o tienes problemas de descarga, prueba a escucharlo. Activa simplemente la opción de abrir el archivo musical y podrás oírlo en tu PC mientras trabajas o haces otra cosa. Cuando lo hayas escuchado entero, puedes recuperarlo de la carpeta **Archivos temporales de Internet** y guardarlo en otro sitio para ir llenando ese CD que hemos dicho.

¡Megarritual!

1. Abre el Explorador de Windows.
2. Ve haciendo clic en la ruta: **Disco local (C:)> Documents and Settings>Tu nombre o el nombre del usuario de tu PC>Configuración local>Archivos temporales de Internet**.
3. Para localizar el archivo de sonido, observa la fecha. Si no tienes organizada la carpeta por fechas, haz clic en **Último acceso** que es la séptima columna a la derecha.

4. En la fecha actual encontrarás varios archivos htm de las páginas Web, gif de las imágenes, etc. Busca uno que lleve la terminación .mp3 y que se llame como el que has escuchado. Está seleccionado y se llama **Brother_Bob-Harp_Groove.mp3**. ¿Lo ves?
5. Haz clic sobre él con el botón derecho del ratón y elige **Copiar** en el menú contextual.
6. Localiza la carpeta que desees, por ejemplo, **Mis documentos\Mi música**. Haz clic con el botón derecho y selecciona **Pegar** en el menú contextual.
7. También puedes arrastrar el archivo en el Explorador de Windows de una carpeta a otra. Si es grande, tardará un poco si tu ordenador tiene menos de 128 MB de memoria RAM.

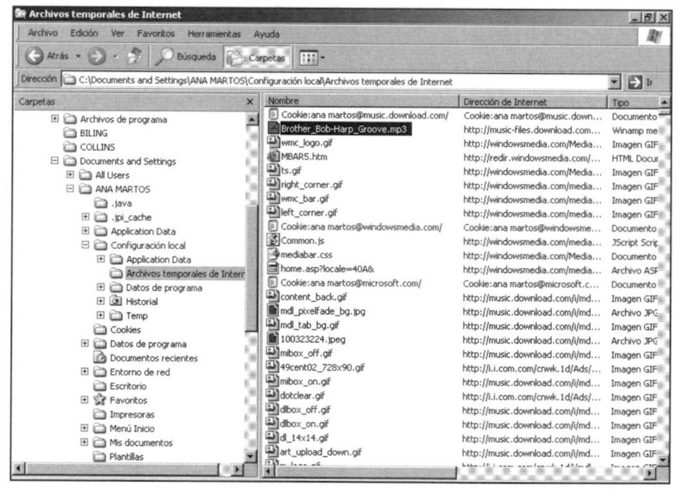

Figura 8.3. Blues con armónica entre los archivos temporales de Internet.

El vídeo va corriente abajo

Transmitir vídeo en Internet es bastante complicado debido en gran medida al tamaño de estos archivos. Si transmitir un minuto de sonido con calidad CD ocupa casi 15 MB, transmitir audio a 44.100 Hz con 16 bits en estéreo ocupa 172 Kb por segundo. Vamos, una barbaridad.

- Y que lo diga.
- No sé dónde vamos a llegar.
- Ni de dónde venimos para llegar tan lejos.
- Mucho pitorreo, ¿verdad?

Por eso, la transmisión de sonido y vídeo en Internet tiene ciertas características. Tanto el sonido como las imágenes animadas del vídeo han de ser digitales, que es lo único que los ordenadores pueden manejar.

Existen artilugios especiales que capturan el sonido o el vídeo en formato digital o transforman el formato analógico en archivos de bits, es decir, en formatos digitales. Estos archivos de almacenan comprimidos para que no ocupen demasiado espacio en el disco duro del ordenador (en este caso, un servidor) que los contiene.

Una gran dificultad de la transmisión es que el ancho de banda (la velocidad de transmisión de la línea que se mide en bits por segundo o baudios) no siempre es igual. Además, las líneas de transmisión de datos de Internet vía módem se comparten entre varios usuarios y eso modifica aún más su velocidad, según el número de usuarios que transmitan en cada momento. Por eso, a ciertas horas es más fácil conectarse que a otras.

Pero como los que piensan lo solucionan todo, existen actualmente tecnologías que no sólo comprimen los archivos de sonido y vídeo, sino que los fraccionan para descargarlos por fragmentos, que luego se reúnen en un solo archivo.

Por eso, cuando haces clic en un archivo de vídeo, no lo ves inmediatamente, sino que te toca esperar a que la página Web conecte con el servidor en que está almacenado el archivo, a que lo descomprima, a que lo recomponga y a que te lo sirva, presentándotelo en la ventana de tu programa de reproducción de vídeo.

Los archivos de vídeo que encontrarás en Internet tienen distintos formatos, como DivX, AVI, MOV, Real Player, Quick Time, FLI, FLC, SMK. Hay una sopa de letras similar a la de

En el CD-ROM de acompañamiento encontrarás unos cuantos reproductores, entre ellos, el Reproductor de Windows Media también conocido como Windows Media Player.

los archivos de sonido. Pero lo que te interesa es saber que el vídeo no se ve así como así. Es necesario disponer de un aparato cliente que lo solicite al servidor y te lo presente en la pantalla. El Reproductor de Windows Media, que viene con Windows XP, es un excelente dispositivo para ver vídeo, escuchar música, sintonizar emisoras de radio y pasártelo en grande.

Buscadores de vídeo

Cuando hablamos de los buscadores en el capítulo 6, vimos algunos que tenían una pestaña especial para localizar imágenes o música en formato Mp3. Altavista y Lycos tienen también sendos buscadores de vídeo.

Para ver el vídeo de Cristina Aguilera tienes que haber instalado Real Player. Lo encontrarás en el CD-ROM de acompañamiento.

1. Ve a http://www.altavista.es.
2. Haz clic en la pestaña Vídeo.
3. Escribe el nombre, por ejemplo, Christina Aguilera.
4. Haz clic en **Encontrar**.
5. Haz clic en la miniatura de Christina Aguilera.
6. Al final de la página encontrarás un epígrafe que dice "Mirar el Vídeo Clip."

Multimedia: Christina Aguilera "I Turn to You"	
Mirar el Video Clip File 28k | File 56k | File Lan	Escuchar el Tema File Real Player 4.3mb

7. Haz clic en File 56 K.
8. Aparecerá el mismo cuadro que surgió (son como fantasmas que emergen de la niebla del Támesis) al descargar el blues. Haz clic en Guardar en el disco y en Aceptar.
9. Cuando termine la descarga, puedes activar el vídeo haciendo clic en el botón **Abrir** o localizarlo con

el Explorador de Windows en la carpeta en que lo hayas guardado y hacer doble clic sobre él.

Insecticidas, raticidas y otros cidas

Internet se ha convertido, con el tiempo y una caña, en algo parecido a la inmunda buhardilla de doña Polilla, donde solían reunirse en junta el mosquito y la mosca con la chinche y la pulga para detectar cuál era el feroz insecticida que no dejaba uno vivo. Si andas en la Red, antes o después caerás en sus garras malolientes. Lo notarás porque, un buen día, tu ordenador empezará a hacer cosas raras, como tardar un milenio en o que antes tardaba un rato, largarte mensajes de fallo y error o desobedecer tus instrucciones. Antes de que te desesperes y lo tires al contenedor de las miasmas ávidas de silicio putrefacto, es mejor que descargues antiespías, antivirus y antitodo.

En la carpeta Antivirus del CD-ROM de acompañamiento, encontrarás antivirus que puedes instalar fácilmente. Pero no olvides actualizarlo nada más instalarlo, porque, desde que yo pongo los antivirus en el disco hasta que llegue a tus manos, pueden haberse creado mazo de virus, gusanos, espías y otros bichos incontrolados que los antivirus del disco no conozcan y contra los que no tengan efecto. Recuerda que la actualización consiste en hacer clic en un enlace, botón u opción que diga "actualizar." *"update"*, *"live update"* o algo similar.

Para descargar programas que te liberen de los malandrines y follones que pululan por la Red, lo mejor es dirigirte a Alerta Antivirus, aquella página del Ministerio de Industria que vimos en el capítulo 3.

Antivirus y antiespías

Como ya tenemos antivirus en el CD-ROM de acompañamiento, vamos a descargar un antiespía.

1. Ve a http://alerta-antivirus.red.es
2. Haz clic en **Útiles Gratuitos**.
3. Desplázate al final de la página.
4. Haz clic en **Anti-espías**.
5. Elige el que quieras. Cuando te conectes a la página del antiespía, busca la palabra mágica ***Download*** si está en inglés o **Descargar** si está en español. Si, además, incluye la palabra ***free***, sabrás con seguridad que es una descarga gratuita.

Pon en marcha el mataespías

Juro que en la página de Alerta Antivirus dice que Spybot está en castellano, pero yo lo he descargado y está en espikininglis. Eso sí, antes de instalarlo te presenta un cuadro para que elijas si lo prefieres en inglés, en francés, en italiano o en turulandés. De español, nada de nada.

A mí, personalmente, se me da mejor el francés que el inglés, pero, entre lo malas que son las traducciones informáticas, el desastre que organizan los traductores automáticos y la jerga adaptada a otro idioma, prefiero que el programa esté en su lengua nativa que en este caso es el inglisespoken.

Como no sé si cuando leas este libro Spybot seguirá disponible para que lo descargues gratis, lo he incluido en el CD-ROM de acompañamiento, sobre todo porque es el único que he encontrado que funcione sin dar la lata con pretender actualizarse y cobrar. Es muy loable lo de cobrar, que ya sabemos que los programadores no trabajan gratis, pero si un programa se anuncia como gratuito, digo yo que debería ser gratuito. La mayoría de los antiespías que se ofrecen gratuitamente funcionan a medias y, cuando te haces la ilusión de que te van a solucionar el problema detectado, te dicen que "acabaca, Caravaca," que ya han cumplido con detectarlo y que si, además, quieres arreglarlo, que te pases por su página oficial, que sueltes la mosca y que luego te arreglan todo.

Spybot no. Detecta los programas y los soluciona o, al menos, trata de solucionarlos, pero no te da guerra. Lo único que te pide cuando lo vas a descargar es una donación con fines benéficos. Pero si eres tan roña como Peláez, puedes pasar ampliamente de la donación y seguir adelante descargando el programa.

- Tan roña como usté, querrá decir. O ¿nos quiere hacer creer que ha donado algo?

Estoooo... vamos con Spybot.

¡Megarritual!

1. En cuanto finalice la descarga, haz clic en el botón **Abrir** del cuadro de siempre.
2. Aparece el asistente que, finamente, te da la bienvenida y te invita a instalar el programa. Si el tuyo está en español, que todo pudiera ser, haz clic en **Siguiente**. Si está, como el mío, en espikininglis, haz clic en **Next**.
3. Ahora viene la historia del contrato. Activa el botón de opción I accept the agreement y haz clic en **Next**.
4. Ahora te cuenta dónde te lo va a instalar. Es el lugar adecuado, así que haz clic en **Next**.
5. Ahora te dice lo que te va a instalar. Como no conoces el programa y no sabes si es mejor quitar o poner algo, más vale que aceptes lo que te ofrezca y hagas clic en **Next** hasta que se te canse el dedo.
6. Cuando hayas aceptado unos cuantos cuadros de diálogo, aparece uno que lleva ¡por fin! El botón **Install**. Haz clic.
7. Al terminar de instalarlo, aparece otro cuadro que tiene activada una casilla de verificación que indi-

ca **Run Spybot**. Si haces clic en **Finalize**, se pondrá en marcha el programa. Si desactivas previamente la casilla de verificación, terminará la instalación, pero el programa no se pondrá en marcha hasta que hagas doble clic en el icono del Escritorio.

Cuando se pone en marcha, Spybot te presenta un aviso diciendo que si te cargas todos los programas robot que él va a detectar, que luego no podrás acceder a la página Web de la que te han llegado. Ni falta que te hace. Como tampoco necesitas estar viendo este mensaje cada vez que ejecutes el programa mataespías, es mejor que actives la casilla de verificación **Do not show this message again** para que no vuelva a ponértelo delante. Haz clic en el botón **OK** para despedir a este mensaje para siempre jamás y empezar a limpiar tu equipo.

- La primera vez que lo ejecutes, aparecerá una lista de cuadros que tienen por objeto crear tus datos de registro. Solamente tienes que hacer clic en el botón **Next** hasta que se acaben.
- También la primera vez que lo ejecutes, aparecerá un cuadro que te ofrece tres botones:
  - **Read tutorial**. Te encasqueta el tutorial. Si te aclaras con el inglés y tienes ganas, léelo.
  - **Read Help file**. Lo mismo, pero la Ayuda. Idem, eadem, idem.
  - **Start usins the program**. Éste es el que pone el programa en marcha.

- Si no es la primera vez que ejecutas el programa, tienes que hacer clic en el botón **Check for problems** para que empiece a localizar los problemas de tu equipo.

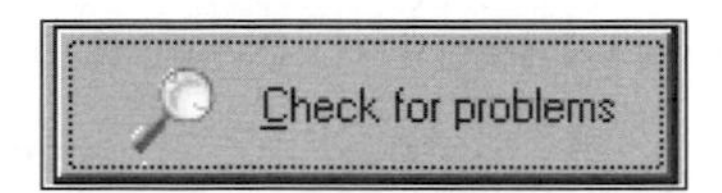

Ahora empieza lo bueno.
- A ver si es verdad.
- A ver si es verdad que es bueno.
- A ver si es verdad que es bueno de verdad.
- A ver si es verdad que es bueno de verdad de la buena.
- A ver...
- ¡A ver si me dejan dar la clase! ¡Recontracorcho!

La ventana tiene un nombre contundente: Search and Destroy. O sea, que busca y machaca. Arriba tiene un botón con un aspa en rojo para detener la detección. A la izquierda tiene una barra de botones:

- **Search and Destroy**. Buscar y destruir. Es lo que estamos haciendo.
- **Recovery**. Recuperar. Recupera los historiales de los problemas ya solucionados para que puedas refocilarte en ellos, volver a dar por buenas las páginas de las que te protege este programa o eliminarlas para siempre de tu esfera de accesos Web.
- **Inmunize**. Inmunizar. Inmuniza tu equipo ante el ataque de programas, vetando el acceso a páginas dañinas y peligrosas. Pero puede que alguna de esas páginas dañinas y peligrosas sea precisamente una de tus predilectas, porque ya conocemos la tendencia humana a acercarse al peligro. Entonces tendrás que recuperar esa página y declararla buena, aunque te deje el ordenador como un estropajo de esparto después de mil fregados.

- **Update**. Actualizar. Te lleva a la página oficial para actualizar el programa y que no se quede anticuado, que luego no sirve para nada.
- **Donations**. Donaciones. Lo que te dije antes.

La ventana inferior tiene dos campos:

- Problem. Aquí puedes ver el problema que tiene tu equipo. En la figura puedes ver el nombre del programa espía.
- Kind. Aquí verás el tipo de problema. En la figura puedes ver el número de entradas del programa espía en tu equipo.

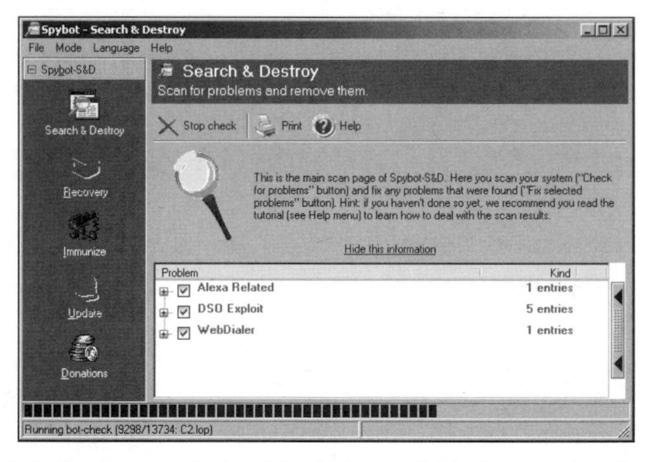

Figura 8.4. Spybot en el ejercicio de las actividades propias de su sexo y condición.

Al final de la ventana hay una barra de estado que indica lo que está haciendo el programa. En la figura puedes ver (si tienes buena vista) que está escaneando el PC a la caza y captura de programas malignos.

Cuando termine de escanearlo, te mostrará la ventana repleta de perversos espías e intrusos que se han colado en tu ordenador, pero no todos son malévolos. Cada programa detectado lleva delante una casilla de verificación marcada y una cruz.

- La casilla de verificación marcada señala el programa como peligroso. Si la desactivas, Spybot dejará de considerarlo dañino y no actuará contra él. Si la dejas marcada, Spybot entenderá que ese programa está seleccionado como peligroso y lo reparará cuando des la orden.
- La cruz dentro del cuadrito es un símbolo que indica que hay material dentro. Haz clic en ella para desplegarla y verás toda la información necesaria sobre el programa detectado.

Al final viene la decepción. Lo que Spybot ha tomado por espías malencarados no son más que inofensivas *cookies* que las páginas Web visitadas han lanzado a tu ordenador. No hace falta que las elimines si conoces la página de la que proceden. Si no la conoces y quieres eliminarlas, no pasa nada. Deja la casilla seleccionada y Sypbot las machacará.

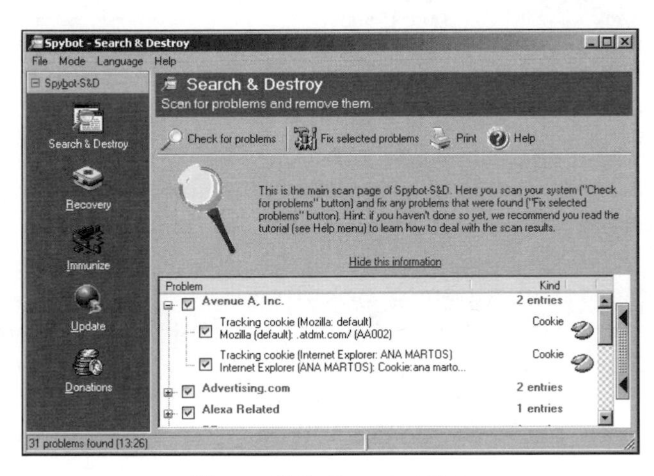

Figura 8.5. Son *cookies*.

Si tienes programas malvados y perversos que modifican la actividad de tu ordenador, observa la descripción que aparecerá en el campo Kind: *"Registry change"* significa que esos programas realizan cambios en el Registro de configuraciones de Windows. Esos cambios pueden hacer que

Internet Explorer vaya directamente a la página que a ellos les da la gana y no a la que tú señalas como página de inicio, que te aparezcan ventanas emergente cada dos por tres dándote el tostón para venderte algo, o que suceda cualquier otra cosa que no tendría por qué suceder. Vamos a por ellos.

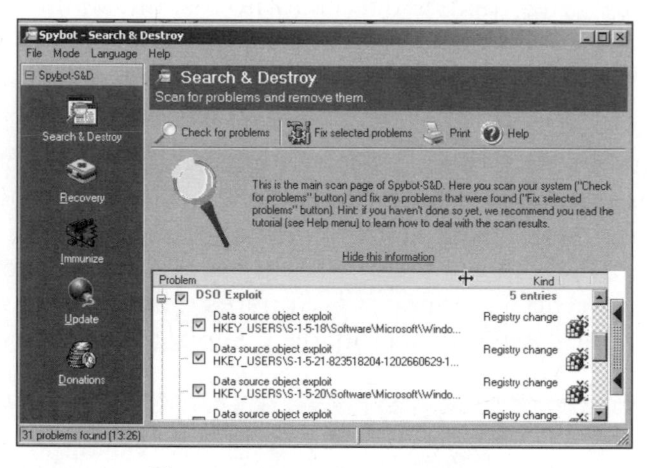

Figura 8.6. Intrusos malévolos.

Si quieres obtener la dirección completa en la que se aloja el programa intruso, observa que la barra de los campos **Problem** y **Kind** tiene una marca a la que puedes aproximar el puntero del ratón. Cuando se convierta en una flecha de dos puntas como se ve en la figura, arrastra hacia la izquierda para que vaya apareciendo el contenido de la derecha. Si parece que no se puede arrastrar más, no hagas caso e insiste hasta que la ruta en que se encuentra el programa intruso aparezca completa.

Eso es para que veas la posición exacta del intruso. Ahora vamos a ver lo que tienes que hacer una vez detectados espías, intrusos y galletitas pavorosas en tu ordenador:

1. Haz clic en el icono que aparece en el campo **Kind**. El que parece un paquete sospechoso.

¡Megarritual!

2. Spybot te llevará hasta él. Si está alojado en un lugar al que puedas acceder con el Explorador de Windows, Spybot te lo mostrará. Para borrarlo, solamente tienes que pulsar la tecla **Supr**.
3. Si el intruso está alojado en el Registro de configuraciones de Windows, Spybot te llevará hasta allí y te mostrará el lugar en que se encuentra. Si no conoces el manejo del Registro, mi consejo es que no borres nada, sino que dejes que lo haga Spybot. Cierra la ventana y volverás a Spybot.
4. Comprueba que está seleccionada la casilla de verificación junto a cada uno de los problemas que quieras seleccionar.

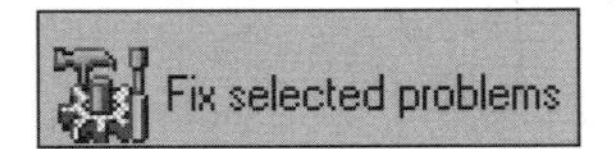

5. Haz clic en el botón **Fix selected problems**, para que Spybot solucione los problemas seleccionados.
6. Aparecerá un cuadro pidiéndote que confirmes que quieres borrar algo. Dile que sí, es decir, que yes very well fandango.
7. Puede que te cuente que no puede solucionar algunos de los problemas porque son archivos que están en funcionamiento en ese momento, pero te promete solucionarlo cuando reinicies el ordenador. Dile también que yes very well Manuel.
8. Si has dejado algún problema por solucionar, te dirá el número de problemas que ha reparado y

te pedirá que reinicies el ordenador. Ya sabes, Inicio>Apagar equipo>Reiniciar. Cierra antes los programas que tengas abiertos.

9. Si quieres inmunizar tu PC contra las malas influencias, haz clic en el botón **Inmunize**.

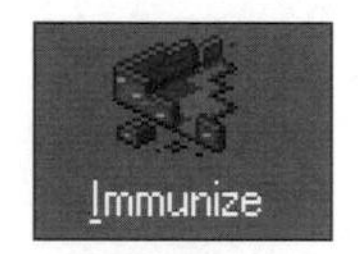

10. Te contará todos los sitios Web que ha bloqueado por malos y el número de sitios que puede bloquear si haces clic en OK.
11. Ahora aparece un nuevo cuadro de diálogo con una casilla de verificación que dice Enable permanent blocking of bad addresses in Internet Explorer. Eso significa que Internet Explorer bloqueará las direcciones perversas automáticamente. Pero observa que abajo hay una lista desplegable. Haz clic en ella.
12. Selecciona la opción menos comprometida, que es Ask for bloking confirmation, para que te pregunte si bloquea o no las páginas Web malignas. Es mejor que seas tú quien lo decida, porque él puede meter la pata y bloquearte la página de alguna amistad peligrosa y enrollada que tengas por ahí.
13. Para cerrar el programa, haz clic en File>Exit.

Programas

Existen en Internet diversas empresas o autores autónomos que ofrecen sus programas a cala y a prueba, otros se venden y otros se regalan sin más.

- *Freeware*. Programas gratuitos que puede utilizar todo el mundo a su antojo, excepto para lucrarse con ellos, claro. Es mucha cara adquirir un programa gratis y venderlo después. Sólo a Peláez se le puede ocurrir tan desvergonzada idea.
- *Demoware*. Versiones de demostración que se entregan gratuitamente para que los usuarios se hagan una idea de las prestaciones de la versión original. Suelen tener recortadas algunas de sus funciones, como el número de elementos imprimibles o el número de registros útiles.
- *Shareware*. Versiones de prueba que se entregan gratuitamente durante un período de tiempo, para que los usuarios comprueben el funcionamiento del programa. Al finalizar ese período, el programa se niega a seguir trabajando y hay que comprar la versión definitiva, que suele ser muy barata. Además de recibir la versión definitiva, recibes información, ayuda, actualizaciones, etc.

Los aceleradores de descargas

Si tienes una línea de banda ancha, como ADSL, podrás descargar cualquier programa en tu disco duro, sin problemas. Pero si te conectas a Internet vía módem, sabrás lo que son sinsabores, atascos, tropezones, esperas y, lo peor, cortes. Cortes peores que los cortes de luz. Cuando llevas un cuarto de hora esperando a que el programa se descargue, va y se corta. Desaparece el fluido de bits entre el servidor y tu equipo y tienes que volver a descargar. Una lata.

Afortunadamente, existen utilitarios que se ponen en marcha automáticamente al ir a descargar un software y que permiten controlar la descarga, interrumpirla, pausarla y renovarla en el punto en que quedó al interrumpirse. Se llaman aceleradores de descargas.

En la carpeta **Gestores de descargas** del CD-ROM de acompañamiento encontrarás algunos de estos programas.

Bájate algo aunque sólo sea para probar

Vamos a probar a descargar un programa, aunque ya hemos descargado tantas cosas que verás que es lo mismo.

- Ver, lo que se dice ver, lo único que vemos es que usté no acaba.

- Cegatos que son.

- Y usté locuaz.

- Y usté impertinente.

- Y usté irreverente impenitente.

Apúntate una dirección de Internet que es la reina de las descargas de programas gratis o de pago:

http://www.download.com

Hay muchas otras, incluso en español. Ésta tiene el inconveniente de que está en inglés, pero la ventaja de que contiene mogollón de programas gratis, *freeware* o *shareware*, mientras que la mayoría de las páginas en castellano te intentan calzar un *dialer* para que consigas el software gratis pero pagando teléfono o bien te piden un mensaje SMS de tu móvil con un código. O sea, que dan la lata. En cambio, Download.com no suele dar guerra alguna. Te conectas, buscas el programa, lo descargas, lo instalas, lo pones en marcha y, cuando vence el período de prueba, pagas una cantidad que suele ser minúscula al lado de lo bien que suelen funcionar.

Nunca desinstales un programa borrándolo sin más. Si contiene un desinstalador, haz clic en él para desinstalar el programa de manera conveniente. Los desinstaladotes se suelen llamar *Uninstall*, *Unwise* o algo así y se encuentran en la misma ruta que el programa: **Inicio>Todos los programas**. Si no tienes desinstalador, abre el Panel de Control, haz doble clic en **Quitar o agregar programas**, selecciona el programa en el cuadro de diálogo siguiente y haz clic en **Agregar o quitar**.

Los programas no sólo se almacenan en la carpeta del disco duro en que aparecen en el Explorador de Windows o en Mi PC, sino que instalan rutinas y bibliotecas en el Registro de configuraciones de Windows, en varias carpetas de Windows y te pueden dar una lata increíble si borras el programa y no desinstalas esas bibliotecas.

Vamos a probar a descargar de Download.com un programa de esos que se cepillan las ventanas emergentes llamadas *pop-ups*.

1. Dirígete a http://www.download.com
   - Observa que hay una casilla de búsquedas en la que puedes escribir el nombre del programa que estés buscando y hacer clic en el botón **Go**. Por ejemplo, puedes escribir en la casilla popupkiller para localizar programas mataventanas emergentes.

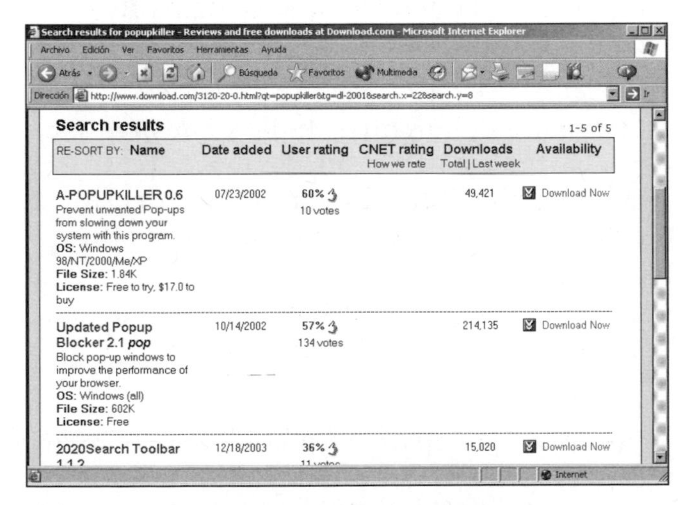

Figura 8.7. Mataventanas.

   - Si no conoces el nombre del programa, lo mejor es utilizar el directorio que está más abajo, en la parte inferior de la página. Es similar a los que vimos en Yahoo y Buscopio, sólo que, en vez de categorías de todo, tiene categorías de programas descargables. Puedes ir haciendo clic para descender por el árbol de la información.

En las páginas de Download, puedes observar algunos detalles que conviene que tengas en cuenta para tus descargas.

- Junto al nombre del programa, aparece el sistema operativo con el que funciona. Comprueba que coincide con el tuyo, por ejemplo, Windows XP o Windows (all), que sirve para todas las versiones de Windows.
- El tipo de licencia del programa, que aparece junto a la palabra License: si dice *Free*, es que es gratis *per omnia saecula saeculorum*. Si dice *Free to try* o *Shareware*, observa que hay también un botoncito a la derecha que se llama **Buy**, es decir, comprar. Eso significa que puedes descargarlo gratis, probarlo 30 días y, después, comprarlo.
- El tamaño del archivo. Indica *File Size* y el tamaño. Si tienes ADSL, te da igual, pero, si tienes módem, recuerda instalar antes un gestor de descargas, si el archivo tiene más de 2 MB.
- La fecha en que se ha incorporado el programa a las páginas de Download.com. Así puedes ver si es reciente o lleva allí desde tiempos de Tutankhamon.
- Las cifras que aparecen a continuación corresponden al número de descargas que otros usuarios han realizado de este programa. Cuantas más descargas, más popular será.
- Cuando el programa es de pago, suele aparecer el precio en dólares.

- Al final de la página hay un botón **Next** para pasar a la página siguiente, cuando los programas ocupan más de una.
- El botón mágico **Download now**, en el que tienes que hacer clic para iniciar la descarga.

Vamos a descargar Updated PopUp Blocker. Si no existe cuando accedas a estas páginas, elige otro que no sea muy grande y que sea gratuito.

1. Haz clic en el botón **Download now**.
2. Aparece el cuadro de diálogo de siempre. Haz clic en **Guardar**.
3. Cuando termine, haz clic en **Abrir**.
4. Sigue las instrucciones del asistente para instalarlo.

Recuerda que, si instalas un mataventanas emergentes, tendrás un icono en la barra de tareas de Windows para desactivarlo y un icono en el Escritorio para volverlo a activar. Y tendrás que desactivarlo cuando intentes descargar algo y el mataventanas se cargue la ventana de descargas, cuando quieras manejar tu cuenta corriente y destripe la ventana del Banco, cuando quieras leer una noticia y te machaque la ventana del noticiario... Un tostón, pero la vida es así de triste.

Si te da mucha lata, es mejor que descargues la barra de herramientas MSN o la de Google o la de Netscape o cualquier otra barra que se instale sobre Internet Explorer o Netscape Communicator y la puedas configurar para que respete las ventanas emergentes de determinados sitios Web. Lo vimos en el capítulo 4.

Los juegos

Los videojuegos son el negocio más gordo de las nuevas tecnologías. Y es que, en el fondo, todos somos como niños. Parecía que los juegos eran cosa de niños, pero un estudio de Jupiter Research publicado en agosto de 2004 indica que las mujeres adultas cuentan con una buena parte de ese mercado. La investigación de la consultora muestra que el número de consumidores de videojuegos portátiles, que el año pasado era de 23 millones, alcanzará los 43 millones de aquí a cinco años, lo que producirá ingresos de 2.700 millones de dólares.

Para atraer a toda clase de público, los videojuegos inventan y lanzan héroes y heroínas, que son las que ahora están de moda. Después de Lara Croft, que terminó con la hegemonía masculina en los juegos de ordenador, ha aparecido Anya, la superheroína hispana que no deja títere con cabeza cuando se pone a dar saltos. Es como una mujer araña, pero sin picadura.

Uno de los sitios más populares de la Red en esto de los juegos es la Meristation, que se encuentra en:

http://www.meristation.com

Para buscar juegos en Internet, no tienes más que dirigirte a cualquier buscador o portal y localizar el enlace mágico, **Juegos** o **Games**.

Puedes encontrar juegos en línea para jugar con distintos jugadores o para jugar a solas, en la dirección siguiente:

http://www.cyberjuegos.com

Pero una cosa es jugar y otra descargarlos. Porque los juego ocupan un espacio enorme y consumen un montón de recursos. Puedes descargar algunos en las páginas de Download.com, haciendo lo siguiente:

1. Haz clic en la pestaña **Games**.
2. Elige una categoría en el directorio.
3. Cuando hagas clic en el tipo de juegos que quieras, por ejemplo, **Action Adventure**, obtendrás la página que indica el tamaño del archivo, el sistema operativo con el que funcionan, si es gratis o *shareware*, etc. La descarga es idéntica que la de los programas.

Encontrarás juegos gratis para descargar en páginas españolas en:

http://www.programas-gratis.net
http://www.publispain.com/juegos.htm
http://www.jocjuegos.com/decargadejuegos.shtml
http://www.descargas-juegos-musica-programas.com

Apéndice A
La jerga de Internet

AUSTRANTEQUERA: SELLO CONMEMORATIVO DE LA PRIMERA VEZ QUE, EN UN CHAT, UN MANOLO DIJO QUE SE LLAMABA SANDRA

Siglario

ADSL

Asymmetrical Digital Subscriber Line (Línea de suscripción asimétrica digital). Tecnología para transmitir información a muy alta velocidad a través del hilo telefónico.

APD

Personal Digital Assistant (Asistente Digital Personal). Es la traducción de PDA (*Personal Digital Assistant*) o Agenda electrónica.

ASAP

As Soon As Possible (Lo antes posible). Siglas que indican urgencia en un mensaje.

ASCII

American Standard Code for Information Interchange (Norma americana de codificación para el intercambio de información). Normativa internacional para codificar los caracteres con números en que cada letra tiene asignado un número del 0 al 255.

B2B

Business to Business. Relación comercial empresa/empresa en comercio electrónico.

B2C

Business to Consumer. Relación comercial empresa/consumidor en comercio electrónico.

BBS

Bulletin Board System (Sistema de tablón de anuncios). Un sistema informático en que los usuarios se comunican a través de una red con un tablón de anuncios en el que dejan mensajes para otros usuarios o leen los mensajes de otros.

BIOS

Basic Input Output System (Sistema básico de entrada y salida). Conjunto de programas y rutinas que ponen en marcha los periféricos y dispositivos conectados al ordenador.

BPS

Bits por segundo. Velocidad de transmisión.

C2C

Consumer to consumer. Relación cliente/cliente en comercio electrónico.

CAD/CAM

Computer-Aid Manufacturing (Diseño asistido por ordenador/Fabricación asistida por ordenador). Sistema que integra el diseño con la fabricación asistidos por ordenador. Se emplea en la industria. Una pieza diseñada con el sistema CAD entra automáticamente en el sistema de fabricación, ya que su imagen electrónica se transfiere a un lenguaje de programación que genera las instrucciones para fabricarla.

CD-ROM

Compact Disc Read Only Memory (Memoria de sólo lectura en disco compacto). Disco que puede almacenar 600 MB de datos.

CMYK

Cyan Magenta Yellow Black (Cián, Magenta, Amarillo, Negro). Modelo de color que emplea las longitudes de onda de los colores cián, magenta, amarillo y negro. A veces aparece con las siglas CMAN en castellano.

DBMS

Data Base Managemente System (Sistema de gestión de base de datos). Programa que gestiona una base de datos informática.

DLL

Dynamic Link Library (Biblioteca de enlaces dinámicos). Conjunto de rutinas que pueden utilizar los programas cuando se ejecutan.

DNS

Domain Naming System (Servidor de nombre de dominio). Servicio que permite asociar un nombre a una dirección de Internet.

DOS

Disk Operative System (Sistema operativo en discos). Sistema operativo monousuario para sistemas de IBM.

e-book

Libro en formato electrónico.

e-business

Tecnología de Internet aplicada a la empresa.

e-cash

Dinero electrónico.

e-commerce

Comercio electrónico.

e-form

Formulario electrónico.

e-health

Medicina y enfermería en línea.

e-learning

Formación en línea.

e-mail

Correo electrónico.

e-pack

Paquete con páginas de uno o más libros electrónicos.

e-pay

Pago electrónico.

e-procurement

Compras vía electrónica.

e-services

Servicios electrónicos.

e-signature

Firma electrónica.

e-tools

Herramientas electrónicas que se emplean en Internet, como los aceleradores o gestores de descargas de archivos.

e-zine

Revista electrónica.

E/S

Entrada/Salida. Es la traducción de I/O (*Imput/Output*). Se aplica a la entrada y salida de datos de un ordenador.

EDI

Electronic Data Interchange (Intercambio de datos electrónicos). Es una comunicación informática entre organizaciones para transferirse datos electrónicos.

EXE

Ejecutable. Extensión de los archivos ejecutables en sistema operativos basados en DOS.

FAQ

Frequently Asked Questions (Preguntas más frecuentes). Lista de preguntas y respuestas que muchos sistemas de ayuda incluyen para evitar al usuario preguntas ya solucionadas.

FAT

File Allocation Table (Tabla de asignación de ficheros). La parte del sistema de archivos de DOS que controla el lugar físico en que se almacenan los datos en el disco.

FSO

Free Space Optics (Tecnología óptico-inalámbrica). Tecnología basada en la emisión de señales ópticas en el espacio, permitiendo conexiones sin cables.

FTP

File Transfer Protocol (Protocolo de transferencia de ficheros). Conjunto de normas que se utilizan para enviar archivos de un ordenador a otro. También se denomina FTP al servidor que alamacena archivos transferibles.

GIF

Graphics Interchange Format (Formato de intercambio de gráficos). Formato de archivos para imágenes de 8 bits y 256 colores que emplea un algoritmo de compresión para reducir el tamaño.

GPSR

General Packet Radio Service. Evolución del GSM que introduce la transmisión de paquetes de datos. Permite a un terminal móvil estar conectado de forma permanente a la Red.

GSM

Global System for Mobile communication (Sistema mundial de comunicaciones móviles). Redes de telefonía móvil.

HTML

HyperText Markup Language (Lenguaje de marcas de hipertexto). Lenguaje informático de etiquetado para la publicación de documentos en la WWW.

HTTP

HyperText Transmission Protocol (Protocolo de transferencia de hipertexto). Protocolo de comunicaciones en el que se basa la Word Wide Web. Conjunto de reglas para trasladar la información desde el servidor que la contiene hasta el navegador del usuario que la solicita.

i-mode

Servicio que permite conexión continua a Internet a través de teléfonos móviles.

IP

Internet Protocol. Protocolo estándar para la comunicación entre dos ordenadores dentro de Internet.

IRC

Internet Relay Channel (Canal de chat de Internet). Protocolo internacional que permite a varios usuarios comunicarse por escrito escribiendo cada uno en el teclado de su ordenador.

JPEG

Joint Photographic Experts Group (Formato de imagen comprimida). Norma para comprimir archivos de imágenes.

LAN

Local Area Network (Red local). Red de comunicacionea para un área limitada.

LCD

Liquid Crystal Display (Pantalla de cristal líquido). Tecnología empleada en las pantallas de los ordenadores portátiles y en relojes digitales.

LPT

Nombre lógico que se asigna a los puertos paralelos.

m-commerce

Comercio electrónico móvil basado en tecnología WAP.

MIDI

Musical Instrument Digital Interface (Interfaz digital para instrumentos musicales). Norma para crear de música conjuntamente con un ordenador y varios instrumentos electrónicos.

MIME

Multipurpose Internet Mail Extensions (Extensiones multipropósito del correo en Internet). Conjunto de especificaciones que permiten el intercambio de texto escrito en lenguajes con diferentes juegos de caracteres, así como correo multimedia entre ordenadores y aplicaciones en Internet.

MP3

Formato de archivos de sonido comprimidos que permite almacenarlos con un tamaño pequeño y una calidad de sonido excelente.

MS-DOS

Adaptación del sistema operativo DOS (sistema operativo de disco) a los microordenadores.

OCR

Optical Character Recognition (Reconocimiento óptico de caracteres). Sistema que interpreta caracteres digitales y los reconoce como texto, permitiendo editarlos con un procesador de textos.

OLE

Object Linking and Embedding (Vinculación e incrustación de objetos). Tecnología que permite crear objetos dentro de los documentos. El programa que crea el documento es el cliente y el que crea el objeto es el servidor. Por ejemplo, una imagen incrustada en un documento de Word.

P2P

Peer-to-Peer (entre iguales, de igual a igual). Comunicación bilateral exclusiva entre dos personas a través de Internet para el intercambio de información en general y de ficheros en particular.

POP

Point of Presence (Punto de presencia). Es el lugar en que un proveedor de servicios ofrece acceso a Internet. Facilita una llamada local con coste de llamada urbana.

POP

Post Office Protocol (Protocolo de Oficina de Correos). Protocolo diseñado para permitir a sistemas de usuario individual leer correo electrónico almacenado en un servidor.

PPP

Point to Point Protocol (Protocolo punto a punto). Sirve para establecer enlace entre dos puntos.

RAM

Random Access Memory (Memoria de acceso aleatorio). Almacenamiento de información en el ordenador que se mantiene mientras éste está en funcionamiento.

RDSI

Traducción de *Integrated Services Digital Network* (Red Digital de Servicios Integrados). Tecnología que permite transmitir por la misma línea voz y datos.

RGB

Red Green Blue (Rojo, Verde, Azul). Modelo de color que utiliza las longitudes de onda de los colores rojo, verde y azul para producir gamas de colores. A veces aparece con las siglas RVA en castellano.

ROM

Read Only Memory (Memoria de sólo lectura). Almacenamiento permanente de los datos del ordenador.

RTF

Rich Text Format (Formato enriquecido de textos). Norma para dar formato a los textos electrónicos.

SAI

Sistema de Alimentación Ininterrumpida. Batería para proteger al ordenador de los cortes de luz.

SCSI

Small Computer System Interface (Interfaz para sistemas de ordenadores pequeños, se lee "escasi"). Es un tipo de conexión muy rápido y eficaz, con una placa interna y un conector externo al que se enchufan diversos aparatos.

SET

Secure Electronic Transaction (Transacción electrónica segura). Protocolo para realizar pagos electrónicos mediante tarjetas de crédito.

SIMM

Single In-line Memory Module (Módulo simple de memoria en línea). Circuito impreso de memoria.

SMS

Short Messages System (Sistema de mensajes cortos). Sistema de envío de mensajes de Internet a teléfono móvil, que admiten una longitud máxima de 160 caracteres.

SMTP

Simple Mail Transfer Protocol (Protocolo simple de transferencia de correo). Protocolo de correo electrónico empleado en Internet.

SQL

Structured Query Language (Lenguaje de consulta estructurado). Lenguaje que se emplea para consultar la información contenida en una base de datos.

SSL

Secure Socket Layer (Capa de zócalo seguro). Protocolo de comunicación que proporciona privacidad y autenticación en las comunicaciones realizadas a través de Internet.

SVGA

Superadaptador de gráficos de vídeo. Tarjeta gráfica que permite muy alta resolución en el monitor.

TCP/IP

Transmission Control Protocol/Internet Protocol. Conjunto de protocolos empleados utilizados en Internet.

TFT

Thin Film Transistor (Transistor de lámina delgada). Tecnología que utilizan las pantallas planas, que emplea un diodo de luz por cada píxel, es decir cada punto en la pantalla es un circuito independiente que puede encenderse y cambiarle el color o la luminancia. La imagen resulta más brillante y nítida.

TWAIN

Tecnology Without An Interested Name (Tecnología que no tiene un nombre interesante). Tecnología que emplea un conjunto de normas predefinidas y comunes para utilización de escáneres y aparatos similares.

UMTS

Universal Mobile Telecommunications System (Sistema universal de telecomunicaciones móviles). Norma de telefonía móvil celular de banda ancha y alta velocidad (de 2 Mbps en adelante). Es un sistema de tercera generación que permite la conexión del teléfono móvil a Internet.

URL

Uniform Resource Locator (Localizador Uniforme de Recursos). Dirección de Internet.

USB

Bus de serie universal. Puerto del ordenador al que se conectan cámaras digitales, modems externos, etc.

v-commerce

Comercio electrónico en sistemas guiados por voz.

VGA

Video Graphics Array (Matriz gráfica de vídeo). Norma de presentación en vídeo para media y alta resolución.

WAN

Wide Area Network (Red de banda amplia). Red de comunicaciones que abarca zonas geográficas amplias.

WAP

Wireless Application Protocol (Protocolo de aplicaciones de tecnología inalámbrica). Un lenguaje que permite la comunicación entre aparatos que no utilizan cables ni líneas.

WWW

World Wide Web. La red de autopistas de la información.

WYSIWYG

Lo que se ve es lo que se imprime. El monitor tiene unas características definidas para presentar los textos con formato de una forma que puede no coincidir con lo que va a salir después por la impresora. Un procesador de textos es WYSIWYG cuando es capaz de presentar en la pantalla la imagen exacta de lo que se va a imprimir en la impresora predefinida del sistema.

ZIP

Zig-Zag Inline Package (Paquete Zig-Zag en línea). Tecnología de compresión de archivos.

Vocabulario

Arroba @

Carácter de separación entre el nombre y la dirección de correo electrónico que el ordenador no puede confundir con un nombre o dirección de persona. La palabra arroba se dice at en inglés. Al mismo tiempo, at es el adverbio de lugar "en". Por ese motivo, el ingeniero norteamericano Ray Tomlimson la eligió en 1972 para separar nombres de direcciones de correo.

Backup

Copia de seguridad de un programa o documento. También se puede llamar así a un ordenador de seguridad que suple las funciones de otro en caso de avería.

Baudio

Medida del número de bits que un sistema transmite por segundo. La fórmula se debe al científico francés Emile Baudot. Suele indicarse como bps (bits por segundo).

Biblioteca

Colección de programas, de funciones o de subrutinas.

Bit

Contracción de la palabra inglesa binary digit, que significa dígito binario. Un dígito binario es un número que solamente puede tomar dos valores, 0 ó 1. Un bit, por tanto, puede valer 0 o valer 1.

Bus

Canal entre dos dispositivos del ordenador.

Byte

Unidad común de almacenamiento. Se compone de 8 bits.

Caché

Sistema intermedio (software o hardware) para almacenamiento de información de alta velocidad.

Canal

Vía de comunicación entre el ordenador y las unidades de control o entre dos ordenadores.

Certificado digital

Texto emitido y firmado por una CA que garantiza que su poseedor es quien afirma ser.

Chat

Conversación por escrito o por voz en tiempo real en Internet.

Chip

Circuito integrado que contiene millones de componentes.

Cifrado

Codificación de la información alojada en un sistema de TI o transmitida mediante un enlace de comunicaciones, que impide accesos no autorizados a la información.

Cliente

Ordenador o programa que solicita servicios a otro servidor.

Cluster

Racimo. Grupo de sectores de un disco físico. También se emplea para referirse a un grupo de servidores cooperantes.

Compresión

Procedimiento para compactar o codificar datos y ahorrar espacio.

Cookie

Galleta. Archivo de texto que la página Web visitada envía al ordenador del visitante la primera vez que establecen conexión. Se instala en el disco duro para acelerar los desplazamientos en las siguientes visitas.

Crack

Programa que elimina barreras tecnológicas de otros programas o aparatos.

Cracker

Pirata informático que utiliza sus conocimientos para comprometer la seguridad de los sistemas telemáticos con fines maliciosos, en muchas ocasiones para sacar provecho de ello de forma ilícita.

Criptografía

Ciencia que estudia las comunicaciones electrónicas, principalmente digitales, realizadas en un medio vulnerable.

Demoware

Programas gratuitos de demostración. Suelen tener limitaciones respecto al producto final.

Desktop

Ordenador de sobremesa

Dominio

Nombre que identifica a un ordenador o grupo de ordenadores conectados a Internet. Nombre de un lugar virtual en Internet.

Download
Descarga de un archivo, programa o página Web de un ordenador remoto al disco duro del ordenador local.

Emoticón
Símbolo gráfico que representa un rostro humano en sus diversas expresiones, mediante el cual una persona puede mostrar su estado de animo al comunicar mediante correo electrónico.

Extranet
Empleo de una zona de Internet con acceso restringido a entidades externas a una compañía, normalmente clientes y proveedores.

Fanzines
Fan magazines. Revistas elaboradas por aficionados y publicadas en Internet.

Firewall
Cortafuegos. Sistema que sirve para proteger una red privada de otra ajena.

Firma electrónica
Mecanismo utilizado en los sistemas de información para asegurar la integridad del mensaje y la autenticación del emisor.

Firmware
Programas escritos en el hardware y que quedan grabados permanentemente en la memoria.

Freeware
Programas de distribución total y perennemente gratuita.

Gateway
Pasarela.

Groupware
Programas especiales para realizar trabajos en grupo, compartiendo los archivos y los recursos del equipo, como la impresora, el disco duro, etc.

Hacker

Pirata informático que accede a los sistemas seguros para demostrar sus conocimientos o la vulnerabilidad de esos sistemas.

Handheld

Ordenador de mano.

Hardware

Objetos físicos utilizados en informática: ordenador, periféricos, etc.

Hipertexto

Enlaces existentes en las páginas escritas en HTML, que conducen a otras páginas que pueden ser a su vez páginas de hipertexto.

Hipervínculo

Enlace entre páginas. Puntero existente en un documento de hipertexto que enlaza a otro documento que puede ser o no a su vez documento de hipertexto.

Icono

Imagen gráfica que representa una determinada acción a realizar por el usuario (ejecutar un programa, leer una información, imprimir un texto, etc.) o bien un programa, documento, dispositivo, etc.

Interfaz

Parte visible de un programa con la que interactúa el usuario.

Intranet

Utilización de una zona de Internet con acceso limitado al personal de una empresa.

Java

Lenguaje orientado a objetos independiente de la plataforma física y del sistema operativo y ampliamente empleado en Internet.

Knowbot

Robot de conocimiento.

Laptop
Ordenador portátil.

Lenguaje de programación
Programa que permite escribir listados de instrucciones para crear nuevos programas.

Link
Vínculo, enlace, hipervínculo.

Lista de correo
Sistema automatizado de listas de distribución mediante correo electrónico.

Listserv
List server o servidor de listas. Programa que realiza todos los trabajos automáticos de las listas de correo. El más utilizado es Majordomo.

Macro
Macroinstrucción. Método para automatizar tareas informáticas.

Metainformación
Información sobre la información.

Micropagos
Transacciones comerciales de pequeño importe, que no justifica el empleo de medios de pago convencionales.

Middleware
Programas multimedia, navegadores para Internet o programas de mensajería.

Multimedia
Información digital que combina texto, gráficos, imagen, animación y sonido.

Netiquette
Normas sociales de Internet.

Newsgroup
Grupo de noticias.

News server

Servidor de Noticias. Servidor de Internet cuya misión es distribuir noticias en los grupos.

NICK

Alias o apodo utilizado en un chat o foro de discusión.

Off-line

Sin conexión a la red.

On-line

Con conexión a la red.

Orientación a objetos

Tecnología de programación basada en datos enlazados. Observa objetos en lugar de procedimientos.

Página Web

Página lógica que contiene textos, imágenes, sonidos, animaciones, etc. y que dispone de hipervínculos para poder enlazar con otras páginas.

Palmtop

Pequeño ordenador que se sostiene en la palma de la mano.

Pasarela

Programa que traduce de un protocolo de comunicaciones a otro. Dispositivo que transfiere información entre redes diferentes.

Password

Contraseña.

Pay per view

Pago por pase, pago por visión. Servicio de televisión que permite al usuario ver un programa determinado emitido en formato codificado, mediante el pago de una tarifa por visión.

Píxel

Elemento de imagen. El elemento más pequeño que puede presentar la pantalla del ordenador.

Plug & Play

Enchufar y operar. Característica del sistema operativo de un PC para reconocer los dispositivos hardware a él conectados y ponerlos en funcionamiento de forma rápida y sencilla.

Plug-in

Programa que se incorpora al navegador para poder ejecutar otros programas desde el propio navegador.

Portal de voz

Puntos de acceso vía telefónica a servicios como reservas para viajes, tráfico, hoteles, cines, Bolsa, meteorología, resultados deportivos, tiendas, etc. Se basan en las tecnologías de síntesis de voz y de conversión de texto a voz para transmitir información por línea telefónica de forma variada y flexible. Esto dará lugar a nuevas creaciones comerciales electrónicas que ya se denominan v-commerce (comercio por voz) y a un nuevo lenguaje informático, VoiceXML. El objetivo de estos portales es llegar a ofrecer todos los contenidos de Internet a través de un canal telefónico, que reconozca los comandos de voz del usuario, extraiga la información de los textos de Internet, la transforme en voz y responda verbalmente al usuario con el servicio solicitado.

Protocolo

Conjunto de normas que especifican cómo se comunican dos entidades entre sí y cómo intercambian información.

Proxy

Sistema de seguridad a nivel de aplicación.

Puerta trampa

Puerta trasera. Dispositivo lógico que permite acceder a un programa por una vía especial en caso de necesidad.

Puerto

Dispositivo físico o lógico que da entrada o salida a la información del ordenador. Los puertos en serie transmiten las operaciones una tras otra. Los puertos paralelos transmiten las operaciones a todo lo ancho de la línea.

Resolución
En la pantalla del ordenador, es la cantidad de puntos por línea por número de líneas. En la impresora, los puntos que imprime por pulgada.

Router
Encaminador, direccionador. Dispositivo para conectar redes que distribuye los paquetes de información para que lleguen a su destino.

Servidor
Ordenador que presta servicio a otros ordenadores.

Set-top box
Caja de conexión, módulo de conexión. Dispositivo para recibir señales procedentes de diferentes redes de comunicación como radio, televisión, teléfono, cable, satélite o Internet.

Shareware
Programas que se pueden utilizar durante un periodo de tiempo para evaluación. Transcurrido ese período, hay que pagar al autor del programa para adquirir el derecho a seguirlo utilizando y obtener manuales, ayuda, puestas al día, etc.

Sistema operativo
Programa básico que pone el ordenador en funcionamiento y controla la interacción entre éste y el usuario.

Sitio Web
Conjunto de páginas Web bajo un nombre de dominio.

Smiley
Emoticón.

Shovelware
Programas sin valor almacenados por no tirarlos.

Software
Parte no tangible de un sistema telemático (programas, documentos, archivos, etc.).

Sound Blaster
Tarjeta de sonido.

Spam

Bombardeo publicitario, envío masivo, indiscriminado y no solicitado de publicidad a través del correo electrónico. Literalmente quiere decir "loncha de mortadela".

Utilitario

Programa que se comportan como una herramienta para realizar determinadas tareas como comprimir archivos para que ocupen menos espacio, detectar virus, solucionar problemas del ordenador, transferir ficheros de un ordenador a otro, etc.

Virus

Programa que reside dentro de otro (infectado), cuyo modo de funcionamiento modifica con fines dañinos y que hace copias de sí mismo para poder propagarse e infectar otros programas.

Web

Tejido, telaraña. Una telaraña o red de documentos enlazados.

Web business

Conjunto de actividades de e-business

Web commerce

Conjunto de actividades de e-commerce

Webcam

Cámara digital de vídeo para proyectar imágenes en Internet.

Webring

Anillo temático de sitios Web conectados entre sí y que tratan de un tema similar o relacionado.

Wizard

Asistente. Programa que conduce una operación informática de instalación, puesta en marcha, etc.

World Wide Web

La red de autopistas de la información.

Zip

Comprimir. Extensión de archivo comprimido.

Zócalo

Conector hembra que permite la inserción de un conector macho. También se llama zócalo a una función informática que permite a un programa acceder a un protocolo de comunicaciones.

Apéndice B
Contenido del CD-ROM

TELEFÓNICALANDIA: SELLO CONMEMORATIVO DEL PRIMER SERVICIO DE ATENCIÓN AL USUARIO DE ADSL, POR ORDENADOR (AÑO 2000)

Los programas contenidos en las carpetas del CD-ROM se instalan casi automáticamente, por norma general haciendo doble clic en el programa ejecutable (el que lleva la terminación .exe), que pone en marcha un asistente para instalación, el cual sugiere una carpeta del disco duro en la que instalar el programa y luego pregunta si ha de crear iconos de acceso directo en el Escritorio de Windows. Si aceptas pulsando el botón **Next** o **Siguiente**, instalará el programa en la ruta más adecuada, por ejemplo, C:\Archivos de programa. Si coloca un acceso directo en el Escritorio, solamente tendrás que hacer doble clic en él para ponerlo en marcha. De lo contrario, tendrás que hacer clic en Inicio>Todos los programas y luego en el programa que quieras poner en funcionamiento.

El CD-ROM que acompaña a este libro contiene las siguientes carpetas:

Compresores

Windows XP tiene una utilidad para comprimir carpetas y archivos, pero conviene disponer de programas autónomos capaces de comprimir los archivos que tengas que enviar por correo electrónico o que necesites guardar en un alojamiento con poco espacio. En esta carpeta encontrarás los siguientes compresores de archivos:

WinRar

Es un compresor de archivos en castellano. Se trata de la versión 3.4 para Windows. Para instalarlo, tienes que hacer doble clic en el archivo ejecutable wrar340es.exe.

WinZip

Encontrarás WinZip 8.1 en castellano y la versión de prueba de WinZip 9 en inglés. Para instalar la versión en castellano, tienes que hacer doble clic en el archivo winzip81.exe. Con esto, se instala la versión 8.1 en inglés.

Una vez instalado el anterior, haz doble clic en el archivo Traductor_WinZip.exe Con esto, se instala el traductor español para WinZip 8.

Si prefieres probarlo en inglés, puedes instalar la versión 9 de prueba, haciendo doble clic en el archivo WinZip90.exe.

Funcionamiento de WinZip

WinZip es el programa de compresión de archivos más popular, por eso es imprescindible contar con él para comprimir y descomprimir los archivos que tengas que enviar a otras personas o recibir de ellas. Su funcionamiento es muy sencillo.

Para descomprimir un archivo en formato zip, solamente tienes que hacer doble clic sobre él. WinZip se pondrá automáticamente en funcionamiento. Siempre tendrás que hacer clic en el botón **I agree** para que se ponga en marcha. Eso supone que estás de acuerdo con la política de distribución *shareware* de WinZip.

Una vez abierta la ventana de WinZip, podrás ver los archivos comprimidos que contiene. Para descomprimirlos, solamente tienes que hacer clic en el botón **Extraer**. Si previamente has seleccionado uno o más archivos, WinZip entenderá que son esos los que quieres descomprimir. Si no has seleccionado ninguno, los descomprimirá todos.

Para descomprimirlos, WinZip necesita una carpeta en la que alojarlos. Normalmente te sugerirá alojarlos en la misma carpeta en la que se encuentra el archivo comprimido o bien otra que él entienda que es apta para recibirlos. Para modificar esa carpeta y hacer que WinZip los sitúe en otra, tienes que hacer lo siguiente:

1. Haz clic en la carpeta que desees, en la ventana de la derecha del cuadro de diálogo Extraer, que puedes ver en la figura B.1.
2. Para poder localizar una carpeta alojada dentro de otra, por ejemplo, Mi música dentro de Mis documentos, tienes que ir haciendo doble clic en la carpeta superior hasta llegar a la de destino.

Muchos de los programas incluidos dentro del CD-ROM de acompañamiento vienen comprimidos con formato zip. Por eso, es conveniente instalar en primer lugar WinZip, que encontrarás en la carpeta Compresores.

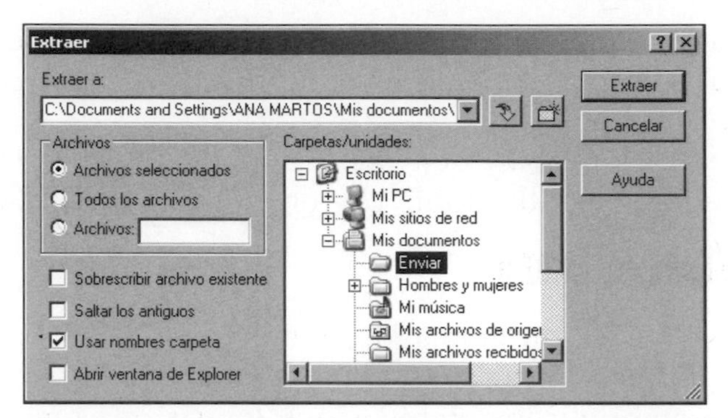

Figura B.1. El cuadro de diálogo Extraer de WinZip.

3. Haz clic en el botón **Extraer**.
4. Los archivos descomprimidos quedarán en la carpeta de destino, pero el archivo comprimido original permanecerá en el lugar de origen. Eso te permite extraerlos de nuevo en caso de pérdida, pero también puedes borrarlo una vez extraídos, seleccionándolo con el Explorador de Windows y pulsando la tecla **Supr**.

Para comprimir un archivo, hay que hacer lo siguiente:

1. Localízalo con el Explorador de Windows.
2. Haz clic sobre él con el botón derecho del ratón.
3. En el menú contextual que aparece, haz clic en WinZip>Añadir a fichero zip.
4. WinZip se pone en marcha. Hay que hacer clic en el botón **I agree**.
5. En el cuadro de diálogo Añadir que se abre a continuación, WinZip elige un nombre y una carpeta de destino que presenta en la casilla Añadir a archivo. Se puede aceptar ese nombre y esa carpeta o cambiarlos escribiéndolos en esa casilla.
6. Al pulsar el botón **Añadir**, WinZip crea el archivo comprimido según los datos del cuadro de diálo-

go anterior. El archivo aparecerá en la carpeta de destino, con el nombre indicado y con la terminación .zip.

En la figura B.2 puedes ver el archivo Direcciones.doc, que es un documento de Word que ocupa 26 KB y, más abajo, el mismo archivo comprimido con el nombre de Direcciones.zip que ocupa 4 KB y está clasificado como archivo de WinZip. Como puedes comprobar, el archivo original permanece como estaba, pero WinZip crea un archivo nuevo.

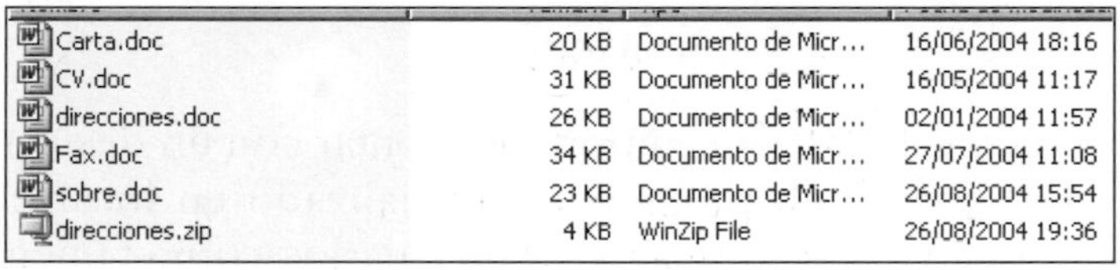

Carta.doc	20 KB	Documento de Micr...	16/06/2004 18:16
CV.doc	31 KB	Documento de Micr...	16/05/2004 11:17
direcciones.doc	26 KB	Documento de Micr...	02/01/2004 11:57
Fax.doc	34 KB	Documento de Micr...	27/07/2004 11:08
sobre.doc	23 KB	Documento de Micr...	26/08/2004 15:54
direcciones.zip	4 KB	WinZip File	26/08/2004 19:36

Figura B.2. Un archivo comprimido.

Correo

Esta carpeta contiene un programa autónomo de correo electrónico gratuito en español, Eudora, versión 6.1.2. Los navegadores que encontrarás en el CD-ROM de acompañamiento traen también incorporados programas de correo.

Desinstaladores

Ya hemos dicho anteriormente que nunca se debe borrar un programa, sino que es necesario desinstalarlo. Los programas no se limitan a copiarse en una carpeta del ordenador, sino que instalan rutinas y bibliotecas en diversos lugares del equipo, por ejemplo, en el Registro de Configuraciones y en la carpeta System de Windows, muchos de los cuales son archivos invisibles, es decir que no aparecen en el Explorador de Windows de forma predeterminada. Si borras un programa y dejas sus rutinas y bibliotecas en tu ordenador, tarde o temprano te darán problemas.

Para eliminar correctamente un programa hay que desinstalarlo utilizando el programa de desinstalación que llevan consigo la mayoría de los programas. Suele ser un archivo llamado *Uninstall*, *Unwise*, Desinstalación, etc.

Si el programa no trae desinstalador, es necesario utilizar la función **Agregar o quitar programas**, que se encuentra en el Panel de control de Windows.

Y si todo esto falla, es importante contar con un desinstalador autónomo, que es un programa especializado en localizar programas, bibliotecas y rutinas y desinstalarlos correctamente.

En esta carpeta, encontrarás los siguientes desinstaladores:

- Add/Remove Plus! 2004 versión 3.1. Programa en inglés y válido durante 30 días de prueba. Para instalarlo, haz doble clic en el archivo **arptrial.exe**.
- Smart Uninstaler 1.0. Para instalarlo, tienes que descomprimirlo haciendo doble clic sobre el archivo **sun.zip**.
- McAfee Uninstaller 6.5. Se instala haciendo doble clic sobre el archivo **UNIENU65D30.exe**.

Diseño gráfico

En esta carpeta encontrarás diferentes programas de edi ción y diseño gráfico para que dejes chulas tus fotos e imágenes.

ACDSee

Programa de diseño gráfico muy actual. La versión 6 se instala haciendo doble clic sobre el archivo **adcsee.exe**.

Paint Shop Pro

En esta carpeta encontrarás uno de los mejores programas de diseño gráfico, Paint Shop Pro versión 8.01, en español. Se instala haciendo doble clic sobre el archivo psp810ev.exe.

El funcionamiento de Paint Shop Pro es bastante intuitivo, pero es un programa muy completo que tiene muchas prestaciones, por lo que conviene aprender a manejarlo para no perder su potencial. Encontrarás manuales y tutoriales gratuitos de Paint Shop Pro en las direcciones siguientes:

http://www.terra.es/personal/opium1

http://roble.pntic.mec.es/~mbedmar/Cursofoto/tratar.htm

http://www1.universia.net/CatalogaXXI/C10010PPESII1/E38220

Escritorio

En esta carpeta hemos incluido algunos programas para el trabajo cotidiano con el ordenador, entre ellos se encuentran visores, traductores, fuentes y otras aplicaciones muy interesantes.

Adobe

Encontrarás en esta carpeta la versión 6.0 en español de Adobe Acrobat Reader, que se instala al hacer doble clic sobre el archivo AdobeRdr60_esp_full.exe. Adobe Acrobat Reader es imprescindible para leer los documentos en formato pdf que encontrarás en numerosos sitios Web, por ejemplo, los modelos de la Renta.

El archivo psa2se_esp.exe instala el álbum de Photoshop.

BabylonPro

Traductor de inglés a español y de español a inglés. Para instalarlo, haz doble clic sobre los archivos ejecutables.

Fuentes

Esta carpeta contiene dos programas para visualizar las fuentes instaladas en tu equipo y un juego de fuentes gratuito.

AMP Font Viewer 3.5

Para instalarlo, haz doble clic sobre el archivo comprimido Fontviewer.zip.

Handwriting fonts

Un juego de 17 fuentes que simulan la escritura manual Para instalarlo, haz doble clic sobre el archivo comprimido Handwriting.zip.

X-Fonter 4.0

Al hacer doble clic sobre el archivo X-Fonter-setup.exe, se pone el marcha el asistente para la instalación. Solamente tienes que aceptar sus propuestas para instalar el programa. El asistente colocará un acceso en tu Escritorio para que puedas ponerlo en marcha fácilmente haciendo doble clic.

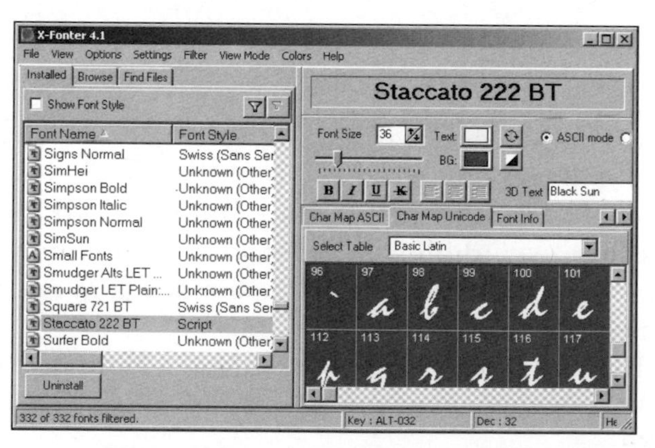

Figura B.3. La ventana de X-Fonter.

La ventana de X-Fonter presenta una larga lista de fuentes que ha instalado en tu PC. Para verlas, puedes seleccionarlas en la ventana de la izquierda y hacer clic en la pestaña **Char Map Unicode** de la derecha, para ver el efecto. Para cambiar el tamaño de la fuente, mueve el control deslizante hacia la izquierda o hacia la derecha.

Las fuentes de X-Fonter aparecerán en la lista desplegable **Fuente** de Word, WordPad o el procesador de textos que utilices.

Para ver las fuentes instaladas en tu ordenador, haz lo siguiente:

1. Haz clic en **Inicio>Panel de control**.
2. Selecciona **Vista clásica**.
3. Haz doble clic en el icono **Fuentes**.

PDF

En esta carpeta encontrarás One Clic Pdf versión 1.0. Este programa te permite convertir al formato pdf documentos creados con otros formatos, por ejemplo, con el formato .doc de Word. Para instalarlo, haz doble clic en el archivo OneClickPdf_v102-1-eval.exe.

Mensajería

En esta carpeta encontrarás los programas de mensajería más populares del mercado, e incluso alguno puramente MADE IN SPAIN.

AOL

Contiene Instant Messenger. Es el programa de mensajería que viene con Netscape Communicator. Para instalarlo, haz doble clic en el archivo aim47.exe.

MSN

Contiene el programa Windows Messenger. Para instalarlo, haz clic en el archivo mmssetup.exe. Es necesario disponer de Windows XP.

RadioTBO

Es un programa de mensajería netamente español que te permitirá conversar utilizando una pizarra de chat, un micrófono y una cámara de vídeo. Para instalarlo, haz doble clic en el archivo radiotbo.exe.

Yahoo

Contiene el programa Yahoo Messenger. Para instalarlo, haz doble clic en el archivo ymsgres.exe

Multimedia

En esta carpeta encontrarás todos los programas y aplicaciones para que puedas disfrutar de tus películas, escuchar la mejor música.

Editores de sonido

Encontrarás programas útiles para la edición de sonido.

Adobe Audition 1.5

Es un programa de estudio de grabación con el que podrás grabar, mezclar y arreglar tus grabaciones. Está en inglés. Haz doble clic en el archivo audition_1_5_tryout_en.exe.

WavePad

Es un programa de estudio de grabación en español con un tutorial muy completo que te enseñará a manejarlo fácilmente. Para instalarlo, haz doble clic en el archivo wpsetup .exe. Para leer el tutorial, haz clic en Ayuda.

Macromedia Flash MX 2004

Flash es un programa indispensable para poder ver las animaciones que contienen muchas páginas Web. En esta carpeta encontrarás dos archivos:

- Install_Flash_MX_2004_es.exe que te instalará la versión 6.0 de Flash MX 2004.
- showaveinstaller.exe que te instalará Macromedia Shockwave y Flash Player 8.0.

Es conveniente disponer de diversos reproductores de sonido y vídeo, porque no todos son compatibles con todos los formatos que existen en la Red. Si tienes uno o dos reproductores, podrás ver los vídeos de algunas páginas Web pero no los de todas. Hay muchas emisoras de radio y televisión en Internet, por ejemplo, que emiten noticias en vídeo que solamente se pueden visualizar con Quick Time, con Real One o con otro reproductor.

Real One

Es otro reproductor de vídeo y sonido muy popular. En esta carpeta encontrarás la versión 10 Gold, que trae incorporado un navegador de Internet en español, con el que podrás recorrer la Web y disfrutar al mismo tiempo de tu música o radio predilectas. Para instalarlo, haz doble clic en el archivo realplayer10gold_es.exe.

Winamp

Winamp es el más famoso reproductor de archivos digitales de sonido MP3. Esta versión gratuita incluye numerosas prestaciones, como la posibilidad de personalizar el programa, de crear listas de melodías para ejecutarlas en el orden deseado o en orden aleatorio.

Encontrarás el archivo winamp505full.exe, en inglés, en el que deberás hacer doble clic para instalarlo. Para traducirlo al español, haz doble clic sobre el archivo esp340.exe.

Windows Media Player

Windows Media Player se llama también Reproductor de Windows Media y es un excelente reproductor de vídeo y sonido que acompaña a Windows a partir de la versión Me. Con él podrás ver películas DVD en formatos tan poco frecuentes como DVD+RW.

Para instalar la versión 9 de este programa, tienes que hacer doble clic en el archivo **mpsetup.exe** o, para Windows XP, mpsetupxp.exe

TRUCO MÁGICO

Si tienes varios reproductores instalados, cuando insertes un disco en el lector de CD-ROM de tu equipo, se pondrá en marcha uno de ellos, el que haya quedado establecido como predeterminado. Aparte de que puedes cambiar y hacer que el predeterminado sea otro, si quieres que el CD no se ejecute automáticamente, mantén pulsada la tecla Mayús unos segundos después de haberlo insertado en el lector de CD-ROM.

Navegadores

En esta carpeta encontrarás las últimas versiones en caste llano de los navegadores más populares por estos mares.

Internet Explorer

Contiene Internet Explorer versión 6. Para instalarlo, hay que hacer doble clic sobre el archivo ie6setup.exe.

Netscape

Contiene los archivos de descarga de Netscape Communicator versión 7, éste en castellano, y de la versión 7.2.

Opera

Contiene Opera Browser versión 7.54, en español. Para instalarlo, hay que hacer doble clic sobre el archivo ow32es-Eses- ES754.exe.

Pagina Web

Encontrarás algunos programas de ayuda para la constru- cción de tu propia página Web.

ActiveWebTraffic

Está en castellano y se llama Active WebTraffic versión 5.6.1. Este programa te resultará muy útil para colocar tu página Web en los portales y buscadores más importantes y hacer que fluya hacia ella el tráfico de la Red.

Chat

En esta carpeta encontrarás el programa Bocazas 1.1, que te permitirá instalar un chat en tu página Web.

Editores Web

Esta carpeta contiene tres editores de páginas Web:

CoffeeCup

Contiene el archivo CoffeHtml82.exe.

HotDogJunior

Contiene el archivo hotdogjunior_ds.exe

HotDogProfesional

Contiene el archivo hotdog6install.exe

Fondos

Encontrarás numerosos fondos para tu página Web. Hay que descomprimir el archivo fondosgratis.zip.

Gráficos

Esta carpeta contiene numerosos recursos para tu página Web, como botones, animaciones, imágenes, sonidos, etc.

RessWork

RessWork es un potente programa en español que te permitirá crear tu propio portal. Para instalarlo, haz doble clic en el archivo setup.exe.

TV Live

Este programa permitirá a los visitantes de tu página Web conectar con numerosas emisoras gratuitas de televisión en Internet. Después de descomprimir el archivo tv_live.zip, debes copiar Php-Nuke al directorio raíz de tu página Web.

Seguridad

Aquí encontrarás todos los programas para proteger tu PC de espías, virus, ataques malintencionados, *pop-ups* y demás fauna salvaje que se esconde en la Red.

Antivirus

Los antivirus son imprescindibles para moverse por Internet, pero no hay que olvidar que un antivirus carece de valor si no se actualiza con frecuencia. Cada día aparecen nuevos virus en la Red que los antivirus desconocen. Solamente al actualizarlos, instalan las nuevas herramientas para proteger tu equipo de los nuevos virus. Para actualizar un antivirus generalmente basta con hacer clic en una opción que suele llamarse Actualizar, *Update*, *Live update* o algo similar.

En esta carpeta encontrarás los siguientes antivirus:

AvpKaspersky Antivirus Personal

Esta aplicación se instala haciendo doble clic en el archivo kav4_pers.exe.

Norton Antivirus versión 2004

También, como el anterior se instala haciendo doble clic en el archivo Nav10Esd.exe.

Panda Antivirus Titanium versión 2004

Lo mismo, pero en el archivo Titan4shes.exe.

Mata espías

Los programas espías se "cuelan" en tu ordenador y lo manipulan. En esa carpeta encontrarás los mata espías siguientes:

- SpyBot. Tienes que hacer doble clic en el archivo **spybotsd13.exe** para instalarlo en tu equipo.
- SpyHunter. Tienes que hacer doble clic en el archivo **spyhunterS.exe** para instalarlo en tu equipo.
- SpyKiller. Tienes que hacer doble clic en el archivo **spykiller2004.exe** para instalarlo en tu equipo.
- SpyRem. Tienes que hacer doble clic en el archivo **spyrem_setup.exe** para instalarlo en tu equipo.

Mata ventanas

Las ventanas emergentes, llamadas también por su nombre en inglés *pop-ups*, son otra de las plagas de Internet que hemos descrito en el capítulo 4. En esta carpeta, encontrarás dos tipos de programas mata ventanas:

- Barras de herramientas que se incorporan al navegador y que permiten controlar las ventanas emergentes de los distintos sitios Web visitados.
- Mata ventanas propiamente dichos, que son programas que instalan un icono en la barra de tareas y otro en el Escritorio de Windows para poder controlar su trabajo.

Barras de herramientas

Hay dos barras de herramientas en esta carpeta, que se instalan en sobre el navegador y destruyen las ventanas emergentes:

Barra MSN

La Barra de búsqueda MSN se instala haciendo doble clic en el archivo MSNToolbarSetup_es.exe. La figura B.4 muestra esta barra instalada en Internet Explorer.

Figura B.4. La Barra de búsqueda MSN.

La Barra de búsquedas MSN tiene varios botones con diversas funciones como buscar, acceder a Hotmail, poner en marcha Windows Messenger, etc.

El botón relacionado con la destrucción de ventanas emergentes muestra en la figura el mensaje: Ventanas bloqueadas; 371. Pero a veces no es conveniente bloquear o destruir ventanas emergentes, porque hay muchos sitios Web en los que son necesarias. Por ejemplo, al comprar artículos a través de la Red o al suscribirse a una revista, surge una ventana en la que hay que insertar ciertos datos personales.

Para evitar que la Barra de búsquedas bloquee esa ventana, hay que hacer clic en la flecha abajo situada junto al botón **Ventanas emergentes bloqueadas**, para desplegar un menú.

En ese menú hay varias opciones:

- **Permitir ventanas emergentes**. Al quedar seleccionada esta opción, la Barra de búsqueda MSN no bloqueará más ventanas emergentes hasta que se modifique esa instrucción.
- **Admitir ventanas emergentes en este sitio**. Al seleccionar esta opción, la Barra de búsqueda MSN almacena en su memoria la dirección del sitio Web visitado para permitir siempre las ventanas que surjan en él, pero bloqueará las que surjan en otros sitios o páginas Web.
- **Configuración del protector contra ventanas emergentes**. Permite configurar la barra para señalar en qué direcciones Web debe permitir ventana y en cuáles no, confeccionando una lista de ventanas emergentes admitidas.
- **Restablecer contador de ventanas emergentes**. Pone a cero el contador de ventanas bloqueadas.

Google

La Barra Google es similar a la barra de MSN. Se instala haciendo doble clic sobre el archivo GoogleToolbarInstaller.exe.

Popup killers

En la carpeta de programas, encontrarás tres archivos que se instalan automáticamente al hacer clic en ellos.

- Popup_Blocker.exe.
- PopupBuster.exe.
- UpopupKiller.exe.

Estos programas funcionan de forma similar. Cuando aparece una ventana emergente, el programa la destruye y emite un sonido similar a una pequeña explosión. Si necesitas utilizar las ventanas emergentes de un sitio Web determinado, como tu Banco en línea, tienes que hacer lo siguiente:

1. Haz clic con el botón derecho del ratón sobre el icono que aparece en la barra de tareas de Windows, para desplegar el menú contextual que muestra la figura B.5.
2. Selecciona **Exit** para desactivar la ventana.
3. Cuando quieras reactivarlo, haz doble clic en el icono del Escritorio, que también puedes ver en la figura B.5.

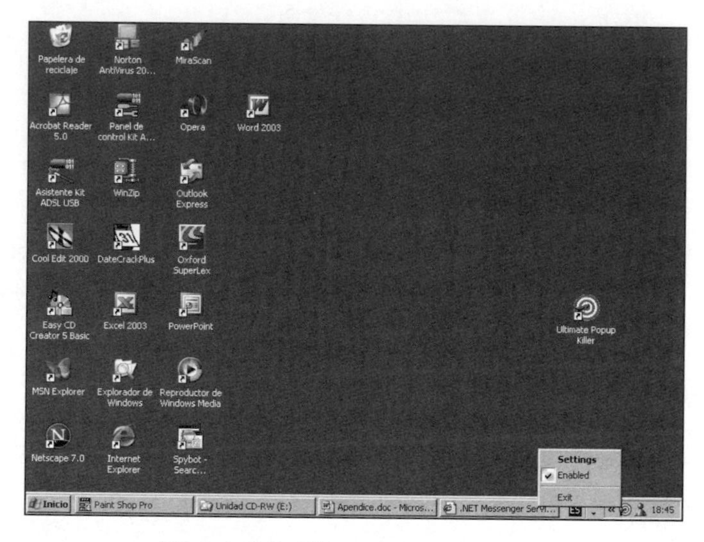

Figura B.5. Ultimate Popup Killer.

Transferencia de ficheros

No podían faltar en esta selección de utilidades los famosos gestores de descargas y los clientes FTP con los que descargar y transferir archivos a través de Internet.

Cute FTP

En esta carpeta encontrarás la versión 6.0 Professional de Cute FTP. Es un excelente programa de transferencia de ficheros y el más popular. Permite cargar (subir, en el argot de la Red) archivos a un servidor Web. Después de crear tu página Web, tienes que "subirla" al espacio que hayas contratado o a un espacio gratuito de los que ofrecen muchos portales o proveedores de servicios de Internet. Éste es el programa que te permitirá subir tu página, arrastrando los archivos que la componen, como si se tratara del Explorador de Windows.

Para instalarlo, haz doble clic en el archivo cuteftppro.exe.

Encontrarás tutoriales y manuales gratis para Cute FTP en las direcciones siguientes:

http://terra.es/personal/tamarit1/cute-ftp

http://www.cybercursos.net/cursos-online/cuteFTP

Gestores de descargas

Las descargas de Internet pueden ser un problema si se trata de archivos grandes y no dispones de una conexión rápida, como ADSL o cable. Muchas veces, la descarga se interrumpe a mitad del proceso y hay que recomenzar. Para facilitar este trabajo, conviene instalar un gestor de descargas. Estos programas se ponen en funcionamiento automáticamente al iniciarse una descarga y controlan el proceso. Si el archivo a descargar es muy grande, lo dividen en porciones; si la descarga se interrumpe, la reinician en el punto en que se interrumpió; etc.

En esta carpeta, encontrarás los siguientes:

Download Accelerator

Para instalarlo, haz doble clic en el archivo dap5.exe.

Get right

En esta carpeta encontrarás la versión 4.5. Para instalarlo, haz doble clic sobre el archivo getrt45a.exe

Go!Zilla

En esta carpeta encontrarás la versión 4.11. Para instalarlo, haz doble clic sobre el archivo gozilla.exe.

Índice alfabético

A

B

C

D

E

F

N

O

P

Q

R

S

T

U

V

W

X

Y

Z